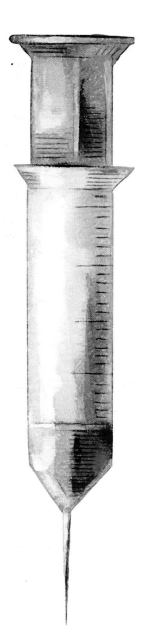

D1403608

Math et Méd

Guide pour une administration sécuritaire des médicaments

Marlène Fortin

Conception et rédaction
des activités interactives Odilon
Sylvain Poulin

Achetez
en ligne
En tout temps,
simple et rapide!
www.cheneliere.ca

**CHENELIÈRE
ÉDUCATION**

Math et méd
Guide pour une administration sécuritaire des médicaments

Marlène Fortin

© 2010 Chenelière Éducation inc.

Conception éditoriale : Sophie Gagnon
Édition : France Vandal
Coordination : Valérie Côté
Révision linguistique : Jean-Pierre Leroux
Révision scientifique : Josée Courchesne
Correction d'épreuves : Danielle Maire et Caroline Bouffard
Recherche iconographique : Marie-Renée Buczkowski
Conception graphique et infographie : Martine Crépeau (Interscript)
Conception de la couverture : Tatou communication
Impression : Imprimeries Transcontinental

Édition des activités interactives Odilon : Frédérique Grambin
Coordination du matériel complémentaire Web : Benoit Bordeleau

**Catalogage avant publication
de Bibliothèque et Archives nationales du Québec
et Bibliothèque et Archives Canada**

Fortin, Marlène

Math et méd : guide pour une administration sécuritaire des
médicaments

Comprend des réf. bibliogr. et un index.
Pour les étudiants du niveau collégial.

ISBN 978-2-7650-2748-5

1. Arithmétique pharmaceutique. 2. Médicaments – Administration –
Sécurité – Mesures. 3. Posologie. 4. Arithmétique pharmaceutique –
Problèmes et exercices. I. Titre.

RS57.F67 2010   615'.1401513   C2010-940823-3

5800, rue Saint-Denis, bureau 900
Montréal (Québec) H2S 3L5 Canada
Téléphone : 514 273-1066
Télécopieur : 514 276-0324 ou 1 888 460-3834
info@cheneliere.ca

ISBN 978-2-7650-2748-5

Dépôt légal : 2e trimestre 2010
Bibliothèque et Archives nationales du Québec
Bibliothèque et Archives Canada

Imprimé au Canada

3 4 5 6 7 ITIB 16 15 14 13 12

Nous reconnaissons l'aide financière du gouvernement du Canada par
l'entremise du Fonds du livre du Canada (FLC) pour nos activités d'édition.

Gouvernement du Québec – Programme de crédit d'impôt pour l'édition de
livres – Gestion SODEC.

Sources iconographiques

Couverture, p. 2, 3, 19 : © Todd Davidson/Illustration
Works/Corbis ; **p. 6** (lotion) : © Christine Glade/
iStock photo ; (pastille) : © Sean Barley/iStock photo ;
(aérosol, caplet, capsule, gélule, collyre, comprimé,
comprimé entérosoluble, gouttes, onguent, ovule,
pâte, sirop, solution, suppositoire, timbre cutané) :
Patrice Gagnon/Limagier-photo.com ;
**p. 95, 108-118, 121-122, 126-127, 138, 144, 148,
150, 152-154, 161, 191, 193-194, 196, 200, 206-208,
210, 218-220 :** Patrice Gagnon/Limagier-photo.com ;
**p. 38-39, 61, 71, 88-89, 107, 137, 155, 167, 188-189,
213 :** © Todd Davidson/Images.com/Corbis.

Dans cet ouvrage, le féminin est utilisé comme
représentant des deux sexes, sans discrimination à
l'égard des hommes et des femmes, et dans le seul
but d'alléger le texte.

Des marques de commerce sont mentionnées ou illustrées dans cet ouvrage. L'Éditeur tient à préciser qu'il
n'a reçu aucun revenu ni avantage conséquemment
à la présence de ces marques. Celles-ci sont repro-
duites à la demande de l'auteur en vue d'appuyer le
propos pédagogique ou scientifique de l'ouvrage.

La pharmacologie évolue continuellement. La recherche
et le développement produisent des traitements et des
pharmacothérapies qui perfectionnent constamment
la médecine et ses applications. Nous présentons au
lecteur le contenu du présent ouvrage à titre informatif
uniquement. Il ne saurait constituer un avis médical. Il
incombe au médecin traitant et non à cet ouvrage de
déterminer la posologie et le traitement appropriés de
chaque patient en particulier. Nous recommandons
également de lire attentivement la notice du fabricant
de chaque médicament pour vérifier la posologie recommandée, la méthode et la durée d'administration, ainsi
que les contre-indications.

Les cas présentés dans les mises en situation de cet
ouvrage sont fictifs. Toute ressemblance avec des personnes existantes ou ayant déjà existé n'est que pure
coïncidence.

Chenelière Éducation, les auteurs et leurs collabora-
teurs se dégagent de toute responsabilité concernant
toute réclamation ou condamnation passée, présente
ou future, de quelque nature que ce soit, relative à
tout dommage, à tout incident – spécial, punitif ou
exemplaire – y compris de façon non limitative, à toute
perte économique ou à tout préjudice corporel ou
matériel découlant d'une négligence, et à toute vio-
lation ou usurpation de tout droit, titre, intérêt de
propriété intellectuelle résultant ou pouvant résulter
de tout contenu, texte, photographie ou des produits
ou services mentionnés dans cet ouvrage.

Le matériel complémentaire mis en ligne dans notre
site Web est réservé aux résidants du Canada, et ce,
à des fins d'enseignement uniquement.

Avant-propos

Cette édition québécoise de *Math et méd* se veut un nouvel outil pédagogique qui vise à aider l'étudiante en soins infirmiers à développer son jugement clinique tout au long du processus d'intervention auprès d'un client, et particulièrement au cours de la thérapie médicamenteuse. Durant sa formation et dans l'exercice de son futur travail d'infirmière, elle sera amenée à travailler avec une technologie de plus en plus présente et complexe. Elle ne doit pas oublier que les nouvelles technologies, qui facilitent son travail, ne sont pas infaillibles et qu'elle doit faire en sorte que les doses et le processus d'administration des médicaments aux clients soient toujours sécuritaires.

Nous exposons dans ce guide une approche qui permettra à l'étudiante de développer sa pleine autonomie professionnelle par rapport à l'administration de médicaments. Elle commencera par se familiariser avec les principes et les généralités qui encadrent sa profession. Elle fera un retour sur les notions et les méthodes de calculs mathématiques de même que sur les systèmes de mesure qui sont à la base des calculs des doses de médicaments. Elle procédera par la suite à la lecture des ordonnances médicales, à la lecture des étiquettes de médicaments, à une revue des différents systèmes d'administration des médicaments et se penchera sur la logique des calculs en fonction des dispositifs utilisés pour leur administration. Finalement, elle parcourra les notions essentielles à une administration orale et parentérale de médicaments, sans négliger, entre autres choses, les conditions particulières liées à l'administration des médicaments en pédiatrie, la thérapie intraveineuse, l'insulinothérapie et l'héparinothérapie.

Pour aider l'étudiante à développer son autonomie professionnelle et son jugement clinique, tous les chapitres du manuel comprennent des activités et des exemples s'appuyant sur d'authentiques étiquettes de médicaments, sur de vrais systèmes de perfusion ou sur des appareillages se rapprochant le plus possible des situations réelles. Tous les dosages suggérés, du plus simple au plus complexe, sont conformes à de véritables ordonnances médicales et sont présentés dans le cadre de situations fictives mais réalistes. L'étudiante sera amenée à analyser l'ordonnance médicale, à l'interpréter, à poser sur celle-ci un regard critique et à en calculer les doses lorsque cela est requis. De plus, les chapitres comportent des encadrés qui expliquent de façon plus détaillée ou plus scientifique différents thèmes importants associés à une administration sécuritaire des médicaments. On y fait des renvois au plan thérapeutique infirmier (PTI), aux plus récentes recherches sur les abréviations à employer et à plusieurs sites Internet spécialisés dans le domaine des médicaments afin de permettre à l'étudiante de parfaire ses connaissances.

Cet ouvrage contient tout ce qu'il faut pour rendre l'apprentissage graduel et intéressant. Au début de chaque chapitre, on décrit les objectifs et le contenu. À la fin des chapitres, la lectrice est invitée à revoir ses connaissances en exécutant des exercices de révision. Un corrigé placé à la fin du manuel rend l'acquisition de connaissances plus facile à qui veut progresser de façon autodidacte et dans le respect de son rythme d'apprentissage.

Nous espérons que vous prendrez autant de plaisir à vous servir de ce guide que nous en avons eu à le réaliser pour vous. Pendant toute la durée de votre carrière, nous vous incitons à conserver le goût de développer votre compétence et vos connaissances en lien avec la thérapie médicamenteuse.

Remerciements

La rédaction de cet ouvrage original québécois n'aurait pas été possible sans l'apport de nombreuses personnes qui m'ont inspirée durant toutes les étapes de la création de ce projet d'envergure, c'est-à-dire de l'idéation jusqu'au peaufinage de chacun des chapitres. J'aimerais tout d'abord remercier les personnes suivantes pour leurs précieuses suggestions au tout début de la rédaction :

Anne Brisebois – Cégep André-Laurendeau

Josée Courchesne – Collège de Bois-de-Boulogne

Lynn Drouin – Cégep du Vieux-Montréal

Sophie Tessier – Cégep de Trois-Rivières

J'aimerais aussi souligner l'apport de Christian Héroux, pharmacien coordonnateur du Centre d'information sur le médicament (CHUQ), dont l'expertise pharmacologique m'a été très bénéfique.

Deux enseignants ont joué le rôle de consultants lors de la relecture des chapitres. Leurs conseils et leurs suggestions furent primordiaux : Sylvain Poulin (Cégep Limoilou) et Lynn Maillet (Collège de Maisonneuve). Sylvain Poulin a par ailleurs rédigé les activités interactives offertes sur le site Web Odilon ; je le remercie d'avoir accepté ce mandat colossal. Merci également à Anick Fortin, enseignante au secondaire, qui a validé quelques-unes des méthodes utilisées dans ce volume.

Je tiens à remercier mon conjoint, qui m'a accompagnée dans cette aventure. Ses précieux conseils m'ont été très utiles et m'ont aidée à poser un regard critique sur le contenu.

Merci à Pierre Parent, dont les écrits ont servi de toile de fond pour la réécriture du rappel des notions mathématiques de base.

Un merci particulier à France Vandal et à Valérie Côté de la maison d'édition Chenelière Éducation pour m'avoir suivie, encouragée et écoutée pendant toute la durée du projet.

Finalement, merci à toutes les professionnelles des milieux de la santé et de l'enseignement qui m'ont aidée à suivre l'évolution de la science et des nouvelles pratiques sécuritaires dans l'administration des médicaments.

Marlène Fortin, inf. et enseignante

ODILON, votre complice Web ————

ODILON est un outil d'apprentissage interactif dont les activités pédagogiques variées et parfois ludiques visent à vérifier l'atteinte de compétences dans des cours de niveau collégial et universitaire. Odilon est aussi couplé à un dossier virtuel qui conserve la trace de toutes les visites de l'étudiante sur le site, ainsi que la note obtenue à chaque activité.

Le complice Web Odilon propose des activités conçues par des enseignants et des auteurs expérimentés afin d'orienter les étudiantes, à la maison comme en laboratoire informatique. Les questions et les réponses ont été préparées à partir du manuel. La plupart des réponses sont soumises à une correction automatique. En tant qu'enseignante, vous n'avez plus qu'à consulter les notes obtenues par vos étudiantes et à suivre leurs progrès dans leurs moindres détails : le rendement fourni, la fréquence et la durée de leurs visites sur le site et les activités effectuées.

L'inscription au complice Web est gratuite. Toutefois, le matériel offert par notre complice Web s'adresse exclusivement aux enseignantes qui utilisent le volume *Math et méd : guide pour une administration sécuritaire des médicaments* comme manuel de base pour leur enseignement ainsi qu'à leurs étudiantes. Le matériel et le soutien fourni par notre service à la clientèle sont réservés uniquement aux utilisateurs canadiens.

Que propose ODILON, votre complice Web, aux utilisateurs de *Math et méd* qui veulent accroître leurs connaissances et améliorer leur rendement scolaire ?

- Des exercices de réchauffement permettant aux étudiantes de revoir les calculs de base.
- Des exercices préliminaires permettant aux étudiantes d'évaluer non seulement leur connaissance des notions de mathématiques essentielles au calcul exact des doses de médicaments, mais aussi leur degré de compréhension de la résolution de problèmes.
- De nombreux ateliers portant sur la matière vue dans chaque chapitre du manuel.
- Des ateliers d'examens pour chaque section du manuel permettant aux étudiantes de revoir l'ensemble de la matière d'une section. L'accès à ces ateliers est contrôlé par l'enseignante, qui peut décider ainsi des modalités d'utilisation de ce matériel.

Que contient votre matériel complémentaire ?

- Une banque d'exercices supplémentaires et leur corrigé.
- De l'information complémentaire au manuel, entre autres le code de déontologie de l'infirmière, des tableaux des heures d'administration des médicaments et des consignes sur la façon de remplir un rapport d'incident.
- Un supplément sur la pharmacodynamie et la pharmacocinétique.

Pour profiter d'une gamme d'ateliers stimulants et de ressources pédagogiques, consultez le site :

www.cheneliere.ca/mathetmed

Caractéristiques du manuel

Ouverture de section

Chaque section débute par une table des matières des chapitres qui la composent.

Exemples

Plusieurs exemples illustrent et concrétisent les notions abordées dans chacun des chapitres.

Activités

Une fois la théorie et les exemples donnés, l'étudiante est appelée à réaliser des activités pour mettre en pratique et consolider l'apprentissage des compétences.

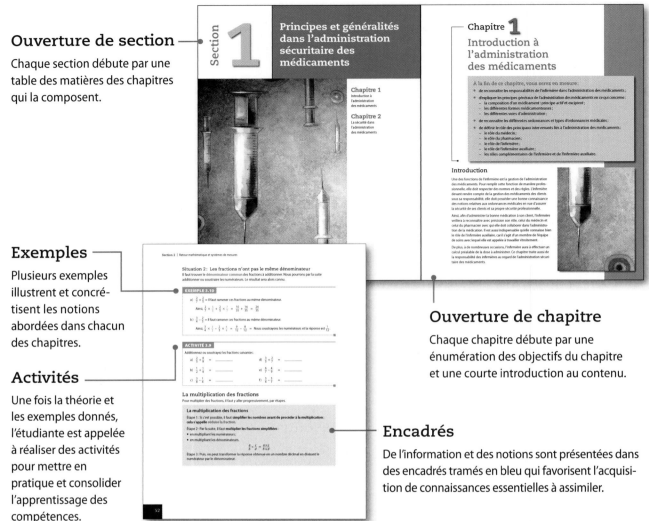

Ouverture de chapitre

Chaque chapitre débute par une énumération des objectifs du chapitre et une courte introduction au contenu.

Encadrés

De l'information et des notions sont présentées dans des encadrés tramés en bleu qui favorisent l'acquisition de connaissances essentielles à assimiler.

Étiquettes

Plus de 100 étiquettes authentiques de médicaments sont présentées en tant que figures numérotées. Les étiquettes sont aussi utilisées dans les exemples et les activités pour recréer une expérience réelle de lecture des données.

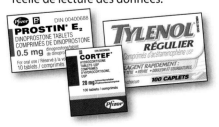

Tableaux

De nombreux tableaux synthétisent la matière et favorisent l'intégration des informations présentées en complément de la théorie.

Rubrique Attention!

Cette rubrique regroupe des conseils, des mises en garde et des renseignements particulièrement importants pour toute étudiante en soins infirmiers.

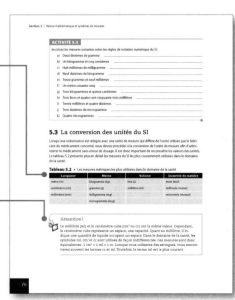

Utilisation pédagogique de la couleur

La facture visuelle du volume vise à maximiser la compréhension de contenus importants et à faciliter leur repérage. La couleur est judicieusement utilisée pour signaler :

- des mots-clés et des phrases-clés (rouge) ;

- des éléments d'opérations mathématiques (orange et jaune) ;

- certains chiffres importants dans les calculs (bleu et rouge) ;

- des formules à retenir (encadrés verts).

Notes en marge

Les commentaires apparaissant sous la forme d'une note (*post-it*) contiennent certaines informations pratiques ; ils renvoient aussi à d'autres chapitres où l'on traite de notions similaires.

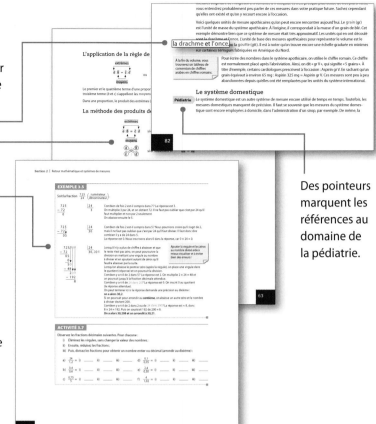

Des pointeurs marquent les références au domaine de la pédiatrie.

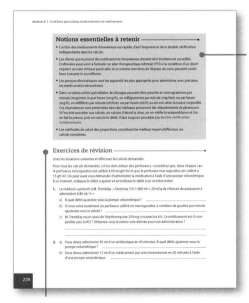

Notions essentielles à retenir

Cette section présentée à la fin de chacun des chapitres constitue un excellent outil de révision.

Corrigé

Les réponses aux activités, aux exercices de révision et au test diagnostique se trouvent à la toute fin du volume.

Exercices de révision

Cette série d'exercices qui clôt chaque chapitre amène l'étudiante à appliquer la matière abordée. Cette section représente une excellente façon de valider l'acquisition des compétences.

Note sur les abréviations

Dans cet ouvrage, les abréviations sont présentées en lettres minuscules, sans points (sc, im, etc.). Notez qu'on trouve dans la littérature d'autres façons de faire. Il est aussi possible d'écrire les abréviations avec des points (s.c., i.m.) ou en lettres majuscules, avec ou sans points (SC, IM ou S.C., I.M.).

Table des matières

Section 1
Principes et généralités dans l'administration sécuritaire des médicaments

Chapitre 1 : Introduction à l'administration des médicaments

Chapitre 2 : La sécurité et l'administration des médicaments

Section 2
Retour mathématique et systèmes de mesures

Chapitre 3 : Rappel des notions mathématiques de base

Chapitre 4 : Les méthode de calcul des rapports et des proportions

Chapitre 5 : Les systèmes de mesure des médicaments

Section 3
Préparation de la médication

Chapitre 6 : La lecture des étiquettes de médicaments et d'ordonnances médicales

Chapitre 7 : La lecture des dispositifs d'administration de médicaments liquides pour administration orale ou parentérale

Section 4
Conditions particulières d'administration de médicaments

Chapitre 12: La thérapie intraveineuse

Chapitre 13 : Le dosage des médicaments intraveineux

Chapitre 14 : L'insulinothérapie et l'héparinothérapie

Test diagnostique ————————————————————

Vous n'avez pas droit à la calculatrice.

Pour toutes les questions nécessitant des calculs, effectuez ces calculs au complet dans l'espace de droite. Idéalement, vous devriez réaliser ce test en 60 minutes.

Bonne chance !

(10 points) **1.** Pour chacune des lettres suivantes, déterminez le nombre qui a la plus grande valeur en l'encerclant :

a) 2,17 ; 2,21 ; 2,91   c) 3,09 ; 3,1 ; 3,08   e) 4,0 ; 4,01 ; 4,1

b) 0,125 ; 0,09 ; 0,05   d) 13,7 ; 13,5 ; 13,25

(10 points) **2.** Effectuez l'opération demandée (additionner ou soustraire) pour les nombres décimaux suivants :

a) $3,2 + 2,17 =$ _____   d) $5 - 2,45 =$ _____

b) $1,4 + 5,3 =$ _____   e) $2,25 - 0,75 =$ _____

c) $0,2 + 1,65 =$ _____

(10 points) **3.** Multipliez les nombres décimaux suivants (arrondissez au centième lorsque cela est requis) :

a) $0,5 \times 2,8 =$ _____   d) $0,35 \times 1,9 =$ _____

b) $2,4 \times 0,05 =$ _____   e) $3,6 \times 2,25 =$ _____

c) $1,61 \times 6,07 =$ _____

(10 points) **4.** Divisez les nombres décimaux suivants (arrondissez au dixième lorsque cela est requis) :

a) $1,7 \div 0,4 =$ _____   d) $2,55 \div 0,7 =$ _____

b) $3,2 \div 0,75 =$ _____   e) $7,25 \div 3,4 =$ _____

c) $12,34 \div 1,2 =$ _____

(10 points) **5.** Divisez les nombres décimaux suivants (arrondissez au dixième lorsque cela est requis) :

a) $\dfrac{1,6}{0,7} =$ _____   d) $\dfrac{0,325}{0,15} =$ _____

b) $\dfrac{4,1}{2,05} =$ _____   e) $\dfrac{2,15}{1,5} =$ _____

c) $\dfrac{0,65}{0,25} =$ _____

(10 points) **6.** Effectuez les opérations demandées (multiplier ou diviser). Transformez le résultat obtenu en un nombre décimal (arrondissez au dixième lorsque cela est requis) :

a) $\dfrac{3}{5} \times \dfrac{10}{5} =$ _____   d) $\dfrac{5}{8} \div \dfrac{5}{7} =$ _____

b) $\dfrac{90}{60} \times \dfrac{15}{1} =$ _____   e) $\dfrac{3}{75} \div \dfrac{1}{50} =$ _____

c) $\dfrac{150}{45} \times \dfrac{20}{1} =$ _____

7. Transformez les pourcentages suivants en nombres décimaux :   **(10 points)**

    a)   0,45 % = _____   d)   3,5 % = _____

    b)   3 % = _____   e)   8,2 % = _____

    c)   25 % = _____

8. Vous devez administrer du sirop à votre client. Faites les calculs afin de préparer la quantité à administrer en millilitres pour chacune des lettres suivantes, en arrondissant au dixième lorsque cela est requis :   **(10 points)**

    a)   325 mg = 1 ml   d)   300 mg = 1,5 ml
         800 mg = x ml = _____   120 mg = x ml = _____

    b)   10 mg = 1 ml   e)   65 mg = 1 ml
         8 mg = x ml = _____   350 mg = x ml = _____

    c)   75 mg = 5 ml
         60 mg = x ml = _____

9.   a)   Selon l'ordonnance, vous devez administrer à un client un quart de comprimé d'un médicament dont la teneur (concentration) est de 75 mg par comprimé. Combien de milligrammes lui administrerez-vous ? Arrondissez au dixième. _____   **(10 points)**

    b)   Votre client prend un médicament qui a une teneur de 0,2 mg par comprimé (mg/co). Vous lui administrez trois comprimés et demi. Combien de milligrammes reçoit-il ? _____

    c)   Vous administrez à votre client 3 comprimés dont la teneur est de 0,4 mg par comprimé. Combien de milligrammes de médicament prend-il ? _____

    d)   Vous avez des comprimés dont la teneur est de 1/100 mg par comprimé. Le dosage requis est de 1/200 mg. De combien de comprimés aurez-vous besoin ? _____

    e)   Votre cliente doit prendre 3 comprimés d'un médicament dont la teneur est de 3,5 mg/co. Combien de milligrammes prendra-t-elle ? _____

10. Indiquez si les égalités suivantes sont vraies ou fausses :   **(10 points)**

    a)   500 ml = 0,5 L _____   d)   1 600 mg = 0,160 g _____

    b)   50 mg = 0,5 mcg _____   e)   100 mg = 0,01 g _____

    c)   3 500 ml = 3,5 L _____

Résultat :   / 100

Vous avez obtenu une note parfaite. Bravo ! Vous pouvez omettre les chapitres 3 et 4 de la section 2 (révision mathématique). Cependant, si vous éprouvez certaines difficultés, sachez que ces chapitres proposent des méthodes de calcul et des raccourcis pour résoudre des problèmes liés au calcul de doses médicamenteuses sans avoir recours à la calculatrice.

Vous avez obtenu une note inférieure à 80 %. Vous devez rafraîchir vos connaissances en révisant les chapitres 3 et 4 de la section 2 (révision mathématique). Prêtez attention à la théorie qui vous fera revoir les notions mathématiques de base. Appliquez-vous à effectuer les exercices qu'on y propose, car cela vous sera utile pour les calculs de doses médicamenteuses que vous aurez à effectuer comme étudiante infirmière de même que dans votre future profession d'infirmière.

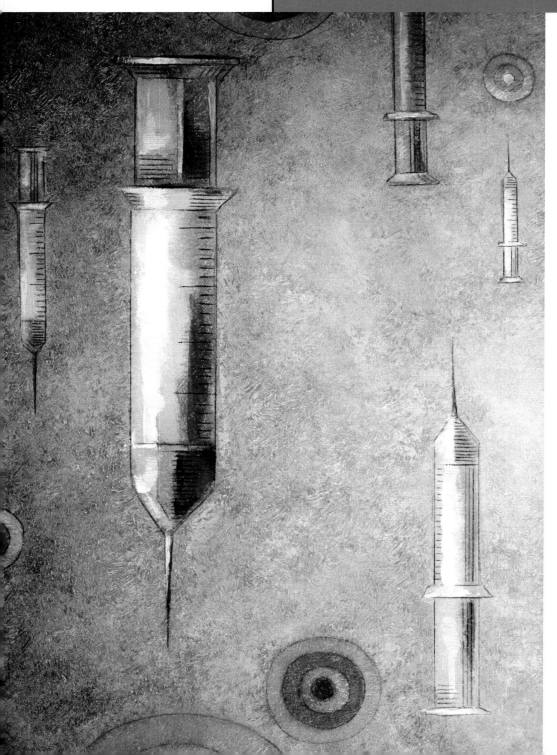

Section 1

Principes et généralités dans l'administration sécuritaire des médicaments

Chapitre 1
Introduction à l'administration des médicaments

Chapitre 2
La sécurité et l'administration des médicaments

Chapitre 1

Introduction à l'administration des médicaments

À la fin de ce chapitre, vous serez en mesure :

- de reconnaître les responsabilités de l'infirmière dans l'administration des médicaments ;
- d'expliquer les principes généraux de l'administration des médicaments en ce qui concerne :
    - la composition d'un médicament : principe actif et excipient ;
    - les différentes formes médicamenteuses ;
    - les différentes voies d'administration ;
- de reconnaître les différentes ordonnances et types d'ordonnances médicales ;
- de définir le rôle des principaux intervenants liés à l'administration des médicaments :
    - le rôle du médecin ;
    - le rôle du pharmacien ;
    - le rôle de l'infirmière ;
    - le rôle de l'infirmière auxiliaire ;
    - les rôles complémentaires de l'infirmière et de l'infirmière auxiliaire.

Introduction

Une des fonctions de l'infirmière est la gestion de l'administration des médicaments. Pour remplir cette fonction de manière professionnelle, elle doit respecter des normes et des règles. L'infirmière devant rendre compte de la gestion des médicaments des clients sous sa responsabilité, elle doit posséder une bonne connaissance des notions relatives aux ordonnances médicales en vue d'assurer la sécurité de ses clients de même que sa propre sécurité professionnelle.

Ainsi, afin d'administrer adéquatement la médication à son client, l'infirmière veillera à reconnaître avec précision son rôle, celui du médecin et celui du pharmacien avec qui elle doit collaborer dans l'administration de la médication. Il est aussi indispensable qu'elle connaisse bien le rôle de l'infirmière auxiliaire, car il s'agit d'un membre de l'équipe de soins avec lequel elle est appelée à travailler étroitement.

De plus, à de nombreuses occasions, l'infirmière aura à effectuer un calcul préalable de la dose à administrer. Ce chapitre traite aussi de la responsabilité des infirmières au regard de l'administration sécuritaire des médicaments.

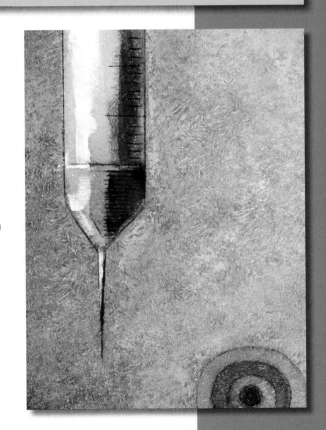

1.1 Les responsabilités de l'infirmière

Dans cette section, nous verrons les compétences que doit posséder l'infirmière en ce qui a trait à l'administration des médicaments. Ces compétences lui permettront de bien prendre ses responsabilités en cette matière.

Les compétences nécessaires

En tant qu'étudiante en soins infirmiers, vous acquerrez tout au long de votre formation des compétences essentielles à l'exercice de votre discipline. L'une de ces compétences porte sur l'administration des médicaments. Cette compétence, dans la formation en soins infirmiers au collégial, s'intitule « Établir des liens entre la pharmacothérapie et une situation clinique ». Cela signifie que l'infirmière doit administrer de façon sécuritaire la médication à son client. Pour ce faire, il existe une méthode mnémotechnique appelée la règle des cinq à sept « bons » principes, qui permet d'assurer une vérification systématique au moment de l'administration d'un médicament au client. Voici les cinq premiers « bons » principes :

- le bon **médicament** ;
- la bonne **dose** (le calcul en fait partie intégrante) ;
- la bonne **voie d'administration** ;
- le bon **moment** ;
- le bon **client**.

À ces cinq « bons », plusieurs milieux cliniques en ajoutent un sixième et un septième, à savoir :

- la bonne **documentation** (recherche du médicament et transcription aux endroits appropriés dans les bons dossiers ou formulaires) ;
- la bonne **surveillance** des effets attendus et des effets secondaires de la médication administrée. Pour surveiller ces effets, l'infirmière doit donc avoir une connaissance de la médication qu'elle administre.

Les obligations de l'infirmière par rapport à la médication

Dans l'exercice de ses fonctions, l'infirmière est régie par divers codes, lois et règlements, dont les principaux sont la Loi sur les infirmières et les infirmiers du Québec ainsi que le Code de déontologie des infirmières et infirmiers du Québec.

L'article 36 de la Loi sur les infirmières et les infirmiers, modifié par l'adoption de la Loi modifiant le Code des professions et d'autres dispositions législatives dans le domaine de la santé (L.Q., 2002, c. 33, art. 12), précise 14 activités qui sont réservées à l'infirmière, dont 3 sont en lien avec l'administration des médicaments. Ces trois activités sont :

- effectuer et ajuster les traitements médicaux, selon une ordonnance ;
- administrer et ajuster des médicaments ou d'autres substances, lorsqu'ils font l'objet d'une ordonnance ;
- mélanger des substances en vue de compléter la préparation d'un médicament, selon une ordonnance (qu'elle soit individuelle ou collective).

Le Code de déontologie des infirmières et infirmiers énonce lui aussi, aux articles 17 et 45, l'importance d'une administration adéquate des médicaments, toujours dans le but de préserver la sécurité du client.

Article	Description
17	L'infirmière ou l'infirmier doit agir avec compétence dans l'accomplissement de ses obligations professionnelles. À cette fin, l'infirmière ou l'infirmier doit notamment tenir compte des limites de ses habiletés et connaissances.
45	L'infirmière ou l'infirmier ne doit pas faire preuve de négligence lors de l'administration d'un médicament. À cette fin, l'infirmière ou l'infirmier doit, notamment, avoir une connaissance suffisante du médicament et respecter les principes et méthodes concernant son administration.

L'Ordre des infirmières et infirmiers du Québec, dans sa mission de protection du public, insiste beaucoup sur l'importance d'une administration sécuritaire des médicaments aux clients. Un rappel des obligations déontologiques des infirmières et des infirmiers est disponible dans le site Web de cet ouvrage.

1.2 Les médicaments

L'infirmière doit procéder à une gestion adéquate des médicaments des clients dont elle a la responsabilité. Cela représente une tâche importante dans son travail. Pour assurer la sécurité de son client, l'infirmière doit posséder des connaissances scientifiques et des compétences en pharmacologie (incluant la pharmacocinétique et la pharmacodynamie), en croissance et développement de la personne, en anatomie humaine, en nutrition ainsi qu'en mathématiques[1].

Qu'est-ce qu'un médicament?

Le terme médicament désigne tout ingrédient actif (le plus souvent chimique) employé pour prévenir, diagnostiquer ou traiter des maladies. Il y a à peine quelques dizaines d'années, les plantes séchées constituaient le principal ingrédient actif des médicaments. De nos jours, les ingrédients actifs, responsables de l'action du médicament, peuvent aussi être d'origine animale, humaine, microbiologique, minérale ou synthétique.

Un médicament comprend deux composantes principales : le principe actif et l'excipient. Le principe actif correspond à l'agent responsable de l'action pharmacologique du médicament ; il représente la molécule active. Quant à l'excipient, il correspond aux substances utilisées pour la mise en forme du médicament. Il doit être sans action pharmacologique, c'est-à-dire inerte vis-à-vis du principe actif et de l'organisme, donc ne pas produire d'effet[2].

Les législations

Il est à noter que des législations encadrent la gestion des médicaments. Afin de garantir le respect de critères liés à celle-ci, les gouvernements fédéral et provincial ont promulgué un certain nombre de lois et de règlements[3]. Cette législation est abordée plus en détail dans le chapitre 2.

Sans faire un relevé exhaustif des fonctions et de la réglementation de chaque gouvernement, nous citerons quelques exemples. Les sites Internet du gouvernement du Canada et du gouvernement du

---

1. Patricia A. POTTER et Anne Griffin PERRY, *Soins infirmiers : fondements généraux*, 3e éd., tome 1, Montréal, Chenelière Éducation, 2010, p. 686.
2. Bruce D. CLAYTON et Yvonne N. STOCK, *Pharmacologie de base*, Montréal, Beauchemin, 2003, p. 13.
3. Pour en savoir davantage sur ce sujet, vous pouvez consulter des ouvrages de référence en soins infirmiers, tels que *Soins infirmiers : fondements généraux* (P. POTTER et A. PERRY, 2010).

Tableau 1.1 • Les formes galéniques ou pharmaceutiques des médicaments

Forme pharmaceutique	Description	Forme pharmaceutique	Description
Aérosol	Fines particules de médicament, solides ou liquides, dispersées dans un gaz (air ou autre) pour atteindre les bronchioles ou les alvéoles	Ovule	Médicament de forme ovoïde destiné à être inséré dans une cavité, particulièrement le vagin, pour y être dissous
Caplet	Forme posologique solide pour administration orale ; ressemble à une capsule, mais est plus facile à avaler	Pastille	Forme posologique plate et ronde contenant le médicament, un aromatisant, du sucre et un mucilage ; se dissout dans la bouche pour libérer le médicament
Capsule – Gélule	Forme posologique solide pour administration orale ; médicament sous forme de poudre, de liquide ou d'huile contenu dans une gélule de gélatine ou dans une capsule	Pâte	Préparation semi-solide, plus épaisse et plus rigide qu'un onguent, absorbée par la peau plus lentement qu'un onguent
Collyre	Médicament habituellement liquide appliqué sur la conjonctive dans le traitement des affections des yeux ou des paupières	Sirop	Médicament dissous dans une solution concentrée de sucre ; peut contenir un aromatisant pour donner au médicament un goût agréable
Comprimé	Forme posologique solide contenant un ou plusieurs médicaments, de forme ronde ou ovale, pour administration orale	Solution	Préparation liquide pouvant être administrée par voie orale, parentérale ou externe ; peut également être instillée dans un organe ou une cavité (par exemple, irrigations de la vessie) ; contient de l'eau avec un ou plusieurs composés dissous ; doit être stérile pour l'administration parentérale
Comprimé entérosoluble	Comprimé pour administration orale enrobé de matériaux non solubles dans l'estomac ; l'enrobage se dissout dans l'intestin, où le médicament est absorbé		
Gouttes	Médicament liquide en solution ou en suspension et administré à l'aide d'un compte-gouttes	Suppositoire (glycéré ou glycériné)	Forme posologique solide mélangée à de la gélatine et ayant la forme d'une pastille destinée à être insérée dans une cavité de l'organisme (rectum) ; fond lorsqu'elle atteint la température du corps et libère le médicament qui est absorbé
Lotion	Médicament en suspension plus ou moins liquide ; s'utilise en application externe pour protéger la peau	Suspension	Particules fines de médicament dispersées dans un liquide ; lorsqu'on laisse la suspension au repos, les particules s'accumulent au fond du contenant ; en général, s'administre par voie orale
Onguent (pommade)	Préparation semi-solide en application externe, contenant un ou plusieurs médicaments	Timbre cutané ou timbre transdermique	Médicament contenu dans un disque ou un timbre en membrane semi-perméable qui permet au médicament d'être absorbé lentement par la peau sur une longue période

Source : Adapté de P. POTTER et A. PERRY, 2010, p. 686.

Québec contiennent une foule d'informations sur les liens existant entre les médicaments et la santé. Ainsi, le gouvernement canadien a établi des lois et des règlements tels que la *Loi sur les aliments et drogues* et la *Loi réglementant certaines drogues et autres substances*.

Le gouvernement provincial, quant à lui, est responsable de la législation sur les soins de santé[4], incluant l'usage et la vente des médicaments. Au niveau provincial, on trouve, par exemple, une instance qui veille à la sécurité et au choix des médicaments utilisés au Québec, soit le Conseil du médicament, qui a pour mission de «contribuer avec compétence et impartialité à un accès raisonnable et équitable aux médicaments et à leur usage optimal au bénéfice de la population québécoise».

Les formes galéniques ou pharmaceutiques

Il est primordial que les médicaments soient dosés précisément, qu'ils soient d'une stabilité satisfaisante et qu'ils soient faciles à utiliser pour le client.

C'est pourquoi les médicaments ne sont pas administrés sous leur forme originale, mais sous une forme contrôlée, que l'on appelle «forme galénique» ou, dans la pratique courante, «forme pharmaceutique». Ainsi, on assure leur conservation, leur présentation et, conséquemment, une meilleure observance du traitement par le client. Il existe diverses formes galéniques convenant aux différentes voies d'administration des médicaments (*voir le tableau 1.1*).

Les voies d'administration

Un même médicament peut être administré par différentes voies. Selon la voie d'administration choisie, la vitesse d'absorption du médicament (processus par lequel le médicament passe dans le sang) peut varier. La voie d'administration est prescrite par le médecin. Le choix du médecin concernant la prescription d'une voie plutôt que d'une autre dépend, entre autres, des propriétés du médicament, de la région à traiter, de l'effet recherché et de l'état physique et mental du client.

L'infirmière ne peut d'elle-même décider de la voie d'administration à utiliser. Cette fonction appartient exclusivement au médecin. Toutefois, l'infirmière peut informer le médecin de la pertinence de l'utilisation d'une voie plutôt que d'une autre selon son évaluation de la condition clinique du client. Dans l'exemple qui suit, l'infirmière collabore avec le médecin pour déterminer la voie d'administration qui convient le mieux.

EXEMPLE 1.1

M. Huard, qui est âgé de 64 ans, est hospitalisé depuis 3 jours avec le diagnostic de diverticulite*. Son état physique s'est peu à peu détérioré. Sa température atteint 39,2 °C. Il se plaint de nausées et vomit tous les liquides qu'il ingère. L'infirmière vérifie l'ordonnance de M. Huard et lit : « Acétaminophène (Tylenol) 325 mg/co, 2 comprimés *per os* si sa température est plus élevée que 38,5 °C ». D'après l'analyse et l'interprétation des données, l'infirmière pense que, en raison de ses nausées et vomissements, M. Huard ne pourra tolérer une dose d'acétaminophène par voie orale. Elle consulte le médecin, qui prescrit l'acétaminophène en suppositoire rectal. Cette voie d'administration permet en effet d'administrer le médicament pour diminuer la température sans accroître les nausées.

* Diverticulite : Inflammation des diverticules dans l'intestin.

Le tableau 1.2, aux pages suivantes, dresse la liste des différentes voies d'administration des médicaments, en donne une courte description et indique leurs principaux avantages et inconvénients.

---

4. Voir CONSEIL DU MÉDICAMENT, *Portail*, CDM, 2009, [En ligne], www.cdm.gouv.qc.ca (Page consultée le 15 juillet 2009)

Tableau 1.2 • Les voies d'administration des médicaments

Description		Avantages	Inconvénients
Voie orale (*per os*)			
Médicament administré par la bouche et avalé avec un liquide ; la voie la plus simple et la plus utilisée		• Voie pratique et non incommodante pour le client • Voie économique • Effets locaux ou systémiques • Voie causant rarement de l'anxiété chez le client	À éviter : • En cas de nausées et de vomissements • En cas de difficultés à avaler • En cas d'irritation de la muqueuse gastro-intestinale par les médicaments oraux, de décoloration des dents ou de goût désagréable
Voie sublinguale			
Médicament déposé sous la langue, contre les membranes muqueuses buccales		L'effet est plus rapide	• Ne pas boire • Ne pas inhaler le produit si la présentation de la médication est en pompe
Voie bucco-gingivale			
Médicament solide placé dans la bouche, contre les membranes muqueuses des joues, jusqu'à dissolution		Voie rarement utilisée	• Ne pas mâcher • Ne pas avaler le médicament • Ne pas boire jusqu'à dissolution complète du médicament
Voies parentérales			
1. Sous-cutanée (sc)	Médicament administré dans le tissu conjonctif lâche sous le derme	• La voie parentérale (c'est-à-dire par injection dans les tissus de l'organisme) peut être utilisée lorsqu'un médicament oral est contre-indiqué	• Il y a un risque d'infection car c'est une méthode invasive qui peut endommager les tissus si donnée de façon répétitive • Certains médicaments sont très coûteux
2. Intramusculaire (im)	Médicament administré dans un muscle où la présence de nombreux vaisseaux sanguins en facilite l'absorption	• Leur début d'action est rapide : sc ≈ 15 à 30 minutes im ≈ 15 à 20 minutes iv ≈ 0 à 5 minutes	• Ces voies causent une grande anxiété chez de nombreux clients, en particulier chez les enfants
3. Intraveineuse (iv)	Médicament administré dans la circulation sanguine. Le médicament commence à agir dès qu'il pénètre dans le sang ; il y a donc une absorption très rapide	• La voie iv permet d'administrer le médicament lorsque le client est dans un état critique ou lorsqu'il requiert un traitement avec un début d'action rapide	• Les injections sc et im répétées risquent d'endommager les tissus • Les injections im sont à éviter chez les clients qui ont tendance à saigner
4. Intradermique (id)	Médicament généralement utilisé pour les tests cutanés et les tests d'allergie	Les médicaments administrés par voie intradermique sont puissants ; ils sont injectés dans le derme, où l'apport sanguin réduit ralentit leur absorption	• Les voies iv et im nécessitent une surveillance étroite en raison de leur début d'action rapide
Voies cutanées			
1. Topique	Médicament appliqué localement	• Effet essentiellement local • Voie normalement indolore • Peu d'effets secondaires	Risque d'absorption rapide et d'effets systémiques chez les clients ayant des lésions cutanées
2. Transdermique ; timbre cutané ou timbre transdermique	Médicament appliqué sur la peau à l'aide d'un timbre ; son effet est systémique (par exemple, timbre de nicotine)	Effets systémiques prolongés avec peu d'effets secondaires gastriques	Laisse une substance huileuse ou pâteuse sur la peau et risque de tacher les vêtements

Tableau 1.2 • Les voies d'administration des médicaments (*suite*)

Description		Avantages	Inconvénients
Voies par muqueuse			
1. Nasale 2. Ophtalmique 3. Auriculaire 4. Rectale 5. Vaginale	Médicament instillé dans une cavité anatomique	• Voies d'administration privilégiées lorsque les solutions aqueuses sont facilement absorbées et capables de produire des effets systémiques • Pour un effet local, pour une instillation nasale, ophtalmique et auriculaire	• Elles sont sensibles à certaines concentrations de médicaments • La voie auriculaire est contre-indiquée dans le cas d'un tympan perforé • La voie rectale ou vaginale place souvent le client dans l'embarras • Les suppositoires rectaux sont contre-indiqués dans les cas de chirurgies rectales ou de saignement actif du rectum
En inhalation			
Médicament administré par voie nasale ou orale ; les structures anatomiques les plus profondes de l'appareil respiratoire offrent une grande surface capable d'absorber les médicaments		• Soulagement rapide des problèmes respiratoires locaux • Voie offrant un accès facile pour l'introduction des gaz d'anesthésie générale ou d'un autre médicament	Certains de ces agents locaux peuvent produire des effets systémiques

1.3 Les rôles des principaux intervenants dans l'ordonnance, la préparation et l'administration des médicaments

Dans cette section, nous verrons les rôles que jouent le médecin, le pharmacien, l'infirmière et l'infirmière auxiliaire dans la thérapie médicamenteuse des clients en milieu clinique.

Le rôle du médecin

Les médicaments sont prescrits par le médecin. Celui-ci rédige une ordonnance sur un formulaire au dossier du client appelé normalement « Ordonnances médicales » ou « Prescriptions médicales » (*voir la figure 1.1 à la page suivante*).

Lorsque le médecin rédige une ordonnance, celle-ci doit contenir certains éléments essentiels pour qu'elle puisse être valide, notamment la posologie, la voie d'administration, l'horaire d'administration, sa signature et son numéro d'immatriculation. La durée du traitement et le nombre de renouvellements autorisés sont parfois requis selon les milieux de soins. La validité de l'ordonnance est abordée plus en détail dans le chapitre 6.

L'ordonnance doit être rédigée lisiblement par le médecin. Ce dernier doit utiliser des abréviations reconnues légalement pour indiquer la fréquence, les voies d'administration et certaines précisions sur les conditions d'administration des médicaments. Selon l'Institut pour l'utilisation sécuritaire des médicaments du Canada (ISMP Canada), « l'utilisation de certaines abréviations, symboles et inscriptions numériques a été identifiée comme une cause sous-jacente de certains accidents graves, voire mortels, liés à la médication[5] ». Tout comme le médecin, il est important que l'infirmière recoure à des abréviations, à des symboles et à des inscriptions numériques reconnus et qu'elle soit capable de reconnaître leur signification et de bien les utiliser (*voir, à l'intérieur de la page couverture du début, « Abréviations et symboles »*). Dans le chapitre 2, nous traitons plus en détail des limites de leur utilisation et, dans le chapitre 6, des exercices sur les abréviations vous permettront de mieux les comprendre, de les reconnaître et de les utiliser plus facilement.

---

5. L'ISMP est un organisme indépendant à but non lucratif qui émet des recommandations en vue d'améliorer la sécurité des patients face à l'utilisation des médicaments à la suite d'erreurs ou d'accidents qui leur sont rapportés. Voir [En ligne], http://www.ismp-canada.org/fr/index.html (Page consultée le 20 juillet 2009)

Figure 1.1 • Exemple d'ordonnance individuelle

Centre hospitalier de Champfleury

ORDONNANCES MÉDICALES

Allergies : *Pénicilline*
_____

Poids : *75 kg*   Taille : *1,75 m*

Créatinine : _____   Date : *2010-01-16*

Alt : _____   Date : _____

Grossesse : _____ /sem.   Allaitement : _____

C.H. DE CHAMPFLEURY   CH 2402-2
1953-09-26   99499
LAFRAMBOISE JEAN-MARIE
DUCHENE BLANCHE
SERGE   M 514 555-3976
7001 BOUL. SAINT-LAURENT
MONTREAL QUE
LAFJ 5309 2621   1011

Date	Heure	Médicaments : teneur, posologie, voie d'administration, durée	Fax
2010-01-16	17 : 15	*Digoxin 0,125 mg po, 1 comprimé une fois par jour*	
		Furosemide 20 mg iv bid *x 1 sem*	
		Serax 15 mg po 1 caps hs	
		Jean Malo m.d. # 149567	

Les ordonnances

Le médecin peut rédiger des ordonnances individuelles ou des ordonnances collectives. L'**ordonnance individuelle** (*voir la figure 1.1*) est notée sur le formulaire d'ordonnances médicales identifié au nom du client et faisant partie de son dossier médical. Lorsque le client est traité en externe, l'ordonnance est notée sur un formulaire d'ordonnance au nom du médecin. Le client remet cette copie au pharmacien.

Pour ce qui est de l'**ordonnance collective**, elle est rédigée par l'établissement de santé et approuvée par le conseil des médecins, des dentistes et des pharmaciens de l'établissement. Elle permet à l'infirmière d'administrer et d'ajuster les doses de médicaments et d'effectuer les traitements médicaux, les examens et les soins requis selon cette ordonnance. Bien entendu, l'infirmière doit posséder les connaissances et les compétences nécessaires pour utiliser ce type d'ordonnance. L'ordonnance collective vise un groupe de clients et l'infirmière peut y avoir recours sans attendre l'avis du médecin (*voir la figure 1.2*). Soulignons que les mêmes informations que pour l'ordonnance individuelle doivent se retrouver dans l'ordonnance collective, à l'exception du nom du client, car cette ordonnance s'adresse à un ensemble de personnes.

Les types d'ordonnances

Outre l'ordonnance médicale régulière, qui indique d'administrer régulièrement un médicament à une fréquence donnée dans la journée, il existe quatres autres types d'ordonnances :

- L'**ordonnance prn** ou au besoin. Elle s'applique à un médicament qui peut être administré à l'occasion, lorsque le client en a besoin, et selon les directives du médecin. Exemple : « Hydromorphone (Dilaudid) 3 mg sc q3-4h si douleur ».

- L'**ordonnance unique**. Certains médicaments sont souvent prescrits une seule fois, à une heure précise, tels que les médicaments préopératoires ou préalables à une épreuve diagnostique. Exemple : « Midazolam (Versed) 2,5 mg im à l'appel de la salle d'opération ».

- L'**ordonnance stat.** (prise unique et immédiate). Une seule dose de médicament doit être administrée immédiatement. Ce type d'ordonnance se fait habituellement lorsqu'une situation nécessite une intervention d'urgence. Exemple : « Administrer hydralazine (Apresoline) 10 mg iv. stat. ».
- L'**ordonnance de départ.** Le médecin rédige cette ordonnance à un client qui quitte le centre hospitalier et qui doit prendre des médicaments à domicile.

Figure 1.2 • Exemple d'ordonnance collective

Centre hospitalier
de Champfleury

ORDONNANCE COLLECTIVE

Pour tous les patients de l'unité 4 Sud

Médicaments : teneur, posologie, voie d'administration, durée
Indication : Traitement de la douleur d'intensité faible à modérée d'origine diverse
Acétaminophène 325 mg/co, administrer 2 comprimés po
Contre-indications : Allergie à l'acétaminophène
Effets secondaires à surveiller : Éruptions cutanées
Procédure :
1. Prendre les signes vitaux.
2. Administrer 2 comprimés d'acétaminophène 325 mg. N.B. S'il s'agit d'un bénéficiaire âgé, de faible poids (inférieur à 50 kg), réduire la dose à 1 comprimé de 325 mg.
3. Aviser le médecin si non-soulagement de la douleur.
4. Ne pas répéter la dose sans prescription du médecin.
Approuvé par le conseil d'administration le 2010-01-24

Les ordonnances verbale et téléphonique

En centre hospitalier, le médecin peut prescrire des médicaments à une infirmière de vive voix, lorsque la situation est urgente ou que le médecin n'est pas en mesure de consigner son ordonnance. Ce type d'ordonnance s'appelle une ordonnance verbale (voir la figure 1.3). Le médecin a aussi le droit de prescrire des médicaments par téléphone lorsqu'il ne peut se rendre au chevet du client, en raison, par exemple, d'un changement de voie d'administration d'un analgésique, d'un ajustement du débit d'un soluté à la suite d'un changement de la condition clinique du client. Il s'agit alors d'ordonnances téléphoniques. L'infirmière notera cette ordonnance sur le formulaire d'ordonnance médicale du client comme à la figure 1.3, mais au lieu de « ordre verbal », on indiquera « ordre téléphonique ». Afin de valider cette ordonnance, le médecin a l'obligation, par la suite, de contresigner cette ordonnance dans les 24 à 48 heures, ou selon les modalités prévues par l'établissement de santé[6]. Cependant, l'étudiante en soins infirmiers ne peut assumer la responsabilité de recevoir un ordre verbal ou téléphonique d'un médecin. Seule l'infirmière est en droit de remplir cette fonction.

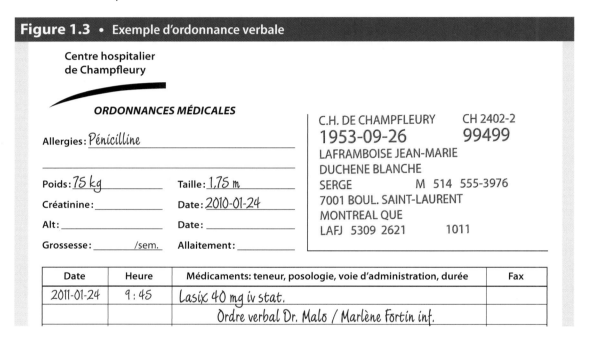

Figure 1.3 • Exemple d'ordonnance verbale

Centre hospitalier
de Champfleury

ORDONNANCES MÉDICALES

Allergies : Pénicilline

Poids : 75 kg   Taille : 1,75 m
Créatinine :   Date : 2010-01-24
Alt :   Date :
Grossesse :   /sem.   Allaitement :

C.H. DE CHAMPFLEURY   CH 2402-2
1953-09-26   99499
LAFRAMBOISE JEAN-MARIE
DUCHENE BLANCHE
SERGE   M 514 555-3976
7001 BOUL. SAINT-LAURENT
MONTREAL QUE
LAFJ 5309 2621   1011

Date	Heure	Médicaments: teneur, posologie, voie d'administration, durée	Fax
2011-01-24	9 : 45	Lasix 40 mg iv stat.	
		Ordre verbal Dr. Malo / Marlène Fortin inf.	

En milieu hospitalier, le médecin peut transmettre une ordonnance par téléphone au pharmacien. Dans ce cas, le pharmacien inscrira l'ordonnance téléphonique au dossier du client, sur la feuille d'ordonnance, la datera, la signera et y précisera qu'il s'agit d'une ordonnance téléphonique. Cette façon de faire est réalisable lorsqu'il y a un pharmacien dans l'unité de soins du client. Cependant, il est rare qu'un pharmacien soit sur place dans une unité de soins. C'est pourquoi cette tâche revient souvent à l'infirmière.

Le rôle du pharmacien

Le pharmacien reçoit les ordonnances médicales prescrites au client, les interprète et voit à leur préparation et à leur distribution. Au cours de son analyse des ordonnances médicales, il peut, au besoin, suggérer des modifications aux médecins dans le but d'assurer la sécurité des clients. Il fait alors ses recommandations sur la feuille d'ordonnances médicales. En outre, il examine l'ensemble de la médication du client afin d'éviter les interactions possibles entre les médicaments. Dans les départements de

---

6. Pour plus d'information, vous pouvez consulter le site du Collège des médecins du Québec, dans la section Médecins Membres et Activités partageables au www.cmq.org.

pharmacie des centres hospitaliers, il existe une équipe composée de techniciens en pharmacie qui veillent, en collaboration avec un pharmacien, à préparer la médication ainsi que les différents formulaires. Par la suite, les médicaments sont distribués dans les unités de soins. Le pharmacien doit s'assurer d'exécuter correctement les ordonnances, c'est-à-dire préparer le bon médicament en quantité suffisante, l'étiqueter adéquatement et en indiquer la posologie (*voir la figure 1.4*). Par ailleurs, il transmet de l'information concernant le médicament au personnel infirmier. Il doit également fournir certains médicaments d'usage courant dans les unités de soins.

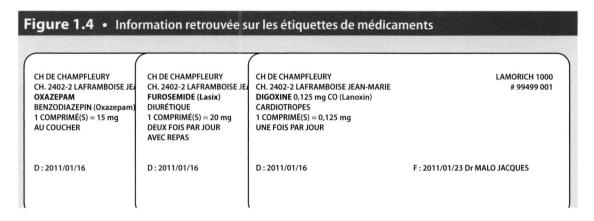

Figure 1.4 • Information retrouvée sur les étiquettes de médicaments

CH DE CHAMPFLEURY	CH DE CHAMPFLEURY	CH DE CHAMPFLEURY	LAMORICH 1000
CH. 2402-2 LAFRAMBOISE JE/	CH. 2402-2 LAFRAMBOISE JE/	CH. 2402-2 LAFRAMBOISE JEAN-MARIE	# 99499 001
OXAZEPAM	**FUROSEMIDE (Lasix)**	**DIGOXINE** 0,125 mg CO (Lanoxin)	
BENZODIAZEPIN (Oxazepam)	DIURÉTIQUE	CARDIOTROPES	
1 COMPRIMÉ(S) = 15 mg	1 COMPRIMÉ(S) = 20 mg	1 COMPRIMÉ(S) = 0,125 mg	
AU COUCHER	DEUX FOIS PAR JOUR	UNE FOIS PAR JOUR	
	AVEC REPAS		
D : 2011/01/16	D : 2011/01/16	D : 2011/01/16	F : 2011/01/23 Dr MALO JACQUES

Le rôle de l'infirmière

Dès la réception de l'ordonnance médicale (*voir la figure 1.1 à la page 10*), l'infirmière doit s'assurer que cette ordonnance est rédigée adéquatement selon les normes de validité d'une ordonnance et que cette dernière est lisible (*voir l'encadré « Les éléments essentiels à une ordonnance valide » aux pages 98 et 99*). En effet, il est très fréquent que les médecins rédigent rapidement leurs ordonnances, ce qui rend celles-ci difficiles à déchiffrer. Si l'ordonnance n'est pas conforme aux normes, si elle est illisible ou si elle donne matière à interprétation, l'infirmière doit demander au médecin d'y apporter les précisions nécessaires.

Ensuite, l'infirmière doit faire parvenir une copie de l'ordonnance au département de pharmacie du centre hospitalier, sur papier ou par télécopie. Une fois les ordonnances traitées par le département de pharmacie, les médicaments et les formulaires retournent à l'unité de soins. L'infirmière s'assure que la médication qu'on lui fournit est conforme à l'ordonnance médicale. Lorsque le pharmacien émet un commentaire relatif à une interrogation à propos de l'ordonnance ou adresse un avis au médecin traitant, l'infirmière appelle le médecin pour lui en faire part et assure le suivi des ajustements de l'ordonnance, s'il y a lieu. Puis, elle replace les différents formulaires au dossier ou à l'endroit indiqué selon les particularités des départements. Elle range ensuite la médication du client à l'endroit requis afin qu'elle-même ou l'infirmière auxiliaire puisse l'administrer au client. Elle inscrit s'il y a lieu les détails de l'administration sur les formulaires appropriés.

Enfin, au moment de l'administration, l'infirmière doit veiller à ce que le **bon médicament** soit administré avec la **bonne dose**, par la **bonne voie d'administration**, au **bon moment**, au **bon client**, puis s'assure d'effectuer le bon enregistrement (**bonne documentation**). Elle doit avoir une connaissance de la médication avant de procéder à son administration et ensuite exercer une **bonne surveillance** quant aux effets attendus et aux effets secondaires possibles. Afin de garantir le respect de ces critères lorsqu'elle distribue les médicaments ou qu'elle délègue la distribution des médicaments à l'infirmière auxiliaire, l'infirmière utilisera un formulaire contenant les renseignements qui concernent la médication à administrer et les informations sur le client tel que la FADM (feuille d'administration des médicaments), une fiche de la pharmacie ou une autre méthode de vérification, selon le centre hospitalier où elle travaille. Ces différents formulaires sont expliqués plus en détail dans le chapitre 6.

De plus, l'infirmière doit évaluer la condition clinique du client avant de décider d'administrer toute médication. Si elle a un doute quant à cette condition clinique, elle peut décider de ne pas administrer la médication ; elle doit alors appeler le médecin. Cela s'applique notamment si la condition du client change ou si le client refuse sa médication.

Lors de l'administration de la médication, il est important de bien identifier le client. Quel que soit le formulaire utilisé par le centre hospitalier, lorsque l'infirmière ou l'infirmière auxiliaire est au chevet du client, elle doit voir à ce que le médicament (étiqueté au nom et au prénom du client, avec son numéro de dossier et son numéro de chambre) corresponde bien à l'ordonnance. Elle doit aussi identifier le client par la double identification, qui consiste à lui demander de dire son prénom et son nom, à vérifier à l'aide de son bracelet médical son nom, son prénom et son numéro de dossier et à s'assurer de la concordance avec la feuille d'administration du médicament avant de lui administrer celui-ci. Tout de suite après l'administration du médicament au client, l'infirmière ou l'infirmière auxiliaire enregistre sur le formulaire la médication administrée.

Dans les unités spécialisées, ou dans le but d'administrer des médicaments à la suite d'une ordonnance (unique, stat., verbale, prn), le médicament à administrer peut être disponible en réserve dans l'unité de soins. Ces médicaments sont appelés « médicaments au commun ». Ceux-ci ne sont pas délivrés par le département de pharmacie au nom du client. Dans le type de situation où il faut utiliser ces médicaments, le calcul de la dose revêt une grande importance étant donné que, régulièrement, le médicament au commun n'a pas la même teneur ou concentration que le médicament prescrit. Par exemple, l'ordonnance peut indiquer « Digoxin (Lanoxin) 0,0625 mg », tandis que le médicament disponible dans l'unité de soins peut être du Digoxin (Lanoxin) avec une teneur de 0,125 mg/co. Il est à noter que ce genre de médicaments au commun tend à être en moins grand nombre car, selon une recommandation d'ISMP Canada (Institut pour la sécurité des médicaments), il est conseillé de limiter le nombre de médicaments au commun. Dans le cadre de son travail, l'infirmière est responsable des médicaments qu'elle administre. À ce titre, elle est tenue d'administrer adéquatement le médicament prescrit, sans quoi elle risque de nuire à son client.

Lorsqu'on dit que l'infirmière doit avoir le sens des responsabilités, cela signifie aussi qu'elle doit reconnaître ses erreurs. D'ailleurs, les rapports d'erreurs complétés dans les centres hospitaliers relèvent davantage des erreurs liées à l'administration des médicaments que de toute autre erreur. Faire une erreur de ce type veut dire administrer à un client un médicament qui ne lui convient pas ou empêcher le client de recevoir un médicament qui lui conviendrait. La plupart des erreurs associées à l'administration des médicaments surviennent lorsque l'infirmière manque de vigilance en calculant les doses, en déchiffrant une écriture illisible d'une ordonnance médicale ou en administrant un médicament qu'elle ne connaît pas suffisamment. Le chapitre 2 traite des procédures en place afin de limiter les erreurs et des obligations des intervenants face à celles-ci, dans le but de mettre en place des pratiques sécuritaires et de diminuer, voire d'éliminer, les erreurs.

Le rôle de l'infirmière auxiliaire

De nos jours, l'infirmière est appelée à travailler en étroite collaboration avec l'infirmière auxiliaire afin d'assurer une meilleure coordination des soins aux clients. Il est important que chacune reconnaisse l'apport et les responsabilités de l'autre afin qu'elles puissent travailler en équipe de façon plus efficace et qu'elles soient en mesure de fournir en tout temps des soins d'une qualité optimale aux clients dont elles ont la responsabilité. Dans les centres hospitaliers, l'administration de la médication relève de la collaboration de l'équipe des infirmières et des infirmières auxiliaires. Selon le modèle de distribution des soins choisi par le centre hospitalier (pratiques contemporaines, soins globaux, soins modulaires, soins d'équipe ou autres[7]), l'infirmière auxiliaire peut préparer, administrer et enregistrer la plupart des médicaments, à l'exception de la médication intraveineuse qui, elle, demeure la responsabilité de l'infir-

---

7. Voir la définition de ces différentes pratiques dans des volumes de soins infirmiers généraux.

mière. L'infirmière auxiliaire doit aussi rendre compte des médicaments qu'elle administre et en assume la responsabilité.

L'infirmière auxiliaire, dans son champ d'exercice légal, a donc des responsabilités liées à l'administration sécuritaire des médicaments. En ce qui concerne la thérapie médicamenteuse :

[…] elle peut administrer, par des voies autres que la voie intraveineuse, des médicaments ou d'autres substances, lorsqu'ils font l'objet d'une ordonnance. L'ordonnance peut être individuelle ou collective. L'infirmière auxiliaire est responsable des médicaments qu'elle prépare et administre. Conséquemment, l'infirmière auxiliaire peut recevoir du médecin une ordonnance médicale téléphonique concernant l'administration de tous les médicaments ou traitements compris dans les activités qui lui sont réservées en vertu de la loi [des infirmiers et infirmières auxiliaires]. De même, elle peut administrer le dit médicament ou dispenser le traitement sans attendre que le médecin confirme ultérieurement par écrit la dite ordonnance au dossier du patient. Compte tenu de ce qui précède, l'infirmière auxiliaire est aussi habilitée à recevoir et à retranscrire au dossier du patient, si besoin est, les ordonnances médicales émises par un médecin dans l'établissement[8].

Les rôles complémentaires de l'infirmière et de l'infirmière auxiliaire

Dans la pratique actuelle, les centres hospitaliers balisent certains actes des infirmières auxiliaires. Ainsi, la gestion du dossier du client relève de la responsabilité de l'infirmière, soit la révision du dossier incluant la section des ordonnances médicales et le suivi de ces ordonnances et des différents formulaires. De plus, en milieu hospitalier, l'ordonnance médicale par téléphone et sa transcription sur la feuille d'ordonnances médicales sont des tâches réservées à l'infirmière. Cependant, dans certains centres où il n'y a pas d'infirmières, tels que certains centres hospitaliers de soins de longue durée (CHSLD), les tâches de l'infirmière auxiliaire sont plus étendues. Selon les politiques de ces milieux, et compte tenu des capacités légales liées à son champ d'exercice, l'infirmière auxiliaire peut effectuer certaines tâches qui sont généralement confiées aux infirmières.

Une autre dimension du champ d'exercice de l'infirmière consiste à évaluer la condition clinique du client avant de prendre la décision d'administrer ou non un médicament. L'infirmière auxiliaire contribue à l'évaluation, mais c'est l'infirmière responsable du client qui doit prendre une décision éclairée, retourner compléter l'évaluation auprès du client au besoin, décider d'administrer ou non un médicament et en assurer le suivi avec le médecin, s'il y a lieu. Lorsque la condition clinique du patient l'exige, c'est également à l'infirmière que revient la responsabilité de déterminer un plan thérapeutique pour celui-ci, tel que mentionné dans l'encadré suivant.

L'infirmière et le plan thérapeutique infirmier (PTI)

L'infirmière a la responsabilité d'inscrire au plan thérapeutique infirmier des constats de son évaluation. Ainsi, « si le problème requiert un suivi clinique, a une incidence sur le suivi clinique ou qu'il présente un changement significatif pour le suivi clinique du client », elle formulera le besoin ou le problème dans son constat d'évaluation et émettra des directives infirmières dans le but d'« en préciser les conditions de réalisation ou afin d'établir une stratégie d'intervention* ».

---

* Extrait de ORDRE DES INFIRMIÈRES ET INFIRMIERS DU QUÉBEC, *Critères de pertinence pour déterminer le contenu du plan thérapeutique infirmier*, OIIQ, 2008.

---

8. Adapté de ORDRE DES INFIRMIÈRES ET INFIRMIERS AUXILIAIRES DU QUÉBEC, *La capacité légale de l'infirmière auxiliaire*, OIIAQ, 2004, [En ligne], http://www.oiiaq.org/publication/capacite-legale/MultilingualFile/fr/capacite-legalemai2004.pdf (Page consultée le 16 juillet 2009)

Notions essentielles à retenir

- Pour administrer la médication de façon sécuritaire, il existe une méthode mnémotechnique appelée la règle des cinq à sept « bons » principes : le bon médicament, la bonne dose, la bonne voie d'administration, le bon moment et le bon client. S'ajoutent un sixième et un septième « bon », c'est-à-dire une bonne documentation et une bonne surveillance des effets attendus et des effets secondaires.

- Selon la Loi sur les infirmières et les infirmiers du Québec, l'infirmière doit administrer et ajuster des médicaments selon une ordonnance médicale. Lorsque le médecin rédige une ordonnance, il utilise des abréviations. Il est donc important pour l'infirmière de connaître ces abréviations.

- Dans la pratique, il existe des ordonnances individuelles ou des ordonnances collectives.

- En plus de l'ordonnance régulière, on retrouve les quatre types d'ordonnances suivants : prn, unique, stat. et de départ.

- La voie d'administration est aussi indiquée sur l'ordonnance, et l'infirmière doit être capable d'en expliquer les principaux avantages et inconvénients.

- Les médicaments sont prescrits par le médecin. Celui-ci rédige une ordonnance sur un formulaire inclus au dossier du client, et l'infirmière doit assurer le suivi, depuis la réception de l'ordonnance jusqu'au département de pharmacie du centre. Au moment du retour des médicaments et des différents formulaires de la pharmacie, elle doit s'assurer de leur réception et en vérifier l'exactitude. Par la suite, elle veille à leur administration aux clients.

- L'infirmière a l'entière responsabilité de tous les actes qu'elle exécute, y compris l'administration des médicaments.

- L'infirmière auxiliaire peut préparer, administrer et inscrire la médication prescrite selon les différentes voies, sauf dans le cas des médicaments administrés par voie intraveineuse.

- L'infirmière auxiliaire est elle aussi responsable de la médication qu'elle administre.

- Lorsque l'infirmière travaille à l'administration des médicaments avec une infirmière auxiliaire, c'est à l'infirmière que revient la responsabilité du dossier en ce qui concerne le traitement des ordonnances médicales et l'évaluation de la condition clinique des clients.

Exercices de révision

1. Nommez les sept critères d'administration (sept « bons ») à vérifier au moment de l'administration de la médication au client.

   _____   _____

   _____   _____

   _____   _____

2. Nommez un code ou une loi qui dicte les obligations de l'infirmière au regard de l'administration des médicaments.

   _____

3. Que signifient les termes suivants ?

a) Le principe actif d'un médicament. _____

_____

b) Un excipient. _____

_____

c) La forme galénique d'un médicament. _____

_____

4. De quelle forme pharmaceutique s'agit-il ?

a) Fines particules de médicament, solides ou liquides, dispersées dans un gaz pour atteindre les bronchioles ou les alvéoles. _____

b) Forme posologique solide contenant un ou plusieurs principes actifs, de forme ronde ou ovale, pour administration par voie orale. _____

c) Médicament habituellement liquide appliqué sur la conjonctive dans le traitement des affections des yeux ou des paupières. _____

d) Forme posologique solide mélangée à de la gélatine et destinée à être insérée dans une cavité de l'organisme. _____

e) Médicament contenu dans un disque ou un timbre qui lui permet d'être absorbé lentement par la peau pendant une longue période. _____

f) Médicament dissous dans une solution concentrée de sucre ; peut contenir un aromatisant pour donner au médicament un goût agréable. _____

5. Pendant que vous êtes en stage en milieu clinique, le médecin téléphone à l'unité de soins et fait à l'infirmière soignante en place l'ordonnance suivante : « Tylenol 650 mg po q4h si T° buccale plus de 38,5 °C à M. Marquis de la chambre 4503 lit 1 ».

a) Comment s'appelle cette ordonnance ? _____

b) De quel type d'ordonnance s'agit-il ? _____

c) À quel endroit l'infirmière notera-t-elle cette ordonnance ? _____

d) Combien de temps le médecin a-t-il pour signer cette ordonnance ? _____

6. Vous devez administrer un médicament analgésique à votre client. Le médicament est au commun. Que signifie ce terme ? _____

_____

7. De quelle voie d'administration s'agit-il ?

a) Médicament déposé sous la langue, où il se dissout avant d'être absorbé par la muqueuse buccale ; l'effet est rapide. _____

b) Voies causant rarement de l'anxiété chez le client. _____

c) Voie utilisée lorsqu'un médicament ne peut être administré par voie orale. _____

d) Voie qui permet un soulagement rapide des problèmes respiratoires locaux. _____

e) Voies pratiques et non incommodantes pour le client. _____

f) Voies à éviter chez les clients qui ont tendance à saigner ou qui sont sous traitement anticoagulant.

_____

g) Voies qui causent une grande anxiété chez de nombreux clients, en particulier chez les enfants.

_____

8. L'infirmière auxiliaire peut administrer des médicaments par voie sous-cutanée : vrai ou faux ?

_____

9. L'infirmière auxiliaire peut administrer des médicaments par voie intraveineuse : vrai ou faux ?

_____

10. Léna, une infirmière, travaille avec Hélène, une infirmière auxiliaire. Elles donnent ensemble des soins à six clients. Expliquez en quelques lignes les responsabilités de chacune d'elles à l'égard des ordonnances médicales.

a) Lorsqu'il y a de nouvelles ordonnances médicales.

_____

_____

_____

_____

b) Au moment du retour des médicaments et de divers formulaires du département de pharmacie.

_____

_____

c) Lorsqu'il faut administrer des médicaments po, im et iv (en précisant qui peut les administrer).

_____

_____

_____

11. Hélène, l'infirmière auxiliaire qui travaille avec l'infirmière Léna, a fait une erreur car elle a administré un comprimé au lieu de un demi-comprimé comme le précisait l'ordonnance. Qui est responsable de cette erreur ?

_____

12. M. Murray, un des clients de Léna et Hélène, ne se sent pas très bien. Avant d'appeler le médecin, Léna, qui est occupée, demande à sa collègue d'évaluer la situation de M. Murray. Quelle connaissance l'infirmière devrait-elle avoir de son rôle et du rôle de l'infirmière auxiliaire ?

_____

_____

Chapitre 2

La sécurité et l'administration des médicaments

À la fin de ce chapitre, vous serez en mesure :

- de reconnaître l'importance accordée à la sécurité dans l'administration des médicaments ;
- d'expliquer les cinq à sept « bons » principes de base dans l'administration des médicaments ;
- d'expliquer ce qu'on entend par « erreur de médicament » ;
- d'énumérer les principales causes d'erreurs et de décrire les pratiques infirmières à adopter afin de les éviter ;
- de décrire les responsabilités de l'infirmière à la suite d'une erreur ;
- d'expliquer sommairement les conséquences déontologiques et légales possibles d'une erreur.

Introduction

Assurer l'administration des médicaments conformément aux normes de sécurité, d'efficacité et de déontologie est un aspect important des soins infirmiers. Comme dans tout acte infirmier, l'administration des médicaments exige des connaissances, des compétences et du jugement. Lorsque l'infirmière intervient dans la thérapie médicamenteuse d'un client, elle doit notamment être en mesure d'évaluer si le médicament convient à son client, d'évaluer l'efficacité de la médication, de surveiller l'apparition d'effets secondaires et d'intervenir au besoin. Ce chapitre veut sensibiliser l'infirmière à sa responsabilité dans l'administration des médicaments. Cette responsabilité concerne non seulement l'infirmière elle-même, mais aussi plusieurs autres intervenants. Il est donc important pour elle de connaître le cadre administratif, déontologique et juridique dans lequel elle évoluera, c'est-à-dire celui qui réglemente la prestation des soins et l'administration sécuritaire des médicaments : les lois, les règlements, le code de déontologie, les normes, les politiques, les procédures, etc.

Il y sera aussi question des fautes commises par rapport à l'administration des médicaments, des interventions à effectuer dans le but de les éviter, des actions à poser lorsqu'elles se produisent et des conséquences possibles des erreurs.

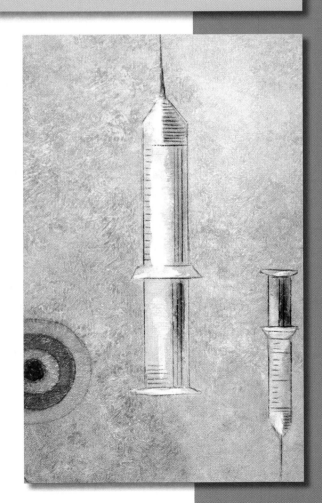

2.1 Un encadrement pour une sécurisation des pratiques

L'infirmière évolue dans un domaine d'expertise qui s'est doté, au fil des ans, de mécanismes qui ont été mis en place dans le but de protéger le public. Il est par conséquent essentiel qu'elle comprenne bien que son rôle et ses responsabilités sont au cœur même d'un système qui guide sa pratique et celle de nombreux autres intervenants, et ce, dans un contexte d'**amélioration continue**.

Beaucoup d'organismes travaillent avec ardeur afin de veiller au maintien et à l'évolution d'un cadre sécuritaire pour la prestation des soins et l'administration de médicaments. Et ce n'est pas sans raison. Chaque année, les erreurs de médicaments ont des conséquences chez les clients. Ces conséquences sont parfois nulles ou bénignes, mais, à l'occasion, elles peuvent avoir un impact très important, voire être la cause de décès.

Il ne faut donc pas se surprendre que les gouvernements fédéral et provincial, chacun dans leur champ de compétence, légifèrent continuellement afin de bien encadrer les pratiques des professionnels dans le domaine de la santé. Ils ont institué des ministères et des organismes (régies, sociétés, etc.) auxquels ils ont délégué la responsabilité d'établir les règlements, les règles, les normes, les politiques et les procédures pour chacun de ces domaines. Dans le but d'assurer la protection du public, des systèmes judiciaire, quasi judiciaire et administratif ont été mis en place, dans lesquels les responsables (juges, commissaires, syndics, etc.) interprètent les règles de droit, de déontologie et d'éthique, et les appliquent lorsque cela est nécessaire.

L'encadrement dans le domaine des soins infirmiers

L'infirmière qui pratique au Québec est considérée comme une professionnelle dont le droit d'exercice est règlementé, entre autres, par le Code des professions, la Loi sur les infirmières et infirmiers du Québec et le Code de déontologie des infirmières et infirmiers du Québec. Elle doit exercer son travail dans le respect de l'ensemble des dispositions législatives du domaine de la santé. Elle doit aussi se conformer aux normes de soins en vigueur dans son établissement. Pour y parvenir, elle doit s'assurer de posséder les connaissances et les compétences nécessaires pour exercer sa profession de façon prudente et diligente.

Nous présenterons sommairement les dispositions législatives et les instances mises en place pour encadrer la pratique infirmière[1].

Le Code des professions

Au Québec, la loi qui s'applique à l'ensemble des ordres professionnels, soit le Code des professions, stipule que la profession d'infirmière a un droit d'exercice exclusif. L'Assemblée nationale a donc adopté la Loi sur les infirmières et infirmiers du Québec. Par cette loi, le gouvernement a délégué à l'Ordre des infirmières et infirmiers du Québec (OIIQ) la responsabilité d'établir les règles, les règlements et les normes de soins qui régissent la profession. Ainsi, pour le Québec, seules les personnes qui ont réussi l'examen de l'OIIQ et qui sont inscrites au Tableau de l'OIIQ peuvent pratiquer la profession d'infirmière.

---

1. Pour plus d'information, consulter le chapitre 8 de Patricia A. POTTER et Anne Griffin PERRY, 2010. Le lecteur peut aussi trouver les lois et les règlements applicables à la profession d'infirmière au Québec ainsi qu'une version complète du Code de déontologie des infirmières et infirmiers du Québec sur le site Internet de l'Ordre des infirmières et infirmiers du Québec (OIIQ) à l'adresse suivante : http://www.oiiq.org.

La Loi sur les infirmières et infirmiers du Québec

La Loi sur les infirmières et infirmiers du Québec (L.R.Q., c. I-8) a été élaborée de façon à protéger le public. L'article 36 de cette loi spécifie que « l'exercice infirmier consiste à évaluer l'état de santé d'une personne, à déterminer et à assurer la réalisation du plan de soins et de traitements infirmiers, à prodiguer les soins et les traitements infirmiers et médicaux dans le but de maintenir la santé, de la rétablir et de prévenir la maladie ainsi qu'à fournir les soins palliatifs ». Cet article a été mis à jour en 2002 par la Loi modifiant le Code des professions et d'autres dispositions législatives dans le domaine de la santé (L.Q., 2002, c. 33, art. 12). À ce moment, 14 activités réservées à l'infirmière ont été ajoutées à la loi. Les modifications adoptées ont conféré à l'infirmière un rôle élargi et une plus grande autonomie professionnelle. **Ces modifications lui ont aussi donné des responsabilités plus importantes quant à la surveillance clinique, au suivi des clients et à la thérapie médicamenteuse.**

L'Ordre des infirmières et infirmiers du Québec

L'OIIQ, en vertu de sa mission d'assurer la protection du public, a instauré certains mécanismes, dont un Code de déontologie, un Bureau du syndic, un Comité d'inspection professionnelle et un Conseil de discipline (Code des professions, L.R.Q., c. C-26, art. 87, 90 et 116).

Le Code de déontologie

Le Code de déontologie énonce les valeurs éthiques des infirmières et leurs engagements à l'égard des clients. Il décrit l'ensemble des **devoirs** et des **obligations** liés à la pratique infirmière.

Le Bureau du syndic

Le Bureau du syndic mène des enquêtes afin d'évaluer la nature des plaintes qui sont formulées à l'OIIQ concernant des comportements dérogatoires au Code de déontologie.

Le Comité d'inspection professionnelle

Chaque association professionnelle doit établir un processus qui permet d'évaluer la conduite de ses membres afin de s'assurer que ceux-ci font preuve d'une **pratique sécuritaire** qui répond aux normes déontologiques. Pour ce faire, ce comité procède annuellement à des inspections auprès des infirmières dans leur milieu de travail. De plus, lorsqu'il est avisé par le syndic que des motifs raisonnables permettent de croire que la **compétence** d'un membre peut être mise en doute, il doit procéder à une enquête.

Le Conseil de discipline

Lorsqu'une plainte est déposée contre une infirmière pour une **infraction** aux dispositions du Code des professions, à la Loi sur les infirmières et infirmiers du Québec, aux règlements adoptés conformément au Code des professions ou au Code de déontologie des infirmières et infirmiers ou aux autres règlements de l'OIIQ, le syndic mène une enquête afin d'évaluer la nature de la plainte.

Le Conseil de discipline procède à l'audition de la plainte et, par la suite, rend une décision. Si l'infirmière est reconnue coupable, une ou plusieurs sanctions prévues à l'article 156 du Code des professions sont imposées (par exemple, suspension ou révocation du permis d'exercice pour une période jugée raisonnable selon l'importance de l'infraction).

Le système judiciaire

L'infirmière est toujours responsable des actes qu'elle pose. En raison du non-respect d'une loi ou d'une norme qui encadre sa profession, elle s'expose à des poursuites professionnelles qui touchent le respect des standards de soins et la qualité de sa pratique. L'infirmière s'expose aussi à des poursuites légales associées au droit civil et criminel. Vous trouverez plus d'information sur les aspects administratif et juridique de la pratique infirmière dans les ouvrages de soins infirmiers généraux[2].

ACTIVITÉ 2.1

Répondez aux questions suivantes :

a) Quel code encadre l'ensemble des ordres professionnels ? _____

b) Quelle est la responsabilité de l'OIIQ ? _____

c) Que décrit le code de déontologie ? _____

d) Quel est le rôle du Comité d'inspection professionnelle ? _____

e) Quel est le rôle du Conseil de discipline ? _____

2.2 La surveillance pour une amélioration des pratiques

> Le jugement clinique est la capacité de l'infirmière à exercer son jugement professionnel sur le choix des actes qui relèvent de sa compétence, et sur sa capacité de questionner les ordonnances médicales.

L'Ordre des infirmières et infirmiers du Québec (OIIQ) est très préoccupé par les risques associés à l'administration des médicaments. Comme l'exprimait la syndic de l'OIIQ :

> L'administration de médicaments est l'une des activités qui revient le plus fréquemment dans le quotidien d'une infirmière. Bien qu'elle puisse sembler technique, cette activité nécessite que l'infirmière possède les connaissances, les habiletés et le **jugement clinique** requis pour déterminer et ajuster le plan thérapeutique infirmier d'un client sous thérapie médicamenteuse et assurer la surveillance clinique appropriée[3].

> La pharmacovigilance est abordée à la page 27 de ce chapitre.

Il n'est donc pas étonnant que, pour aider les infirmières à maintenir leur compétence dans la surveillance clinique des clients et dans l'administration des médicaments, l'OIIQ offre dans son journal périodique une chronique intitulée « **Pharmacovigilance** ». Celle-ci traite de l'administration sécuritaire des médicaments et de la surveillance des effets indésirables des médicaments.

Attention !

Dans l'exercice de ses fonctions, l'étudiante en soins infirmiers doit toujours respecter les limites de ses capacités et de ses connaissances, et accomplir uniquement les tâches pour lesquelles elle a reçu de la formation. En tout temps, elle doit être supervisée de façon rigoureuse.

---

2. Voir POTTER et PERRY, 2010.
3. ORDRE DES INFIRMIÈRES ET INFIRMIERS DU QUÉBEC, « L'administration de médicaments : rappel des obligations déontologiques », *Le Journal,* vol. 2, n° 2, novembre-décembre 2004, [En ligne], http://www.oiiq.org/uploads/periodiques/Journal/vol2no2/ss02.htm (Page consultée le 29 octobre 2009)

Comme nous l'avons mentionné dans la section précédente, la mise en place de procédures ou de mécanismes d'évitement des erreurs est au cœur des préoccupations des dirigeants de plusieurs organismes comme l'OIIQ, l'Ordre des médecins et l'Ordre des pharmaciens, car leur mission est d'assurer la sécurité des clients.

C'est pourquoi ces corporations professionnelles, les organismes de défense pour la sécurité des clients, Santé Canada, le ministère de la Santé et des Services sociaux du Québec, les industries pharmaceutiques et divers intervenants travaillent à diminuer le nombre d'erreurs liées à la médication. Ils ont la responsabilité d'effectuer l'étude des erreurs répertoriées ou d'examiner certaines pratiques pouvant être dangereuses pour la sécurité des clients. Chacune de ces organisations peut soit émettre des recommandations, soit instaurer de nouvelles pratiques ou méthodes ou encore participer au développement de nouveaux produits ou procédures dans le but de réduire ces erreurs.

Deux organismes canadiens veillent en particulier à élaborer des façons de faire et à émettre des recommandations afin de diminuer au maximum les erreurs de médicaments. Ce sont **Agrément Canada** et l'**Institut pour l'utilisation sécuritaire des médicaments du Canada (ISMP)**. Les paragraphes suivants vous présentent la mission de ces deux organismes en lien avec les pratiques de distribution et d'administration des médicaments.

Agrément Canada est un organisme indépendant à but non lucratif. Sa mission est d'aider les organismes à promouvoir des soins de santé de qualité. Pour plus d'information en ce qui concerne cet organisme, consultez le site http://www.accreditation.ca.

De son côté, l'Institut pour l'utilisation sécuritaire des médicaments du Canada (ISMP) est aussi un organisme canadien indépendant à but non lucratif. Sa mission consiste à promouvoir l'usage sécuritaire des médicaments en visant l'amélioration de la pratique dans leur administration, et ce, tout au long du processus de distribution des médicaments. Cet organisme propose de la formation sur les accidents évitables liés à l'utilisation des médicaments et sur leur prévention. Pour plus d'information, rendez-vous à l'adresse http://www.ismp-canada.org/fr/index.html.

Comme ce volume s'adresse aux infirmières, seule l'application de méthodes sécuritaires en relation avec leur exercice sera décrite à l'intérieur des « bons » principes se rattachant à l'administration des médicaments.

ACTIVITÉ 2.2

a) Nommez un organisme qui veille à s'assurer de l'utilisation sécuritaire des médicaments.

_____

b) Quelle est sa mission ?

_____

_____

2.3 Les bons principes dans l'administration des médicaments : les cinq à sept « bons »

Une méthode mnémotechnique a été mise au point avec les années afin de s'assurer que toutes les vérifications d'usage sont effectuées avant, pendant et après l'administration des médicaments. Même si cette méthode existe depuis longtemps, il arrive encore souvent des événements malheureux liés à une mauvaise administration des médicaments.

Cette section présente ce que sont ces bons principes, appelés **cinq à sept « bons » dans l'administration des médicaments**. Nous y avons ajouté un supplément d'information qui élabore ces principes pour permettre à l'étudiante d'être mieux documentée et d'adopter de bonnes pratiques.

1. Le bon médicament

- **S'assurer que la médication à administrer corresponde à l'ordonnance médicale.**
- Effectuer une bonne lecture et avoir une bonne compréhension de l'ordonnance. En cas de doute concernant la compréhension de l'ordonnance, que ce soit au sujet du médicament, de la dose ou de la voie d'administration, il faut demander des précisions à l'infirmière responsable (ou à l'enseignante dans le cas des étudiantes), au médecin, au pharmacien ou à un autre intervenant (*voir le chapitre 1*).

Au moment de l'administration du médicament :

- Pour les médicaments préparés en sachets unidoses, il faut les ouvrir dans la chambre au moment de l'administration au client.
- Pour les médicaments qui sont dans des contenants, on doit prendre l'habitude, au cours de la préparation, d'effectuer la lecture exacte du médicament et de sa concentration lors des étapes suivantes :
    - avant de prendre le flacon ;
    - pendant la préparation du médicament ;
    - au moment du rangement du flacon.

> Le chapitre 12 traite de ce sujet en détail.

- Dans le cas de la thérapie intraveineuse, il faut s'assurer de préparer et d'installer le bon soluté. Pour cela, l'infirmière doit coller une étiquette d'identification avec le nom et le prénom du client, le numéro de chambre, le nom du soluté et de l'additif, s'il y a lieu, ainsi que la date et le nom de l'infirmière.

2. La bonne dose

> Cette notion sera traitée dans le chapitre 11.

- S'assurer que la dose prescrite est conforme à la dose recommandée dans la littérature. Une bonne pratique consiste à vérifier dans un volume de médicaments les posologies recommandées et les intervalles thérapeutiques, s'il y a lieu.
- S'assurer que la dose est ajustée en fonction de la clientèle : enfants, personnes âgées ou autres. Pour certaines clientèles, les doses peuvent être moindres.
- Effectuer un calcul juste lorsque la situation l'exige. Dans ce cas, procéder à la **double vérification indépendante** (*voir l'encadré suivant*).

Qu'est-ce qu'une double vérification effectuée de façon indépendante ?

« Les doubles vérifications ne sont pas toutes aussi efficaces pour prévenir les accidents. La double vérification effectuée de façon indépendante est un processus au cours duquel un second professionnel de la santé procède à une vérification. Une telle vérification peut être effectuée avec ou sans la présence du premier professionnel de la santé. Dans les deux cas, l'aspect le plus important est de **maximiser l'indépendance de la double vérification** en s'assurant que le premier professionnel de la santé ne propose pas les résultats de sa vérification au second professionnel de la santé, ce qui biaiserait son opinion et réduirait ainsi la possibilité de constater l'incident. Par exemple, une erreur de calcul sera plus facilement détectée si une seconde personne effectue les calculs indépendamment, sans connaître (ou voir) les calculs précédents »[4].

La double vérification indépendante est une pratique très courante dans plusieurs centres pour toutes les préparations des médicaments. Ce n'est actuellement pas une pratique obligatoire pour l'administration de tous les médicaments. Cependant, pour certains médicaments potentiellement dangereux, chez les infirmières, la double vérification indépendante est obligatoire, compte tenu des conséquences graves possibles (entre autres pour l'insuline, les anticoagulants et les analgésiques opiacés ou pour l'administration de doses ou de médicaments inhabituels), quel que soit le milieu de soins où œuvre l'infirmière.

3. La bonne voie d'administration

- Respecter la voie d'administration prescrite. L'infirmière ne peut modifier la voie d'administration sans ordonnance médicale.
- Avant d'administrer un médicament, elle doit effectuer une évaluation clinique du client afin de déterminer s'il peut recevoir le médicament par la voie prescrite. Ainsi, lorsqu'il y a un doute en lien avec la voie prescrite, l'infirmière doit normalement en aviser le médecin et lui demander des précisions.

4. Le bon moment

- En ce qui concerne la fréquence d'administration, s'il manque des précisions quant aux heures d'administration, valider cette information avec le médecin. Aussi, si l'infirmière a un doute ou une incompréhension quant à l'interprétation des abréviations utilisées (par exemple, die ou bid), elle doit demander au médecin, à une autre infirmière ou au pharmacien de clarifier l'information. L'ISMP recommande d'ailleurs d'abandonner les abréviations et d'utiliser les fréquences d'administration en entier. Cette pratique commence à être appliquée par les milieux de soins.
- Dans le cas où des médicaments doivent être administrés à heures fixes (par exemple, pour des antibiotiques), respecter les délais prescrits pour assurer une concentration sanguine constante du médicament. Le médecin prescrira alors des horaires précis mais n'indiquera pas les heures (par exemple, toutes les 4 h, toutes les 6 h, toutes les 8 h). L'infirmière ou le département de pharmacie apportera ces précisions[5].

---

4. ISMP CANADA, « Réduire le risque d'incidents ou d'accidents liés à la médication : les doubles vérifications effectuées de façon indépendante », *Bulletin ISMP Canada*, vol. 5, n° 1, 2005, p. 1, [En ligne], http://www.ismp-canada.org/fr/dossiers/bulletins/BISMPC2005-01.pdf (Page consultée le 10 octobre 2009)
5. Consultez le tableau fourni en exemple dans la section du matériel complémentaire à l'adresse http://www.cheneliere.ca/mathetmed.

> Dans le site Web de l'ouvrage, vous trouverez un exemple de tableau affichant un horaire d'administration de médicaments.

- En fonction de l'ordonnance médicale, l'infirmière peut avoir à établir l'horaire d'administration de médicaments (par exemple, deux fois par jour, trois fois par jour). L'infirmière doit tenir compte du rôle des aliments dans l'absorption des médicaments, des effets des médicaments dans la journée, de l'heure du coucher ou d'autres considérations. Pour se guider, l'infirmière peut aussi s'informer des pratiques du milieu ou vérifier avec le département de pharmacie.

- Bien lire la feuille d'administration des médicaments (ou FADM) afin de s'assurer de l'horaire d'administration du médicament. Administrer un médicament 30 minutes avant ou après l'heure prévue n'est généralement pas considéré comme une erreur. En effet, selon la charge de clients, il peut y avoir un certain délai qui ne compromet pas l'efficacité de la médication ni la sécurité des clients. Cependant, il est prioritaire d'administrer le médicament au bon moment. Un délai plus long que celui permis est considéré comme une erreur.

> Consultez le chapitre 12 à ce sujet.

- Pour ce qui est de la surveillance des solutés, une bonne pratique consiste à prendre l'habitude de coller une étiquette (réglette ou bande horaire) sur les solutés afin d'assurer le suivi horaire de l'écoulement de la perfusion. On peut ainsi réajuster le soluté s'il perfuse un peu trop rapidement ou un peu trop lentement, et ce, sans créer de surcharge pour les clients à risque, comme les personnes souffrant d'une insuffisance cardiaque, par exemple.

5. Le bon client

- Préparer la médication pour un seul client à la fois.

- Effectuer une **double identification** auprès du client. Cette double identification consiste à **demander au client de s'identifier par son prénom et son nom**. Par exemple, ce n'est pas l'infirmière qui demande à son client s'il est bien M. Ernest Lavigueur. Le client lui-même doit se nommer. L'infirmière vérifie alors son identité avec la feuille d'administration des médicaments. Elle regarde aussi son bracelet d'identité en lisant le nom, le prénom, le numéro de chambre et le numéro de dossier. Elle s'assure que le tout est conforme avant d'administrer la médication.

Pédiatrie
- Chez les enfants, effectuer une vérification sécuritaire de l'identité. Si l'enfant est en mesure de donner son prénom et son nom, lui demander de le faire. Sinon, demander aux parents le prénom et le nom de leur enfant et vérifier le bracelet (nom, prénom et numéro de dossier). Si les parents ne sont pas présents et qu'il y a un doute, procéder à la **double vérification indépendante de l'identité** avec un autre intervenant.

- On parle de **triple identification** pour les usagers en soins de longue durée, entre autres, ou pour les personnes incapables de s'identifier par leur prénom et leur nom. Dans ces unités, les clients ont une photo récente sur eux. Cette photo peut aussi se trouver dans le registre d'administration (ou feuille d'administration des médicaments). L'infirmière utilise cette photo au moment de l'administration de médicaments et elle s'assure qu'elle correspond bien au client. De plus, elle vérifie sur le bracelet du client si son nom, son prénom, le numéro de chambre et le numéro de dossier correspondent bien à ce qui est inscrit sur la feuille d'administration des médicaments.

6. La bonne documentation

- Tout de suite après l'administration de la médication, il faut enregistrer la médication dans la chambre du client. S'il ne fait pas partie des pratiques de l'établissement d'apporter la FADM au chevet du client, l'infirmière ira enregistrer la médication tout de suite après l'administration.

- Outre la connaissance de la médication, il faut s'assurer d'avoir le bon dossier ou le bon formulaire d'enregistrement. Cela est primordial pour identifier le client au moment de l'administration et pour s'assurer de l'enregistrement rapide de la médication qui vient d'être administrée.

- L'infirmière doit inscrire sur la Note d'évolution qu'elle a précisé au client les effets du médicament. Par exemple, à la suite de l'administration de Gravol (un antiémétique), elle indiquera que le client a été avisé de ne pas se lever rapidement car le médicament risque de l'étourdir.

- Il peut arriver, malgré l'information transmise à son client, que le client refuse la médication. L'infirmière inscrira le refus sur la feuille d'administration des médicaments, signalera ce fait au médecin et documentera ce refus sur la feuille « Note d'évolution » de l'infirmière. Elle y inscrira aussi que l'information sur l'effet thérapeutique et sur l'importance de la médication lui a été communiquée.

7. La bonne surveillance des effets attendus et secondaires

- Afin de s'assurer des effets attendus et de surveiller les effets secondaires chez les clients, effectuer une surveillance adéquate pour tous les médicaments administrés. Selon l'OIIQ, « la surveillance clinique est l'un des meilleurs moyens pour assurer la sécurité du client. Elle doit être exercée avec compétence[6] ».

- Il est spécialement important d'être alerte lorsqu'on administre des médicaments pouvant avoir des conséquences graves, comme ceux ayant un effet dépresseur sur le système nerveux central[7].

- Il existe des mesures de surveillance pour tous les médicaments. L'infirmière doit s'assurer d'être bien documentée au sujet du médicament et faire preuve de rigueur dans la surveillance des effets attendus et des effets secondaires possibles.

- Le terme **pharmacovigilance** est de plus en plus utilisé. La pharmacovigilance signifie la « surveillance des effets indésirables des médicaments : leurs observations sont recueillies, enregistrées et étudiées dans des centres nationaux et internationaux[8] ».

- On reconnaît que le client est considéré comme désirant participer à ses soins, qu'on doit l'y inclure et encourager son engagement. En ce qui concerne sa médication, l'infirmière doit aussi s'assurer que le client a une bonne connaissance du médicament qu'il doit recevoir et qu'il consent à prendre la médication. Elle doit donc lui expliquer en quoi consiste sa médication, quels sont les effets attendus et les effets secondaires qu'il pourrait ressentir, et ce, afin qu'il puisse lui aussi aviser rapidement.

En respectant ces **cinq à sept « bons » principes dans la pratique infirmière**, l'administration des médicaments devient sécuritaire pour l'infirmière et son client. Lorsque ces principes sont appliqués à une démarche de soins (*voir l'encadré de la page suivante*) ou à un plan thérapeutique infirmier (PTI) lorsque cela est requis, l'infirmière, en tant que professionnelle, joue son rôle et s'expose moins au risque de commettre des erreurs.

---

6. Suzanne DURAND, Joël BRODEUR et Céline THIBAULT, « Pratique clinique : surveillance clinique des patients prenant des opiacés », *Perspective infirmière*, janvier-février 2009, p. 29.

7. *Ibid.*, p. 28.

8. Marcel GARNIER, Valery DELAMARE, Jean DELAMARE et Thérèse DELAMARE, « Pharmacovigilance », *Dictionnaire illustré des termes de médecine*, 30e éd., Paris, Maloine, 2009, p. 679.

La démarche de soins, l'administration des médicaments et le plan thérapeutique infirmier

L'administration des médicaments étant un processus continu qui ne se résume pas à donner un médicament à un client, l'infirmière doit appliquer ses connaissances du client et de la médication à toutes les étapes de la démarche de soins.

La démarche de soins

Collecte des données : À cette étape, il s'agit :

- d'évaluer la condition clinique du client avant d'administrer la médication, c'est-à-dire son état de santé, s'il présente des signes et des symptômes pouvant ne pas convenir à la médication à recevoir ;

- de recueillir les données qui peuvent avoir une influence sur les effets attendus ou thérapeutiques du médicament et en fonction des effets secondaires ;

- de vérifier le respect du traitement de pharmacothérapie en fonction des besoins et des perceptions de ses clients ;

- d'obtenir le consentement du client ;

- de vérifier si ce dernier présente des allergies pour toute nouvelle médication à administrer.

Analyse et interprétation : Repérer les problèmes (ainsi que les risques potentiels) liés à l'administration des médicaments. On peut aussi mettre dans le plan de soins et de traitements infirmiers (PSTI) des informations pertinentes concernant des particularités de l'administration ou de la surveillance des médicaments. On doit également rédiger un plan thérapeutique infirmier **(PTI)** lorsque la condition du client requiert un suivi clinique particulier ou a une incidence sur le suivi clinique du client ou présente un changement significatif pour le suivi clinique*.

Planification : Il s'agit pour l'infirmière de planifier ses interventions en matière de pharmacothérapie selon le résultat de son analyse et de son interprétation. Ce peut être, par exemple, un besoin d'enseignement, la nécessité de faire préciser une ordonnance, la décision d'administrer ou non la médication ou encore une vérification auprès du médecin.

Exécution : Lorsqu'il est décidé d'administrer la médication, on doit tenir compte des 5 à 7 « bons » principes d'administration des médicaments expliqués dans les pages précédentes.

Évaluation : Après l'administration, voir à évaluer l'effet thérapeutique et les effets secondaires du médicament.

À la suite de l'administration des médicaments, il revient à l'infirmière d'assurer la surveillance du client. Elle peut aussi déléguer cette tâche à un autre membre de l'équipe de soins. Dans ce cas, un PTI est recommandé afin d'énoncer le **problème potentiel** et d'émettre les **directives infirmières** appropriées afin que le client soit en tout temps en sécurité.

---

* Depuis avril 2009, une norme exigeant la rédaction du plan thérapeutique infirmier (PTI) pour chaque client a été adoptée par le Bureau de l'Office des infirmières et infirmiers du Québec. Tous les membres de l'OIIQ qui exercent en pratique clinique, en formation, en gestion ou en recherche doivent connaître cette norme et l'appliquer.

ACTIVITÉ 2.3

a) Nommez les cinq à sept bons liés à l'administration sécuritaire des médicaments.

_____   _____

_____   _____

_____   _____

_____

b) Que faire lorsque vous avez une médication à administrer et que vous ne la connaissez pas ?

_____

c) Au cours de la préparation d'un médicament dans un contenant, à quels moments faut-il vérifier le médicament et sa dose ?

1. _____

2. _____

3. _____

d) Qu'est-ce qu'une double vérification indépendante ?

_____

_____

e) Au moment de l'administration de la médication au client, on parle de double vérification de l'identité auprès du client. Comment s'effectue cette double identification ?

_____

_____

f) Quel est le délai permis pour l'administration des médicaments ?

_____

g) Dans la thérapie médicamenteuse, quand est-il requis de formuler un PTI ?

_____

2.4 Qu'entend-on par « erreur de médicament » ?

Les erreurs de médicaments sont responsables de multiples réactions indésirables pouvant même conduire au décès. Ces événements malheureux, voire tragiques, auraient souvent pu être évités si des mesures de surveillance et de contrôle avaient été prises dans les milieux concernés. À la suite de l'analyse des erreurs répertoriées dans tous les milieux de soins, comme nous l'avons dit précédemment, des organismes déploient beaucoup d'efforts pour émettre des recommandations aux milieux de soins.

L'ISMP Canada qualifie ainsi l'**incident médicamenteux** :

Tout événement évitable qui pourrait causer ou entraîner l'utilisation inappropriée d'un médicament ou un préjudice au patient alors que le médicament est sous le contrôle d'un professionnel de la santé, d'un patient ou d'un consommateur.

Les incidents médicamenteux peuvent être liés à la pratique professionnelle, aux médicaments, aux procédures et aux systèmes incluant la prescription, la communication de l'ordonnance, l'étiquetage, l'emballage et la nomenclature du produit, la préparation, la délivrance, la distribution, l'administration, l'enseignement, la surveillance et l'usage. On emploie aussi les termes : accident ou incident lié à la médication[9].

Cette définition de l'erreur permet de constater que des considérations humaines sont à l'origine des erreurs de médicaments. Selon le Conseil international des infirmières, organisme dont le Canada fait partie, on estime que de 60 % à 80 % des erreurs sont imputables à des facteurs humains, et ce, pour l'ensemble des professionnels tels que les médecins, les pharmaciens et le personnel infirmier. Dans la réalité hospitalière actuelle, on peut penser que cette situation est due à la lourdeur de la charge de travail des infirmières, aux heures supplémentaires obligatoires ou à la difficulté de concentration des infirmières au moment de la préparation des médicaments en raison des demandes qui fusent de toutes parts. Il est difficile d'imaginer qu'on puisse prendre son temps afin d'éviter de faire des erreurs dans un monde où tout va très vite. Cependant, dans un tel contexte, il est très important de mettre en place des moyens d'éviter les erreurs et, s'il y a lieu, de déterminer les causes de celles-ci dans le but de les répertorier, puis d'établir de nouveaux moyens de les éviter.

Ainsi, même s'il est peu probable que la réalité actuelle de l'infirmière changera rapidement, il reste que cette réalité ne sera jamais considérée comme un motif pour excuser l'erreur et diminuer la sécurité des clients, sécurité à laquelle ils ont droit.

Les causes d'erreurs de médicaments

Dans le tableau 2.1, vous trouverez une liste des principales causes d'erreurs de médicaments ainsi que des moyens permettant de les éviter.

En consultant les données du Conseil international des infirmières, on peut constater que l'erreur de médicament est un phénomène mondial[10]. De plus, l'OIIQ a répertorié des causes fréquentes d'erreurs de médicaments. Ce tableau n'est pas exhaustif, mais il peut aider l'étudiante infirmière à adopter de bonnes pratiques face à l'administration des médicaments.

Tableau 2.1 • Les principales causes d'erreurs d'administration des médicaments et les moyens de les éviter

◼ Les erreurs les plus fréquentes signalées par l'OIIQ[11]	◼ Les erreurs les plus souvent signalées par le Conseil international des infirmières	◼ D'autres erreurs répertoriées dans la pratique et dans la littérature
Erreur	**Prévention ou ajustement**	
Bon médicament		
◼ Erreur de lecture de l'ordonnance	Bien lire l'ordonnance et s'assurer qu'elle est conforme aux critères d'une bonne rédaction de l'ordonnance (*voir le chapitre 1*).	
◼ Omission de clarifier des ordonnances qui suscitent un questionnement	Si l'ordonnance est rédigée d'une façon qui n'est pas claire ou précise, si les abréviations utilisées sont douteuses ; les faire préciser par le médecin au besoin.	
◼ Erreur d'abréviation	Selon les recommandations de l'ISMP, pour les médicaments dont la concentration est exprimée en unités, on ne peut pas accepter les abréviations U ou UI (*voir la figure 2.1, à la page 33*). Ne pas confondre les abréviations (*voir la figure 2.1*).	

9. ISMP CANADA, « Démystifier la déclaration des incidents et accidents liés à la médication », *Bulletin de l'ISMP Canada,* vol. 7, n° 8, 27 décembre 2007, [En ligne], http://www.ismp-canada.org/fr/dossiers/bulletins/BISMPC2007-08.pdf (Page consultée le 8 février 2010)
10. CONSEIL INTERNATIONAL DES INFIRMIÈRES (CII), « Les erreurs de médication », *Importance des soins infirmiers*, [En ligne], http://www.icn.ch/matters_errorsf.htm (Page consultée le 9 février 2010)
11. ORDE DES INFIRMIÈRES ET INFIRMIERS DU QUÉBEC, « L'administration de médicaments : rappel des obligations déontologiques », *Le Journal*, vol. 2, n° 2 (décembre 2004), [En ligne], http://www.oiiq.org/uploads/periodiques/Journal/vol2no2/ss02.htm (Page consultée le 23 octobre 2009)

Tableau 2.1 • Les principales causes d'erreurs d'administration des médicaments et les moyens de les éviter (*suite*)

Erreur	Prévention ou ajustement
Bon médicament (*suite*)	
▪ Erreur d'utilisation des décimales du SI	S'assurer de suivre les règles de notation des décimales (*voir le chapitre 3*).
▪ Manque de connaissance du médicament	S'assurer de bien interpréter l'ordonnance, d'avoir une connaissance de l'indication de la médication et des éléments de surveillance. Si l'on ne trouve pas l'information dans l'unité de soins, appeler au département de pharmacie de son centre pour avoir accès à l'information concernant la médication.
▪ Erreur concernant la présentation du contenant de médicament	Utiliser des doses uniservices comprenant l'identification complète du client : nom et prénom, numéro de chambre, numéro de dossier.
	Si le sachet ou le contenant n'est pas identifié au nom du client, il faut faire preuve de vigilance dans la lecture du contenant (fiole, ampoule ou autres) en veillant à bien lire le nom du médicament, sa teneur ou concentration, les unités métriques, et s'assurer de la concordance avec l'ordonnance médicale.
	Pour diminuer le risque d'erreur, préparer les médicaments du client selon l'ordre établi dans la FADM.
	Faire vérifier par une infirmière dans tous les cas de doute quant à la présentation.
Bonne dose	
▪ Erreur liée à lecture, dose ou médication faisant l'objet d'une alerte tels que les opiacés, l'insuline ou l'héparine	Procéder à une double vérification indépendante (*voir l'encadré de la page 25*) pour tous ces médicaments car ils sont potentiellement dangereux.
	Formuler un PSTI ou un PTI lorsque cela est requis.
	Pour les étudiantes en soins infirmiers, faire faire une **double vérification indépendante** de tous les médicaments (et non seulement de ceux faisant l'objet d'une alerte) par leur enseignante ou par l'infirmière avec laquelle elles sont jumelées.
▪ Quantité de médicament administrée différente de l'ordonnance	Les erreurs les plus fréquentes sont des erreurs de quantité de médicament. Comme il arrive souvent qu'on administre un seul comprimé, il se produit de nombreuses erreurs lorsqu'il y a moins ou plus d'un comprimé à administrer.
	Procéder à une double vérification indépendante de la médication avant de l'administrer.
▪ Utilisation d'une méthode de soins inappropriée	Au moment de la préparation, s'assurer d'être concentrée sur l'acte de préparer la médication. Ne pas discuter (« **être dans sa bulle** ») et bien lire la feuille d'administration des médicaments et les contenants ou sachets de médicaments. S'assurer de ne pas préparer la médication de manière automatique : beaucoup d'erreurs s'ensuivent (par exemple, préparer un comprimé car c'est souvent la norme, alors qu'il faut en administrer **un demi ou deux**). Se poser des questions et faire vérifier lorsqu'on doit administrer plus de trois comprimés.
	Une distraction est souvent la cause d'une erreur de lecture de dose, de calcul ou de client.
▪ Dosage non fréquent ou inhabituel	Faire préciser la dose par une autre infirmière, un pharmacien ou le médecin si le doute persiste. S'assurer de bien comprendre le calcul à effectuer et, par la suite, procéder à une double vérification indépendante.
	Attention : s'il faut administrer un grand nombre de comprimés ou si le nombre de millilitres de médicament liquide à administrer est insuffisant ou trop grand, refaire une clarification de l'ordonnance.
▪ Dosage erroné (la dose, la teneur, la concentration ou la quantité de médicament diffère)	La dose est-elle lisible ou peut-il y avoir une interprétation (*voir la figure 2.1*) ?
	Existe-t-il un doute en lien avec la lecture de l'ordonnance ou de la FADM ?
	La dose est-elle conforme au système international ? L'ordonnance médicale ne doit pas être rédigée en fonction de nombre de comprimés ou de millilitres, mais en grammes, en milligrammes, en microgrammes ou en unités (*voir le chapitre 5*).

Tableau 2.1 • Les principales causes d'erreurs d'administration des médicaments et les moyens de les éviter (*suite*)

Erreur	Prévention ou ajustement
Bonne dose (*suite*)	
■ Erreurs de calcul de dosage	S'assurer d'avoir la bonne dose lorsqu'il y a des calculs à effectuer, en procédant à la double vérification indépendante.
■ Erreur de lecture des seringues, en particulier pour l'insuline	Pour la lecture des seringues, voir le chapitre 7.
	Pour les seringues d'insuline, voir le chapitre 13.
Bon moment	
■ Erreur de fréquence	Demander des précisions lorsque le médecin utilise des abréviations et que vous avez un doute quant à leur interprétation. L'ISMP recommande d'utiliser les fréquences d'administration en entier et d'abandonner les abréviations.
■ Omission d'administrer un médicament	Utiliser les horaires d'administration standardisés dans le milieu (*voir les tableaux dans le site Web de l'ouvrage*).
	Prendre l'habitude de toujours indiquer clairement sur son plan de travail quotidien les médicaments et les heures de leur administration, et de les biffer de son plan de travail lorsqu'ils sont administrés. Prendre également l'habitude de regarder son plan de travail et de le réajuster au besoin. Vérifier les ordonnances médicales régulièrement et à la suite des visites médicales.
Bon client	
■ Erreur de client	Procéder à une double identification ou à une triple identification pour les usagers de soins de longue durée ou pour les personnes n'étant pas capables de donner leur nom et leur prénom. Dans ces unités, les clients ont une photo récente sur eux ou avec leur feuille d'administration des médicaments et l'on doit s'assurer que le tout est conforme.
Bonne voie d'administration	
■ Erreur de voie d'administration	Il faut respecter l'ordonnance médicale. C'est au médecin de prescrire la voie d'administration.
	L'infirmière doit évaluer la condition clinique de son client avant d'administrer la médication. Selon son évaluation, elle doit faire valider la voie d'administration si le client n'est pas dans une condition pour prendre la médication par la voie d'administration prescrite.
Bonne documentation et inscription	
■ Enseignement déficient au client	Le client lui-même, s'il est informé de sa médication, peut fournir de l'information précieuse. Il doit être renseigné sur sa médication, ses indications et les effets susceptibles de se produire afin qu'il puisse aviser rapidement.
■ Inadéquation de la documentation	S'assurer d'une bonne transcription dans les bons documents clinico-administratifs, principalement au dossier du client.
	L'infirmière, de même que l'étudiante infirmière, doit avoir une connaissance de la médication qu'elle administre et faire preuve de jugement clinique en tout temps.
Bon suivi	
■ Méconnaissance du médicament et de ses effets	L'établissement doit fournir des documents de référence à jour concernant les méthodes de soins, les pratiques et les médicaments, tels que le CPS, le *Guide de médicaments* ou autres. Si l'information n'est pas disponible, s'adresser au département de pharmacie du centre pour obtenir l'information.
■ Mauvaises pratiques	Ne pas administrer à un client un médicament destiné à un autre client.

Source : Adapté de CONSEIL INTERNATIONAL DES INFIRMIÈRES (CII), « Les erreurs de médication », *Importance des soins infirmiers*, [En ligne], http://www.icn.ch/matters_errorsf.htm (Page consultée le 8 février 2010)

Figure 2.1 • Exemple d'une erreur d'inscription

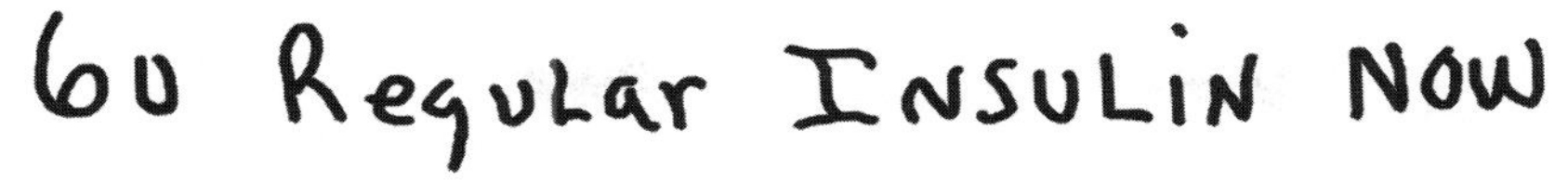

6U Regular Insulin Now

Le U de 6U a été perçu comme 60 et le client a reçu 60 unités d'insuline régulière et non 6 unités,
comme le voulait l'ordonnance médicale.

Source : ISMP CANADA, « Éliminer l'utilisation dangereuse d'abréviations, de symboles et de certaines inscriptions numériques », *Bulletin de l'ISMP Canada*, vol. 6, nᵒ 4, 2006, [En ligne], http://www.ismp-canada.org/fr/dossiers/bulletins/BISMPC2006-04.pdf (Page consultée le 23 octobre 2009)

ACTIVITÉ 2.4

a) Vous devez préparer des médicaments. Votre compagne infirmière est avec vous et vous parle des difficultés qu'elle éprouve dans sa relation avec son copain. Que devez-vous faire pour vous assurer de ne pas commettre d'erreur au cours de la préparation des médicaments ?

b) Au chevet de votre client, vous vous apercevez qu'il n'a pas son bracelet d'identité. Lorsque vous lui demandez son nom, le client vous donne le nom qui est indiqué sur la feuille d'administration des médicaments. Que faites-vous ?

c) Rosaline, une étudiante de deuxième année, doit administrer une médication. Elle en est à sa troisième semaine de stage et elle est contente car son enseignante lui a affecté deux clients dont elle doit s'occuper. Elle a préparé sa médication et son enseignante l'accompagne pour administrer la médication.

   i) À la suite de l'administration, que doit faire Rosaline ?

   ii) Son enseignante lui demande quelle était l'indication de la médication qu'elle vient d'administrer. Rosaline lui répond qu'elle n'a pas eu le temps de faire une recherche sur sa médication car elle a trop de travail et qu'elle fera celle-ci plus tard. Que pensez-vous de la réponse de Rosaline ?

L'utilisation du Rapport de déclaration d'incident ou d'accident : une obligation déontologique et légale

Malgré la vigilance des infirmières, il se produit encore des erreurs de médicaments. L'infirmière a l'obligation déontologique de déclarer tout incident. Selon la Loi sur les services de santé et les services sociaux, cette déclaration est aussi une obligation légale. Même s'il n'y a aucune conséquence pour le client, l'erreur doit absolument être rapportée. Au Québec, il existe un formulaire intitulé « Rapport de déclaration d'incident ou d'accident » qui doit être rempli lorsqu'une erreur de médicament est constatée (*voir la figure 2.2, à la page suivante*). Si la personne n'est plus au travail et qu'une autre infirmière constate l'erreur, c'est cette dernière qui remplira le formulaire. Ainsi, ce n'est pas nécessairement la personne qui commet l'erreur qui remplit le formulaire, mais la personne qui constate l'erreur.

Figure 2.2 • Rapport de déclaration d'incident ou d'accident

RAPPORT DE DÉCLARATION D'INCIDENT OU D'ACCIDENT

N° du formulaire
0966804

À l'usage des CH-CSSS-CHSLD

N° de l'événement

DT9034

Nom de l'établissement :

Section 1 : Nom de la personne touchée

Type de personne touchée :
- [ ] Aucune (si oui, passez à la section 2) [ ] Usager
- [ ] Autre (précisez) :

Date de naissance — Année, Mois, Jour N° de chambre N° de dossier

Nom et prénom à la naissance

Nom usuel ou nom du conjoint

Adresse

Code postal Téléphone Sexe M [ ] F [ ]

N° d'assurance maladie Nom du médecin traitant

Section 2 : Date, heure, lieu de l'événement

Événement			Heure		Réelle	Estimée	Indéterminée
Année	Mois	Jour	Heure	Min	[ ]	[ ]	[ ]

Constat	Année	Mois	Jour	Heure	Heure	Min

Endroit (précisez le site, le service, l'unité, le lieu, le type de local ou d'espace) :

Section 3 : Description objective et détaillée de l'événement (sans analyse, ni jugement, ni accusation)

Section 4 : Type d'événement (veuillez cocher la case appropriée)

A- Chute [ ] (décrivez les circonstances précises – veuillez cocher la case appropriée)

[ ] Chaise/fauteuil [ ] Chutes répétitives [ ] Civière [ ] En circulant [ ] Lit [ ] Quasi-chute [ ] Trouvé par terre [ ] Autre

B- Erreur de : [ ] Médicament [ ] Traitement [ ] Test diagnostique [ ] Diète

[ ] Erreur interceptée avant l'administration [ ] Identité de l'usager [ ] Dose [ ] Voie d'administration/de prélèvement [ ] Nature du médicament/du traitement/du test/de la diète [ ] Heure d'administration/de prélèvement

[ ] Omission – inscrivez dans la colonne « b » le médicament/le traitement/le test/la diète oubliée [ ] Allergie [ ] Entreposage [ ] Infiltration/extravasation [ ] Autre

a Médicament/traitement/test/diète qui a effectivement été administré/prélevé/livré				**b** Médicament/traitement/test/diète prescrit qui aurait dû être administré/prélevé/livré			
Identification	Dose	Voie	Heure	Identification	Dose	Voie	Heure

C- Problème de : [ ] Matériel [ ] Équipement [ ] Bâtiment [ ] Effet personnel

Description du matériel/de l'équipement/du bâtiment/de l'effet personnel en cause :

[ ] Bris/défectuosité [ ] Disponibilité [ ] Inondation [ ] Panne électrique [ ] Programmation [ ] Stérilité [ ] Autre
[ ] Disparition [ ] Incendie [ ] Panne d'ascenseur [ ] Panne informatique [ ] Salubrité [ ] Utilisation non conforme

D- Possibilité d'abus, d'agression ou de harcèlement [ ] (veuillez cocher la ou les case(s) appropriée(s))

Type d'abus, d'agression ou de harcèlement : [ ] Psychologique/verbal [ ] Physique [ ] Sexuel [ ] Code blanc

E- Incident/accident transfusionnel (veuillez remplir le formulaire AH-520)

F- Autres types d'événements [ ] (veuillez cocher la case appropriée)

[ ] Automutilation [ ] Décompte chirurgical inexact/omis [ ] Fugue [ ] Obstruction respiratoire [ ] Situation à risque
[ ] Blessure d'origine inconnue [ ] Délai/retard [ ] Lié au consentement [ ] Plaie de pression [ ] Tentative de suicide
[ ] Bris d'asepsie ou de stérilité [ ] Erreur liée au dossier [ ] Lié aux contentions [ ] Refus de quitter les lieux [ ] Autre
[ ] Bris de confidentialité [ ] Évasion [ ] Non-respect d'une procédure [ ] Refus de traitement

Section 5 : Conséquences immédiates pour la personne touchée (veuillez cocher la ou les case(s) appropriée(s))

[ ] Aucune [ ] Physiques [ ] Psychologiques [ ] Décès [ ] Autres (précisez) :

Décrivez les conséquences physiques (parties du corps, douleurs, ecchymoses, fractures, etc.), psychologiques ou autres pour la personne touchée :

Section 6 : Intervention(s) effectuée(s), mesure(s) prise(s) et personne(s) jointe(s) ou prévenue(s)

Décrivez les mesures prises :

Personnes avisées

Nom :	Fonction ou lien :	Heure :	[ ] Visite faite
Nom :	Fonction ou lien :	Heure :	[ ] Visite faite
Nom :	Fonction ou lien :	Heure :	[ ] Visite faite

Section 7 : Nom du déclarant

Nom du déclarant	Titre ou fonction	Poste téléphonique	Signature	Date du rapport (année, mois, jour)

AH-223 CSSS-1 (07-11)

RAPPORT DE DÉCLARATION D'INCIDENT OU D'ACCIDENT

DOSSIER DE L'USAGER

Dans l'information additionnelle qui accompagne ce formulaire, l'**incident** est décrit comme étant une « action ou une situation qui n'entraîne pas de conséquences sur l'état de santé ou le bien-être d'un usager, d'un professionnel concerné ou d'un tiers, mais dont le résultat est inhabituel et qui, en d'autres occasions, pourrait entraîner des conséquences[12] » (LSSSS, art. 183.2). En ce qui concerne l'**accident**, il s'agit d'une « action ou situation où le risque se réalise et est, ou pourrait être, à l'origine de conséquences sur l'état de santé ou le bien-être de l'usager, d'un professionnel concerné ou d'un tiers » (LSSSS, art. 8). Quant aux **conséquences**, elles y sont définies comme étant « un impact sur l'état de santé ou le bien-être de la personne victime de l'accident ».

Le Rapport de déclaration d'incident ou d'accident doit être rempli le plus tôt possible après l'incident. Bien entendu, il faut s'assurer de la sécurité du client en premier lieu. S'il y a un danger immédiat, il faut aviser le médecin sur-le-champ et intervenir auprès du client. Ce n'est que lorsque le client est stabilisé qu'on remplit le formulaire.

Une copie du formulaire demeure dans le dossier du client et une autre copie est acheminée au gestionnaire (chef d'unité, direction des soins). Ce rapport « permet au gestionnaire de proposer des mesures susceptibles de prévenir la récurrence ». Par la suite, ces formulaires complétés sont fournis aux organismes tels que l'ISMP, qui en font l'analyse. Puis, des recommandations sont émises afin de s'assurer que, dans la mesure du possible, ces erreurs ne se répéteront pas.

Ce rapport doit être rempli objectivement. Il doit rendre compte des faits dans une description simple et ne portant pas à interprétation ni à des jugements. Vous trouverez dans le site Web de l'ouvrage toute l'information qui vous permettra de remplir ce rapport.

Les responsabilités civile et déontologique à la suite d'une erreur

Tout professionnel de la santé peut être poursuivi au civil à la suite d'une erreur. Cependant, pour qu'il y ait poursuite, les trois conditions suivantes doivent être réunies :

- Il faut qu'il y ait une **faute**, c'est-à-dire une erreur de médicament.
- Il faut qu'il y ait un **dommage**, c'est-à-dire un préjudice pour le client à la suite de l'erreur.
- Il faut qu'il y ait un **lien de causalité** par rapport à l'erreur, c'est-à-dire que le dommage soit lié directement à l'erreur de médicament.

S'il n'y a pas de dommage ou de préjudice à la suite de l'erreur, il ne pourra y avoir de poursuite au civil. Toutefois, lorsque des **indices de négligence** ou de mauvaises pratiques sont observés, l'infirmière en cause peut faire l'objet d'une plainte auprès du Bureau du syndic ou d'une inspection par le Comité d'inspection professionnelle.

---

12. GOUVERNEMENT DU QUÉBEC, *Loi sur les services de santé et les services sociaux* (LSSSS), [En ligne], http://www2.publicationsduquebec.gouv.qc.ca/dynamicSearch/telecharge.php?type=2&file=/S_4_2/S4_2.html (Page consultée le 8 février 2010)

EXEMPLE 2.1

Bertha, qui est infirmière, a mal lu l'ordonnance qui indiquait d'administrer à son client, M. Carbonneau, un demi-comprimé de digoxine (Lanoxin) 0,25 mg, po, soit 0,125 mg. Elle a administré 1 comprimé de 0,25 mg. Le client a vu son pouls diminuer à 56 pulsations par minute. Cependant, le client se sentait bien, n'avait pas d'étourdissements ni de faiblesse. Ses signes vitaux étaient les suivants :

PA : 124/84   resp. : 18/min   pls à 56/min, rég.

Le médecin a été avisé et il a prescrit un suivi clinique du client et la prise des signes vitaux toutes les heures pendant les six prochaines heures. Il a demandé qu'on le rappelle s'il y avait des symptômes liés à la bradycardie. Toute la journée, M. Carbonneau s'est senti bien et ses signes vitaux sont restés sensiblement les mêmes. M. Carbonneau peut-il poursuivre Bertha ?

Voici les explications en fonction des éléments que nous avons vus précédemment.

Selon la règle :

1. Il y a eu **faute** et Bertha devra obligatoirement remplir le Rapport de déclaration d'incident ou d'accident.

2. Il n'y a pas eu de préjudice ou de dommage à la suite de l'erreur. Le médecin a été avisé. Il n'a pas prescrit de traitement particulier, mais seulement un suivi clinique rigoureux et la prise des signes vitaux toutes les heures pendant les 6 prochaines heures. À la fin de la journée, M. Carbonneau se sentait toujours bien et ses signes vitaux étaient demeurés stables toute la journée.

3. Comme il n'y a pas de dommage, il n'y a pas de lien de causalité.

M. Carbonneau ne peut donc pas entreprendre de poursuites légales contre Bertha.

ACTIVITÉ 2.5

a) En prenant l'exemple de Bertha donné dans l'exemple 2.1, remplissez le Rapport de déclaration d'incident ou d'accident (*voir la figure 2.2, à la page 34*). Cette activité, qui vous présente une erreur, vous donne l'occasion de vous familiariser avec ce formulaire et d'acquérir l'habileté à le remplir. En outre, cette activité se veut une réflexion qui vous amènera à être encore plus vigilante au cours de l'administration de médicaments.

b) Dalia, une infirmière un peu lunatique, a oublié d'administrer l'antibiotique qui était prévu pour 17 heures, et il est 21 heures. i) Que doit-elle faire ? ii) Et selon quelle obligation ?

i) _____

_____

ii) _____

Dans la situation où une infirmière fait souvent des erreurs d'administration de médicament, que la surveillance de la condition clinique du client est déficiente et qu'elle n'avise pas le médecin d'une telle détérioration, il pourrait être démontré qu'il y a eu négligence. À la suite de ces considérations, il peut y avoir une demande d'enquête concernant sa conduite professionnelle. Les articles 17 et 45 du Code de déontologie stipulent qu'il est possible de demander à l'OIIQ de procéder à une enquête concernant l'infirmière fautive. C'est le Bureau du syndic qui traite de ces cas et les soumet au Comité d'inspection professionnelle. Par la suite, le Conseil de discipline entend la plainte et prend un décision quant à la culpabilité de l'infirmière.

Notions essentielles à retenir ———————————■

- De nombreux organismes travaillent avec ardeur à émettre des avis et des recommandations afin de réduire les erreurs de médicaments.

- Les cinq à sept « bons » sont les suivants :
  1. le bon médicament ;
  2. la bonne dose ;
  3. la bonne voie d'administration ;
  4. le bon moment ;
  5. le bon client ;
  6. la bonne documentation ;
  7. la bonne surveillance des effets attendus et secondaires.

- La **double identification** auprès du client consiste à demander à celui-ci de donner son prénom et son nom. L'infirmière vérifie alors le nom, le prénom et le numéro de dossier du client avec la feuille d'administration des médicaments et le bracelet d'identité du client pour s'assurer que le tout est conforme.

- Lors de l'administration de certains médicaments, la pharmacovigilance consiste :
  - à surveiller une clientèle particulière pouvant manifester des effets secondaires importants et graves ou des effets adverses ;
  - à aviser rapidement lorsque certains signes précoces surviennent. Il revient à l'infirmière d'assurer cette surveillance ou elle verra à déléguer celle-ci à une autre personne.

- Une erreur de médicament ou un incident médicamenteux consiste en un événement évitable risquant de causer ou d'entraîner l'utilisation inappropriée d'un médicament ou bien un préjudice au patient alors que le médicament est sous la responsabilité d'un professionnel de la santé, d'un patient ou d'un consommateur.

- Il existe plusieurs moyens pour éviter des erreurs. Le tableau 2.1 des pages 30 à 32 vous permettra d'en faire une révision complète.

- Il faut signaler toute erreur de médicament en remplissant le Rapport de déclaration d'incident ou d'accident de la façon la plus objective possible, et ce, sans interprétation, puis faire les suivis qui s'imposent.

Exercices de révision ————————————————————————————————■

Il est à noter que ce chapitre ne contient pas d'exercices de révision puisqu'on n'y traite pas d'applications sous forme de calcul de doses. Cependant, des activités de réflexion concernant les erreurs de médicaments sont offertes dans le site Web de l'ouvrage.

Chapitre 3

Rappel des notions mathématiques de base

À la fin de ce chapitre, vous serez en mesure :

- de déterminer la valeur des nombres entiers et décimaux ;
- d'additionner, de soustraire, de multiplier et de diviser des nombres décimaux ;
- d'arrondir des nombres décimaux ;
- d'additionner, de soustraire, de multiplier et de diviser des fractions ;
- de transformer un pourcentage en fraction et une fraction en pourcentage.

Introduction

En tant que future infirmière, vous aurez à effectuer avec exactitude les calculs de doses pour l'administration de médicaments en comprimés ou sous forme liquide. Vous devrez réaliser des calculs de rapports et de proportions, dont les résultats seront exprimés sous forme de fractions ou de nombres décimaux. Le recours à des notions d'arithmétique est nécessaire pour exécuter ces calculs, qui sont assez simples mais que vous avez pu oublier, puisqu'il s'agit de calculs de base du primaire et du secondaire. Afin de vous remémorer les notions mathématiques essentielles pour administrer des médicaments de façon sécuritaire, ce chapitre revoit les connaissances nécessaires à l'application de calculs liés aux nombres décimaux et aux fractions.

Il pourrait être utile et tentant de se servir d'une calculatrice. Cependant, pour comprendre la démarche et réviser ces notions, il est préférable de réaliser les activités proposées sans calculatrice. Dans vos cours de soins infirmiers, vous serez amenée à calculer sans utiliser de calculatrice ; alors, autant vous y mettre dès maintenant.

3.1 Les nombres entiers et décimaux

Un **nombre** est dit **entier** lorsqu'il n'est suivi d'aucune partie décimale, c'est-à-dire d'aucune virgule. Cette caractéristique est importante dans le calcul des doses. Dans les activités qui vous sont proposées, il pourra être précisé d'arrondir à un nombre entier. Dans ce cas, ne mettez aucune décimale. Les opérations mathématiques liées aux nombres entiers ne seront pas étudiées en tant que tel. Ces opérations seront intégrées dans le contenu traitant des nombres décimaux.

Le **nombre décimal** est un nombre entier auquel s'ajoute une virgule, et les chiffres qui suivent la virgule représentent la portion décimale, d'où le terme « nombre décimal ». La virgule marque donc la décimale.

La position du chiffre dans le nombre décimal en détermine la valeur, comme le montre la figure 3.1.

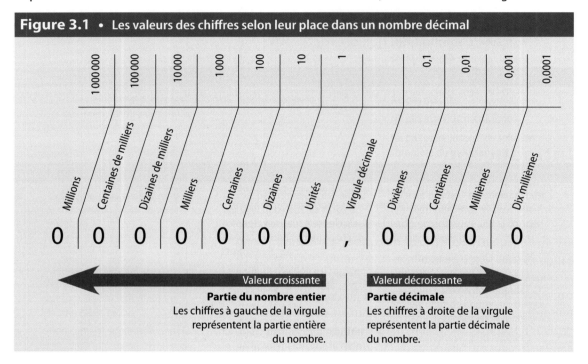

Figure 3.1 • Les valeurs des chiffres selon leur place dans un nombre décimal

Les chiffres se trouvant à droite de la virgule décimale dans les figures 3.1 et 3.2 permettent de déterminer la valeur de chacun des chiffres de la portion décimale.

Figure 3.2 • La décomposition d'un nombre décimal

Dans les exercices de ce chapitre, nous limiterons les calculs aux fractions décimales à deux chiffres après la virgule, car dans la pratique infirmière les calculs de doses de médicaments ne dépassent généralement pas la deuxième décimale. Cependant, souvenez-vous de l'expression «l'exception confirme la règle». Exceptionnellement, vous pourriez avoir à arrondir au troisième ou au quatrième chiffre, soit au millième et au dix millième (exemples: 0,001 et 0,0001).

Les règles de notation décimale

1. Pour un nombre donné, plus sa partie entière est grande, plus sa valeur est grande, quelle qu'en soit la partie décimale.

   a) 13,7 est plus grand que 12,1   b) 5,1 est plus grand que 4,98

2. Lorsqu'une expression décimale n'est pas précédée d'un nombre entier, la norme est de **placer un zéro devant la virgule décimale pour indiquer qu'il s'agit d'un nombre décimal.** L'omission de ce zéro peut occasionner de graves erreurs d'interprétation.

   a) ne pas inscrire ,25 mais 0,25   b) ne pas inscrire ,6 mais 0,6

3. On peut **enlever le zéro** à la fin d'un nombre décimal, parce qu'il ne change pas la valeur du nombre.

   a) 4,370 = 4,37   b) 7,200 = 7,20 = 7,2

4. Si les parties entières de deux nombres décimaux sont identiques, le nombre ayant le chiffre le plus élevé à la position des dixièmes est celui qui a la plus grande valeur.

   a) 2,8 est plus grand que 2,7   b) 5,41 est plus grand que 5,27

5. Si les parties entières de deux nombres décimaux sont identiques et si les chiffres à la position des dixièmes sont identiques, le nombre ayant le chiffre le plus élevé à la position des centièmes est celui qui a la plus grande valeur.

   a) 8,483 est plus grand que 8,474   b) 3,356 est plus grand que 3,346

6. On peut aussi utiliser le truc suivant, qui consiste à ajouter des zéros à la fin des nombres pour qu'ils aient le même nombre de décimales. On compare ensuite les parties décimales des nombres.

   1,57 est plus grand que 1,569 car 1,570 est plus grand que 1,569

   Donc, si les parties entières de plusieurs nombres décimaux sont identiques, lisez toujours les chiffres des dixièmes en premier. Si ces derniers sont également identiques, lisez les chiffres des centièmes, puis des millièmes, pour déterminer quel nombre a la plus grande valeur.

Ces quelques règles complètent la révision concernant la valeur des décimales selon la place qu'elles occupent dans le nombre. Elles vous permettront d'effectuer tous les calculs nécessaires pour déterminer la plus grande ou la plus petite valeur dans les nombres décimaux.

> Les erreurs de médication sont souvent attribuables à la confusion relativement aux nombres décimaux. C'est pourquoi il est important de les maîtriser.

ACTIVITÉ 3.1

À chaque lettre, encerclez le nombre ayant la plus grande valeur:

   a) 4,15 ;   0,2 ;   0,325   e) 12,4;   12,49;   12,499
   b) 4,57 ;   4,599;   6,1   f) 1,1 ;   1,05 ;   1,005
   c) 1,125 ;   1,25 ;   1,05   g) 8,25 ;   8,15 ;   8,5
   d) 0,4 ;   0,55 ;   0,85   h) 3,6 ;   3,16 ;   3,06

L'addition et la soustraction des nombres décimaux

Voici quelques règles qui vous aideront à additionner et à soustraire des nombres décimaux.

Règles pour faciliter l'addition et la soustraction des nombres décimaux

1. Lorsqu'on additionne ou soustrait des nombres décimaux, il faut ajuster les nombres les uns au-dessous des autres afin que les virgules soient alignées verticalement.

Exemple

Si l'on additionne 0,48 et 0,29, il vaut mieux écrire :

$$
\begin{array}{r}
0,48 \\
+\ 0,29 \\
\hline
0,77
\end{array}
\quad \text{plutôt que} \quad
\begin{array}{r}
0,48 \\
+\ 0,29 \\
\hline
\end{array}
\quad \text{afin de diminuer le risque d'erreur.}
$$

2. On ajoute autant de zéros qu'il le faut pour que les décimales aient le même nombre de chiffres après la virgule. Ces zéros réduisent les risques d'erreur sans changer la valeur des nombres décimaux.

Exemple

Pour soustraire 0,375 de 0,55, on écrit :

$$
\begin{array}{r}
0,550 \\
-\ 0,375 \\
\hline
0,175
\end{array}
\quad \text{plutôt que} \quad
\begin{array}{r}
0,55 \\
-\ 0,375 \\
\hline
\end{array}
$$

3. On additionne et on soustrait toujours en procédant de la droite vers la gauche.

Exemple

a) Voici comment procéder pour additionner 0,35 et 0,18 :

$$
\begin{array}{r}
\overset{1}{}\\
0,35 \\
+\ 0,18 \\
\hline
0,53
\end{array}
$$

Additionnez d'abord le 5 et le 8, ce qui donne 13. Inscrivez le 3 et mettez un 1 au-dessus des dixièmes. Ce 1, qui signifie le 1 du 13, est appelé «retenue» puisqu'il devra être considéré dans l'addition des dixièmes. Puis additionnez le 3 et le 1 avec le 1 de la retenue. La réponse est 0,53.

b) Pour soustraire 0,75 de 0,83 :

$$
\begin{array}{r}
\overset{7}{}\\
0,\overset{}{8}3 \\
-\ 0,75 \\
\hline
0,08
\end{array}
$$

Empruntez 1 au 8 (pour prendre un dixième) et écrivez 7 au-dessus du 8. Ajoutez le 1 emprunté aux dixièmes devant le 3 (qui donne 13) : soustrayez 5 de 13 puis 7 de 7. La réponse est 0,08.

c) Pour soustraire 0,285 de 0,75 :

Afin que les nombres décimaux aient le même nombre de décimales, on ajoute en premier un 0 au nombre 0,75, qui devient donc 0,750, ce qui n'en change pas la valeur. Ainsi :

$$
\begin{array}{r}
\overset{6\ \ 14}{}\\
0,750 \\
-\ 0,285 \\
\hline
0,465
\end{array}
$$

Empruntez 1 au 5 des centièmes et écrivez 4 au-dessus du 5. Ajoutez le 1 emprunté devant le 0 : on obtient 10. Soustrayez 5 de 10.

Empruntez 1 au 7 des dixièmes et écrivez 6 au-dessus du 7. Ajoutez le 1 emprunté devant le 4 des centièmes : on obtient 14. Soustrayez 8 de 14.

Puis, soustrayez 2 de 6.

En observant ces règles simples, vous éviterez sûrement des erreurs de calcul. Exercez-vous à les mettre en pratique à l'aide des activités suivantes.

ACTIVITÉ 3.2

1. Additionnez les nombres décimaux suivants :

   a) $0,55 + 0,7$ = _____

   b) $0,8 + 3,45$ = _____

   c) $12,38 + 0,37$ = _____

   d) $6,05 + 3,002$ = _____

   e) $1,25 + 2,5 + 1,626$ = _____

   f) $2,35 + 2,075$ = _____

2. Soustrayez les nombres décimaux suivants :

   a) $3,75 - 0,125$ = _____

   b) $8,2 - 4,99$ = _____

   c) $1,8 - 1,37$ = _____

   d) $0,87 - 0,074$ = _____

   e) $22,25 - 1,04$ = _____

   f) $10,05 - 7,084$ = _____

Avant de passer aux sections portant sur la multiplication et la division des nombres décimaux, faites l'activité suivante, qui est une révision de la table de multiplication.

Si vous avez de la difficulté à mémoriser la table de multiplication, vous pourrez vous exercer dans Odilon, votre complice Web.

ACTIVITÉ 3.3

On perd souvent beaucoup de temps à essayer de multiplier ou de diviser des nombres. Pour acquérir cette habileté, complétez et mémorisez la table de multiplication suivante.

Table de multiplication

	1	2	3	4	5	6	7	8	9	10	11	12
1												
2						12						
3												
4												
5												
6					30							
7												
8									72			
9			27									
10												
11												
12											132	

La multiplication des nombres décimaux

Dans la multiplication des nombres décimaux, il faut prêter attention à la place de la virgule décimale dans le produit (résultat) de la multiplication.

Attention !

La multiplication de nombres comportant des décimales s'effectue de la même façon que pour les nombres entiers, **sans qu'on ait à se préoccuper de la virgule décimale**. L'opération terminée, il suffit d'additionner le nombre de chiffres placés à droite de chacune des virgules des décimales de chacun des nombres. Le positionnement de la virgule des décimales de la multiplication correspond alors au nombre total de décimales.

EXEMPLE 3.1

Voici un calcul de nombres entiers ; par la suite, nous nous concentrerons sur les nombres décimaux.

a) On veut calculer le produit de 75×52.

1. D'abord, on aligne les chiffres à droite.

2. Ensuite, on effectue la multiplication.

> Utilisez la méthode de calcul avec laquelle vous êtes le plus à l'aise : l'idée ici n'est pas d'apprendre de nouvelles manières de calculer, mais bien de le faire de façon sécuritaire.

$$
\begin{array}{r}
\overset{1}{7}5 \\
\times\ 52 \\
\hline
150 \\
3750 \\
\hline
3900
\end{array}
$$

75 multiplié par 2 → 150
75 multiplié par 50 → 3750
Somme → 3900

Dans les faits, on dit plutôt 75 x 5 (en ajoutant un 0 à la réponse obtenue), mais il faut considérer que ce 5 représente le nombre 50.

b) On veut calculer le produit de $0,75 \times 0,5$.

1. D'abord, on aligne les chiffres à droite.

2. Ensuite, on effectue la multiplication.

3. Finalement, on ajoute la virgule.

$$
\begin{array}{r}
0,\overset{2}{7}5 \\
\times\ 0,5 \\
\hline
375 \\
000 \\
\hline
0,375
\end{array}
$$

0,75 **2** chiffres après la virgule
0,5 **1** chiffre après la virgule
75 multiplié par 5 → 375
75 multiplié par 0 → 000
Somme et ajout de la virgule → 0,375 **3** chiffres (2 + 1) après la virgule des nombres qui ont été multipliés.

c) On veut calculer $1,6 \times 0,204$.

$$
\begin{array}{r}
\overset{1}{\overset{2}{1}},6 \\
\times\ 0,204 \\
\hline
64 \\
000 \\
3200 \\
00000 \\
\hline
0,3264
\end{array}
$$

1,6 **1** chiffre après la virgule
0,204 **3** chiffres après la virgule
16 multiplié par 4 → 64 lorsqu'on multiplie :
16 multiplié par 0 → 000 le deuxième chiffre multiplié représente × 10
16 multiplié par 2 → 3200 le troisième chiffre représente × 100
16 multiplié par 0 → 00000 le quatrième chiffre représente × 1 000
Somme et ajout de la virgule → 0,3264 **4** chiffres (1 + 3) après la virgule

ACTIVITÉ 3.4

Calculez le produit des nombres décimaux suivants :

a) $0,75 \times 0,4$ = _____

b) $3,8 \times 0,35$ = _____

c) $10,7 \times 0,205$ = _____

d) $7,75 \times 4,02$ = _____

e) $0,6 \times 0,05$ = _____

f) $2,06 \times 1,4$ = _____

g) $2,06 \times 0,28$ = _____

h) $14 \times 0,75$ = _____

L'arrondissement à l'unité, à la dizaine, à la centaine, au dixième et au centième

Pour arrondir un nombre entier ou décimal, on procède ainsi : si le dernier chiffre à arrondir est égal ou supérieur à « 5 », on ajoute « 1 » au nombre entier ou à la décimale précédente.

L'encadré suivant vous présente les règles mathématiques pour arrondir les nombres entiers et décimaux.

L'arrondissement des nombres entiers et décimaux

1. 11,1 est arrondi à 11 lorsque la demande est d'arrondir à l'unité.

   Comme le chiffre des dixièmes est inférieur au nombre « 5 », on laisse le nombre entier tel qu'il était. Donc, 11,1 arrondi à l'unité devient 11.

2. 1 112 est arrondi à 1 110 lorsque la demande est d'arrondir à la dizaine.

   Comme le chiffre des dizaines (12) de 1 112 est inférieur au nombre « 15 », on abaisse l'unité (2) à « 0 » et la dizaine est non modifiée. Donc, 1 112 arrondi à la dizaine devient 1 110.

3. 1 388 est arrondi à 1 400 lorsque la demande est d'arrondir à la centaine.

   Comme le chiffre des centaines (388) est plus grand que « 350 », on augmente de 100 les centaines puisque les dizaines sont supérieures à « 50 ». Donc, 1 388 arrondi à la centaine devient 1 400.

4. 2,37 est arrondi à 2,4 lorsque la demande est d'arrondir au dixième.

   Comme le chiffre des centièmes (7) est supérieur à 5, on ajoute 1 au chiffre des dixièmes pour arrondir 2,37 à 2,4.

5. 6,75 est arrondi à 6,8 lorsque la demande est d'arrondir au dixième.

   Comme le chiffre des centièmes (5) est égal à 5, on ajoute 1 au chiffre des dixièmes pour arrondir 6,75 à 6,8.

6. 1,83 est arrondi à 1,8 lorsque la demande est d'arrondir au dixième.

   Comme le chiffre des centièmes (3) est inférieur à 5, le chiffre des dixièmes ne change pas.

7. 2,97 est arrondi à 3,0, c'est-à-dire à 3 lorsque la demande est d'arrondir au dixième.

   Comme le chiffre des centièmes (7) est supérieur à 5, on ajoute 1 au chiffre des dixièmes (9) pour obtenir 10. Le chiffre des dixièmes devient alors 0, et on ajoute 1 au chiffre des unités. Par conséquent, 2,97 est arrondi à 3.

8. 0,847 est arrondi à 0,85 lorsque la demande est d'arrondir au centième.

   Comme le chiffre des millièmes (7) est supérieur à 5, on ajoute 1 au chiffre des centièmes pour arrondir 0,847 à 0,85, qui devient 0,9 si la demande est d'arrondir au dixième.

9. 2,998 est arrondi à 3,0, c'est-à-dire à 3 lorsque la demande est d'arrondir au centième ou au dixième.

   Comme le chiffre des millièmes (8) est supérieur à 5, on ajoute 1 au chiffre des centièmes (9), qui est lui aussi supérieur à 5 et qui devient donc 10. Le chiffre des centièmes devient 0, et on ajoute 1 au chiffre des dixièmes, qui devient 10 à son tour, pour ajouter 1 au chiffre des unités.

ACTIVITÉ 3.5

1. Arrondissez les nombres suivants au dixième ou à l'unité lorsque cela est requis :

   a) 23,48   ≈ _____   c) 7,88   ≈ _____   e) 9,25   ≈ _____

   b) 3,93   ≈ _____   d) 4,42   ≈ _____   f) 2,99   ≈ _____

2. Arrondissez les nombres suivants à la centaine :

   a) 2495   ≈ _____   c) 59 598   ≈ _____

   b) 43 874   ≈ _____   d) 6399   ≈ _____

ACTIVITÉ 3.6

Arrondissez les nombres suivants au centième ou au dixième lorsque cela est requis :

   a) 12,174   ≈ _____   c) 4,495   ≈ _____   e) 0,266   ≈ _____

   b) 0,099   ≈ _____   d) 1,477   ≈ _____   f) 10,835   ≈ _____

La division des nombres décimaux

La division des nombres décimaux peut être grandement compliquée par la présence des virgules. Pour simplifier le travail, nous devons éliminer la ou les virgules afin de diviser des nombres entiers. Pour ce faire, nous convertirons les nombres décimaux en fractions.

Voici les étapes :
1. Éliminer les virgules, sans changer la valeur des nombres ;
2. Ensuite, réduire les fractions ;
3. Enfin, diviser les fractions pour obtenir un nombre entier ou décimal (arrondir au dixième).

La section suivante vous explique ces étapes.

Première étape : l'élimination de la virgule

Rappelez-vous que cette multiplication des nombres ne modifiera pas la réponse car les proportions sont conservées.

Pour effectuer la division de nombres décimaux, on élimine les virgules du numérateur et du dénominateur en les déplaçant vers la droite. Cela revient à multiplier le numérateur et le dénominateur par 10, par 100, par 1 000 ou plus, en se basant sur le terme qui compte le plus de chiffres après la virgule. Les deux nombres (le numérateur et le dénominateur) doivent être multipliés par le même facteur (10, 100, 1 000 ou plus).

EXEMPLE 3.2

On élimine les virgules dans la division suivante :

$$\frac{0{,}3\,2\,5\,}{0{,}2\,5\,0\,} = \frac{0{,}325 \times 1\,000}{0{,}25 \times 1\,000} = \frac{325}{250}$$ On multiplie par 1 000 afin d'éliminer les virgules.

Il faut déplacer la virgule de trois décimales vers la droite. Pour ce faire, on multiplie par 1 000 le numérateur et on multiplie aussi par 1 000 le dénominateur afin de conserver les proportions.

Deuxième étape : la réduction des fractions ou la division

Après avoir éliminé les virgules, on peut réduire les fractions à leur plus simple expression pour faciliter la division.

EXEMPLE 3.3

a) $\dfrac{250}{15}$ Le plus grand commun diviseur de 250 et de 15 est 5.

$$\dfrac{250}{15} \dfrac{\boxed{\div\,5}}{\boxed{\div\,5}} = \dfrac{50}{3}$$ On divise 250 par 5, et on obtient 50.
On divise 15 par 5, et on obtient 3.

b) $\dfrac{375}{25}$ Le plus grand commun diviseur de 375 et de 25 est 25.

$$\dfrac{375}{25} \dfrac{\boxed{\div\,25}}{\boxed{\div\,25}} = \dfrac{15}{1}$$ On divise 375 par 25, et on obtient 15.
On divise 25 par 25, et on obtient 1.

> On réduit une fraction en divisant les deux termes de la fraction par le plus grand commun diviseur. Pour plus d'explications sur la réduction des fractions, voir la page 53 du présent chapitre.

Une autre façon de réduire la fraction initiale consiste à effectuer des opérations intermédiaires, c'est-à-dire de diviser les termes à plusieurs reprises par des diviseurs communs. En b) dans l'exemple 3.3 ci-dessus, il s'agit de diviser deux fois par 5 le numérateur et le dénominateur.

$$\dfrac{375}{25} \dfrac{\boxed{\div\,5}}{\boxed{\div\,5}} = \dfrac{75}{5} \dfrac{\boxed{\div\,5}}{\boxed{\div\,5}} = \dfrac{15}{1} = 15$$

> S'il vous est difficile de trouver le plus grand commun diviseur, réduisez la fraction à plusieurs reprises à l'aide de diviseurs communs plus petits.

Attention !

Pour réduire les fractions dont le numérateur et le dénominateur se terminent par un ou plusieurs zéros, on élimine d'abord le **même nombre** de zéros dans chacun des termes. On réduit ensuite la fraction en divisant les deux termes de la fraction par le plus grand commun diviseur, comme il est expliqué à l'exemple 3.14 de la page 54.

Troisième étape : la division des nombres entiers

Cette étape complète l'opération. Ainsi, après avoir réduit les fractions, on effectue la division des nombres entiers obtenus. Par la suite, on arrondit le **quotient** (résultat de la division) selon la précision du calcul demandé ou requis. On arrondira donc au dixième, au centième ou plus selon la précision de la dose du médicament ou de l'instrument utilisé pour administrer le médicament. Nous y reviendrons dans d'autres chapitres traitant de l'administration des médicaments.

EXEMPLE 3.4

```
  75Ø  | 30
− 60↓  |────
─────    25
  150
− 150
─────
    0
```

Combien de fois 30 est-il compris dans 75 ?
La réponse est 2. Nous multiplions **2 × 30 = 60**, puis nous soustrayons 60 de 75 = 15.
Nous abaissons le 0 des unités et poursuivons la division.
Combien de fois 3 est-il compris dans 15 (ou combien de fois **30** est-il compris dans **150**) ?
Attention ! il est plus facile de faire l'exercice avec un plus petit nombre. Donc, si vous hésitez, faites l'exercice avec 3, mais n'oubliez pas que la multiplication sera 30 × 5.
Nous obtenons 5, donc **5 × 30 = 150**.
La réponse est donc 25.

Lorsque le reste est égal à 0, la division est terminée, et nous obtenons un nombre entier comme résultat.

EXEMPLE 3.5

Soit la fraction $\frac{725}{24}$ $\left(\frac{\text{numérateur}}{\text{dénominateur}}\right)$.

```
  725    |24
−  72     3
     0
```

Combien de fois 2 est-il compris dans 7 ? La réponse est 3.
On multiplie 3 par 24, et on obtient 72. Il ne faut pas oublier que c'est par 24 qu'il faut multiplier et non par 2 seulement.
On abaisse ensuite le 5.

```
  725    |24
−  72     30
    05
```

Combien de fois 2 est-il compris dans 5 ? Nous pourrions croire qu'il s'agit de 2, mais il ne faut pas oublier que c'est par 24 qu'il faut diviser. Il faut donc dire combien il y a de 24 dans 5.
La réponse est 0. Nous inscrivons alors 0 dans la réponse, car $0 \times 24 = 0$.

```
  725,000    |24
−  72         30,208
    05
     0
      50
   −  48
       200
     − 192
         8
```

Lorsqu'il n'y a plus de chiffre à abaisser et que le reste n'est pas zéro, on peut poursuivre la division en mettant une virgule au nombre à diviser et en ajoutant autant de zéros qu'il faudra abaisser par la suite.

> Ajouter la virgule et les zéros au nombre divisé aide à mieux visualiser et à éviter bien des erreurs !

Lorsqu'on abaisse le premier zéro (après la virgule), on place une virgule dans le quotient (réponse) et on poursuit la division.
Combien y a-t-il de 2 dans 5 ? La réponse est 2. On multiplie $2 \times 24 = 48$ et on poursuit jusqu'à la fraction décimale attendue.
Combien y a-t-il de 24 dans 20 ? La réponse est 0. On inscrit 0 au quotient (la réponse attendue).

On peut terminer ici si la réponse demande une précision au dixième :
on a alors 30,2.
Si on poursuit pour arrondir au **centième**, on abaisse un autre zéro et le nombre à diviser devient 200.
Combien y a-t-il de 2 dans 2 ou de 24 dans 200 ? La réponse est ≈ 8, donc $8 \times 24 = 192$. Puis on soustrait 192 de $200 = 8$.
On a alors 30,208 et on arrondit à 30,21.

ACTIVITÉ 3.7

Observez les fractions décimales suivantes. Pour chacune :

   i)   Éliminez les virgules, sans changer la valeur des nombres ;

   ii) Ensuite, réduisez les fractions ;

   iii) Puis, divisez les fractions pour obtenir un nombre entier ou décimal (arrondir au dixième) :

   a) $\frac{24}{1,2} =$ i) _____ ii) _____ iii) _____   d) $\frac{0,1}{0,05} =$ i) _____ ii) _____ iii) _____

   b) $\frac{0,4}{0,6} =$ i) _____ ii) _____ iii) _____   e) $\frac{2,4}{0,50} =$ i) _____ ii) _____ iii) _____

   c) $\frac{0,75}{5} =$ i) _____ ii) _____ iii) _____   f) $\frac{4}{1,02} =$ i) _____ ii) _____ iii) _____

3.2 Les fractions

Une fraction est une portion d'un tout. Plus nous divisons ce tout en de nombreuses parties, plus chacune des parties sera petite (*voir les figures 3.3 et 3.4*).

La valeur des fractions

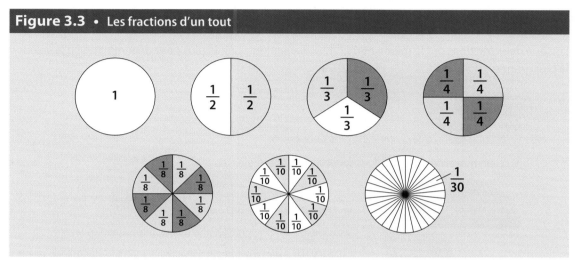

Figure 3.3 • Les fractions d'un tout

Source : Tiré de Donna F. GAUWITZ et Phillys T. BAYT, *Administering Medications*, 4e éd., Colombus, McGraw-Hill, 2000, p. 42.

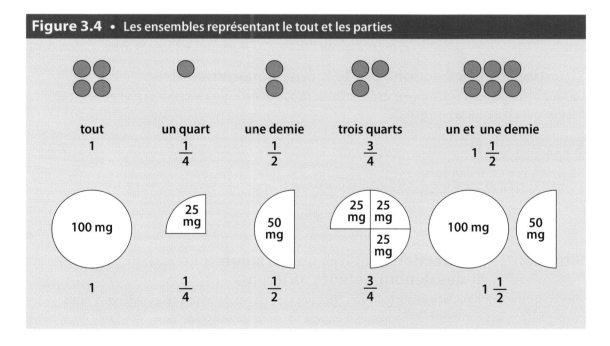

Figure 3.4 • Les ensembles représentant le tout et les parties

Une fraction est composée d'un numérateur et d'un dénominateur.

$$\frac{a}{b} \begin{array}{l} \rightarrow \text{ numérateur} \\ \rightarrow \text{ dénominateur} \end{array}$$

Lorsqu'on veut comparer la valeur de différentes fractions, on doit tenir compte des trois situations suivantes :

Situation 1 : Les fractions ont le même numérateur

Lorsque deux fractions ont le même numérateur, la fraction ayant le plus petit dénominateur a la valeur la plus grande.

EXEMPLE 3.6

a) $\frac{1}{2}$ est plus grand que $\frac{1}{4}$, car 2 est plus petit que 4.

Voici un moyen visuel pour vous souvenir de cette règle.

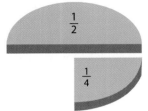

Imaginez un comprimé de Tylenol :

la moitié ($\frac{1}{2}$) du comprimé est plus grande que le quart ($\frac{1}{4}$),

car la fraction ayant le plus petit dénominateur (2) a la plus grande valeur.

b) $\frac{1}{3}$ est plus grand que $\frac{1}{4}$, car 3 est plus petit que 4.

Situation 2 : Les fractions ont le même dénominateur

Lorsque deux fractions ont le même dénominateur, le numérateur qui a le chiffre le plus élevé est la fraction qui a la valeur la plus grande.

EXEMPLE 3.7

a) $\frac{5}{9}$ est plus grand que $\frac{2}{9}$, car 5 est plus grand que 2.

b) $\frac{11}{12}$ est plus grand que $\frac{9}{12}$, car 11 est plus grand que 9.

Situation 3 : Les fractions ont des numérateurs et des dénominateurs différents

Pour comparer, additionner ou soustraire des fractions qui ont des dénominateurs différents, nous devons les convertir au même dénominateur, appelé « **dénominateur commun** ».

Pour y arriver, nous multiplions le numérateur et le dénominateur par un multiplicateur commun (un même nombre). Ainsi, la valeur de la fraction n'est pas modifiée.

EXEMPLE 3.8

a) Nous voulons comparer $\frac{5}{9}$ avec $\frac{3}{7}$. Nous devons convertir ces nombres au même dénominateur (le dénominateur commun).

Ainsi, $\frac{5}{9} \times \frac{7}{7} = \frac{35}{63}$ et $\frac{3}{7} \times \frac{9}{9} = \frac{27}{63}$.

Donc, $\frac{5}{9}$ est plus grand que $\frac{3}{7}$, car $\frac{35}{63}$ est plus grand que $\frac{27}{63}$.

b) Nous voulons comparer $\frac{2}{3}$ avec $\frac{3}{4}$.

Ainsi, $\frac{2}{3} \times \frac{4}{4} = \frac{8}{12}$ et $\frac{3}{4} \times \frac{3}{3} = \frac{9}{12}$.

Donc, $\frac{2}{3}$ est plus petit que $\frac{3}{4}$, car $\frac{8}{12}$ est plus petit que $\frac{9}{12}$.

ACTIVITÉ 3.8

Comparez les fractions suivantes et encerclez celle qui a la plus grande valeur pour chacun des ensembles :

a) $\frac{1}{2}$; $\quad \frac{1}{4}$; $\quad \frac{1}{3}$

d) $\frac{2}{5}$; $\quad \frac{3}{8}$; $\quad \frac{4}{5}$

b) $\frac{3}{9}$; $\quad \frac{4}{9}$; $\quad \frac{5}{9}$

e) $\frac{13}{15}$; $\quad \frac{7}{8}$; $\quad \frac{5}{7}$

c) $\frac{3}{5}$; $\quad \frac{2}{3}$; $\quad \frac{5}{6}$

f) $\frac{2}{5}$; $\quad \frac{1}{2}$; $\quad \frac{5}{8}$

L'addition et la soustraction des fractions

Lorsqu'on additionne ou soustrait des fractions, on doit considérer deux situations.

Situation 1 : Les fractions ont le même dénominateur

Il s'agit simplement d'additionner ou de soustraire, selon le cas, les termes qui apparaissent au numérateur pour obtenir la réponse.

EXEMPLE 3.9

$\frac{3}{4} + \frac{1}{4} = \frac{4}{4} = 1$ $\qquad \frac{5}{9} - \frac{2}{9} = \frac{3}{9}$

Remarquez que les dénominateurs restent identiques.

Situation 2 : Les fractions n'ont pas le même dénominateur

Il faut trouver le **dénominateur commun** des fractions à additionner. Nous pourrons par la suite additionner ou soustraire les numérateurs. Le résultat sera alors connu.

EXEMPLE 3.10

a) $\frac{2}{7} + \frac{2}{5} =$ Il faut ramener ces fractions au même dénominateur.

Ainsi, $\frac{2}{7} \times \frac{5}{5} + \frac{2}{5} \times \frac{7}{7} = \frac{10}{35} + \frac{14}{35} = \frac{24}{35}$

b) $\frac{3}{4} - \frac{2}{3} =$ Il faut ramener ces fractions au même dénominateur.

Ainsi, $\frac{3}{4} \times \frac{3}{3} - \frac{2}{3} \times \frac{4}{4} = \frac{9}{12} - \frac{8}{12} =$ Nous soustrayons les numérateurs et la réponse est $\frac{1}{12}$.

ACTIVITÉ 3.9

Additionnez ou soustrayez les fractions suivantes :

a) $\frac{2}{5} + \frac{4}{9} =$ _____

b) $\frac{1}{2} + \frac{1}{4} =$ _____

c) $\frac{3}{8} - \frac{1}{4} =$ _____

d) $\frac{3}{5} + \frac{2}{7} =$ _____

e) $\frac{6}{7} - \frac{4}{9} =$ _____

f) $\frac{3}{4} - \frac{3}{7} =$ _____

La multiplication des fractions

Pour multiplier des fractions, il faut y aller progressivement, par étapes.

La multiplication des fractions

Étape 1 : Si c'est possible, il faut **simplifier les nombres avant de procéder à la multiplication :** cela s'appelle **réduire la fraction.**

Étape 2 : Par la suite, il faut **multiplier les fractions simplifiées :**

- en multipliant les numérateurs ;
- en multipliant les dénominateurs.

$$\frac{a}{b} \times \frac{c}{d} = \frac{a \times c}{b \times d}$$

Étape 3 : Puis, on peut transformer la réponse obtenue en un nombre décimal en divisant le numérateur par le dénominateur.

Dans l'administration de médicaments liquides, le rapport de proportions se calcule en fractions. Il faut par la suite transformer ces fractions en nombres décimaux pour en calculer le nombre de millilitres à administrer. Ce nombre peut avoir une précision au dixième ou au centième de millilitre. En fonction de la seringue qui sera utilisée, on arrondit au dixième ou au centième. Les médicaments sont souvent représentés en très petites quantités.

Première étape : la réduction des fractions

Cette étape consiste à réduire les nombres entres eux.

Comme il s'agit d'une multiplication, nous pouvons réduire les fractions entre le numérateur et le dénominateur. Ainsi, dans l'équation $\frac{a}{b} \times \frac{c}{d}$, on peut réduire a par b ou a par d ou c par b ou c par d.

EXEMPLE 3.11

$$\boxed{\div 2}$$
$$\frac{1}{\cancel{6}} \times \frac{\cancel{4}}{5} = \frac{1}{3} \times \frac{2}{5}$$
$$\boxed{\div 2}$$

On divise 4 par 2, et on obtient 2.
On divise 6 par 2, et on obtient 3.

Deuxième étape : la multiplication des fractions simplifiées

EXEMPLE 3.12

$$= \frac{1 \times 2}{3 \times 5}$$

$$= \frac{2}{15}$$

On multiplie les numérateurs entre eux.
On multiplie les dénominateurs entre eux.

Troisième étape : la transformation en un nombre décimal

Par la suite, on peut transformer la fraction obtenue sous la forme d'un nombre décimal. On peut garder la réponse exacte, mais on peut aussi l'arrondir au dixième.

EXEMPLE 3.13

En effectuant la division, on obtient $\frac{2}{15} = 0,13\ldots$

En arrondissant au dixième, on obtient $\frac{2}{15} \approx 0,1$.

Ces calculs sont assez simples. Les exercices suivants vous en convaincront. N'oubliez pas, la compétence s'acquiert par la répétition. Pour effectuer le travail de l'infirmière, il est primordial d'être capable de calculer des doses de médicaments sans commettre d'erreur.

ACTIVITÉ 3.10

Effectuez les opérations de multiplication suivantes. Si cela est possible, transformez la fraction trouvée en une fraction réduite, puis en un nombre décimal arrondi au dixième pour a) à d) et au centième pour e) à h).

> Vous pouvez réduire les fractions avant d'effectuer les opérations demandées ; cela vous facilitera la tâche.

		Fraction réduite	**Nombre décimal**

a) $\dfrac{3}{7} \times \dfrac{1}{4}$ = _____ ; _____

b) $\dfrac{3}{6} \times \dfrac{4}{12}$ = _____ ; _____

c) $\dfrac{14}{25} \times \dfrac{5}{7}$ = _____ ; _____

d) $\dfrac{1\,250}{2\,000} \times \dfrac{10}{100}$ = _____ ; _____

e) $\dfrac{1}{6} \times \dfrac{3}{13}$ = _____ ; _____

f) $\dfrac{7}{15} \times \dfrac{4}{21}$ = _____ ; _____

g) $\dfrac{200}{333} \times \dfrac{111}{300}$ = _____ ; _____

h) $\dfrac{3}{5} \times \dfrac{2}{7}$ = _____ ; _____

Un cas particulier de la réduction des fractions se présente lorsque le numérateur et le dénominateur se terminent par zéro.

EXEMPLE 3.14

On peut réduire la fraction $\dfrac{4\,240}{320}$ de différentes manières.

a) On peut réduire la fraction en divisant par 10 le numérateur et le dénominateur (il suffit de retrancher le 0 du numérateur et du dénominateur).

$\dfrac{4\,240}{320} \begin{array}{l} \div 10 \\ \div 10 \end{array}$

Par la suite, on réduit la fraction normalement.

On obtient $\dfrac{424}{32}$; en divisant par 8, on obtient $\dfrac{53}{4}$.

b) Ou encore :

De cette fraction $\dfrac{424}{32}$, en divisant par 4, on obtient $\dfrac{106}{8}$.

Ensuite, en divisant par 2, on obtient $\dfrac{53}{4}$.

Une autre façon simple consiste à diviser trois fois par 2 le numérateur et le dénominateur. Cette façon de faire est plus longue, mais il est plus facile d'effectuer des calculs avec de petits nombres. Il vaut donc la peine de prendre le temps de faire des réductions intermédiaires pour éviter les erreurs.

ACTIVITÉ 3.11

Trouvez les plus simples expressions des fractions suivantes :

a) $\dfrac{30}{22}$ _____

b) $\dfrac{2\,400}{1\,200}$ _____

c) $\dfrac{125}{60}$ _____

d) $\dfrac{24\,200\,000}{2\,000\,000}$ _____

e) $\dfrac{3\,200}{80}$ _____

La division des fractions

Diviser une fraction, c'est multiplier la fraction du numérateur par la fraction du dénominateur inversée.

Ainsi, on a :

> La division des fractions est une opération importante lors de l'utilisation de certaines formules de calcul de dose.

$$\frac{\dfrac{a}{b}}{\dfrac{c}{d}} = \frac{a}{b} \times \frac{d}{c}$$

EXEMPLE 3.15

$\dfrac{\dfrac{1}{3}}{\dfrac{2}{5}} = \dfrac{1}{3} \times \dfrac{5}{2}$ On multiplie la fraction du numérateur, $\dfrac{1}{3}$, par $\dfrac{5}{2}$, qui est la fraction du dénominateur, $\dfrac{2}{5}$, inversée.

$= \dfrac{1 \times 5}{3 \times 2}$ On multiplie les numérateurs et dénominateurs entre eux,

$= \dfrac{5}{6}$ ce qui donne une nouvelle fraction $\dfrac{5}{6}$.

On peut donner la réponse sous la forme d'un nombre décimal en effectuant la division.

En arrondissant le résultat au dixième, on obtient $\dfrac{5}{6} \approx 0{,}8$.

En arrondissant le résultat au centième, on obtient $\dfrac{5}{6} \approx 0{,}83$.

ACTIVITÉ 3.12

Effectuez les divisions suivantes. Le résultat doit être une fraction réduite. Puis, transformez la fraction trouvée en un nombre décimal arrondi au dixième pour a) et b) et au centième pour c) et d).

a) $\dfrac{\dfrac{1}{8}}{\dfrac{1}{4}}$ = _____ ; _____

b) $\dfrac{\dfrac{3}{4}}{\dfrac{2}{3}}$ = _____ ; _____

c) $\dfrac{\dfrac{3}{4}}{2}$ = _____ ; _____

d) $\dfrac{\dfrac{7}{8}}{\dfrac{1}{2}}$ = _____ ; _____

> N'oubliez pas :
> 2 pourrait aussi être écrit $\dfrac{2}{1}$.

La transformation d'un pourcentage en fraction et d'une fraction en pourcentage

Nous verrons maintenant comment on transforme un pourcentage en fraction et, à l'inverse, une fraction en pourcentage.

Transformer un pourcentage en fraction ou en nombre décimal

Le pourcentage représente une fraction dont le dénominateur est égal à 100. Par exemple,

$$5\% = \frac{5}{100}$$

Il faut enlever le symbole % et diviser le nombre par 100.

Pour transformer cette fraction en nombre décimal, il suffit d'effectuer la division.

EXEMPLE 3.16

On veut transformer les pourcentages suivants en fractions :

a) $37\% = \frac{37}{100}$ Le dénominateur est 100.

b) $25\% = \frac{\overset{\div 25}{25}}{\underset{\div 25}{100}}$ On divise 25 par 25.
On divise 100 par 25.

    $= \frac{1}{4}$

c) $0,04\% = \frac{0,04}{100}$

    $= \frac{0,04}{100,00}$ On multiplie 0,04 par 100.
On multiplie 100,00 par 100.

    $= \frac{4}{10\,000}$

ACTIVITÉ 3.13

Transformez les pourcentages suivants en nombres décimaux :

a) 23% = _____   d) $0,9\%$ = _____

b) $2,5\%$ = _____   e) $0,45\%$ = _____

c) 24% = _____

Transformer une fraction en pourcentage

Pour transformer une fraction en pourcentage, il faut d'abord diviser le numérateur par le dénominateur, puis multiplier la réponse (quotient) par 100.

Ainsi, $\frac{2}{5} = \frac{\text{diviser le numérateur}}{\text{par le dénominateur}}$

    $= 2 \div 5 = 0,4$, puis on multiplie par 100.

    $= 40\%$

> On se souvient que, lorsqu'on multiplie par 100, on déplace la virgule décimale de deux nombres vers la droite. Étant donné 0,4, on déplace de deux nombres la virgule vers la droite. Cela devient donc : 40 %.

ACTIVITÉ 3.14

Transformez les fractions ou les nombres suivants en pourcentages :

a) 0,5 = _____

b) $\frac{2}{3}$ = _____

c) $\frac{3}{4}$ = _____

d) 2,15 = _____

e) 0,04 = _____

f) 14,07 = _____

Notions essentielles à retenir ———————

Les règles des nombres décimaux

- Pour un nombre donné, plus sa partie entière est grande, plus sa valeur est grande, quelle qu'en soit sa partie décimale.

- Lorsqu'une expression décimale n'est pas précédée d'un nombre entier, la norme est de placer un zéro devant la virgule décimale.

- On peut enlever le zéro à la fin d'un nombre décimal ; cela ne changera pas la valeur du nombre.

- Si les parties entières sont identiques, le nombre ayant le chiffre le plus élevé à la position des dixièmes est celui qui a la plus grande valeur ; si les dixièmes sont identiques, c'est le nombre ayant le chiffre le plus élevé à la position des centièmes qui a la plus grande valeur, et ainsi de suite.

- Pour additionner ou soustraire des nombres décimaux, il faut les aligner les uns au-dessus des autres en alignant les virgules.

- La multiplication de nombres comportant des décimales se fait de la même façon que pour les nombres entiers, **sans qu'on ait à se préoccuper de la virgule décimale**. L'opération terminée, il suffit d'additionner le nombre de chiffres décimaux placés à droite de chacune des virgules des nombres de départ, et le résultat en est le nombre total de décimales du **produit** (réponse de la multiplication).

- Dans la division de nombres décimaux, on élimine les virgules au numérateur et au dénominateur en les déplaçant vers la droite. On les déplace, au numérateur et au dénominateur, du nombre de chiffres correspondant au terme qui en compte le plus. S'il manque des chiffres, on ajoute des zéros. Ainsi, on aura augmenté le numérateur et le dénominateur par 10, 100, 1 000 ou plus.

Les règles des fractions

- Pour additionner ou soustraire des fractions, on doit considérer deux situations :
  1. **Les fractions ont le même dénominateur.** Il s'agit simplement d'additionner ou de soustraire, selon le cas, les chiffres qui apparaissent au numérateur pour obtenir la réponse.
  2. **Les fractions n'ont pas le même dénominateur.** Il faut trouver le dénominateur commun ; ainsi, les fractions auront le même dénominateur. Nous pourrons par la suite additionner ou soustraire les numérateurs. Le résultat sera alors connu.

- Pour **multiplier les fractions réduites** :
  - on multiplie les numérateurs entre eux ;
  - on multiplie les dénominateurs entre eux.

  On peut ensuite transformer en un nombre décimal la réponse obtenue.

- La division des nombres décimaux se fait par étapes :
  1. éliminer les virgules décimales ;
  2. réduire les fractions lorsque c'est possible ;
  3. diviser les fractions pour obtenir un nombre entier ou un nombre décimal.

- Diviser une fraction par une autre fraction, c'est multiplier la fraction du numérateur par la fraction du dénominateur inversée.

- Pour transformer un pourcentage en fraction, il faut enlever le symbole % et diviser le nombre par 100, car le pourcentage est une fraction dont le dénominateur est égal à 100.

- Pour transformer une fraction en pourcentage, il faut d'abord diviser le numérateur par le dénominateur, puis multiplier la réponse (**quotient**) par 100.

Exercices de révision

1. Pour chacun des exemples suivants, encerclez la portion décimale ayant la plus grande valeur :
   a) (0,041) ; 0,038 ; 0,03   d) (0,6) ; 0,05 ; 0,09
   b) 2,17 ; 2,211 ; (2,91)   e) 3,09 ; (3,1) ; 3,08
   c) 4,0 ; 4,05 ; (4,1)

2. Additionnez les nombres décimaux suivants :
   a) $3,27 + 2,49$ = 6,76   d) $1,2 + 3,99$ = 5,19
   b) $12,7 + 19,87$ = 32,57   e) $0,75 + 3,555$ = 4,305
   c) $3,8 + 3,99$ = 7,79   f) $2,4 + 3,01 + 5,045$ = 10,455

3. Soustrayez les nombres décimaux suivants :
   a) $0,75 - 0,45$ = 0,30   d) $1,4 - 1,03$ = 0,37
   b) $4,31 - 2,75$ = 1,56   e) $1,2 - 1,05$ = 0,15
   c) $12,01 - 3,784$ = 8,236   f) $2,05 - 0,899$ = 1,151

4. Effectuez les multiplications suivantes :

   3×4 = 12 3×12 = 36 12×12 = 144 12×6 = 72 6×7 = 42

   3×9 = 27 4×11 = 44 11×11 = 121 8×3 = 24 9×12 = 108

   10×12 = 120 5×9 = 45 6×10 = 60 12×9 = 108 4×8 = 32

   2×9 = 18 6×8 = 48 8×9 = 72 5×8 = 40 7×9 = 63

   5×7 = 35 7×7 = 49 7×8 = 56 9×3 = 27 8×3 = 24

   8×6 = 48 8×2 = 16 4×7 = 28 12×7 = 84 11×12 = 132

   9×3 = 27 9×6 = 54 7×6 = 42 4×9 = 36 9×9 = 81

   4×3 = 12 11×5 = 55 5×5 = 25 5×12 = 60 4×6 = 24

   8×4 = 32 12×4 = 48 9×4 = 36 3×7 = 21 5×8 = 40

   6×5 = 30 6×3 = 18 7×3 = 21 8×8 = 64 6×9 = 54

5. Multipliez les nombres décimaux suivants :

a) $1,25 \times 0,05$ = _0,0625_ d) $0,5 \times 2,225$ = _1,1125_

b) $1,5 \times 2,75$ = _4,125_ e) $0,05 \times 10,2$ = _0,51_

c) $2,5 \times 1,25$ = _3,125_ f) $12,3 \times 2,05$ = _25,215_

6. Trouvez la fraction qui a la plus grande valeur :

a) $\frac{1}{8}$; $\frac{2}{3}$; $\boxed{\frac{5}{7}}$ c) $\frac{5}{8}$; $\frac{3}{7}$; $\boxed{\frac{8}{9}}$

b) $\frac{1}{2}$; $\frac{2}{3}$; $\boxed{\frac{3}{4}}$ d) $\frac{2}{5}$; $\frac{1}{7}$; $\boxed{\frac{4}{5}}$

7. Trouvez la fraction qui a la plus petite valeur :

a) $\boxed{\frac{1}{4}}$; $\frac{3}{7}$; $\frac{6}{9}$ c) $\boxed{\frac{1}{9}}$; $\frac{2}{17}$; $\frac{4}{15}$

b) $\frac{5}{7}$; $\boxed{\frac{2}{3}}$; $\frac{3}{4}$ d) $\boxed{\frac{3}{4}}$; $\frac{5}{6}$; $\frac{7}{8}$

8. Divisez les nombres décimaux suivants et arrondissez au dixième :

a) $\frac{27}{3,2}$ ≈ _8,4_ c) $\frac{0,5}{0,125}$ ≈ _4,0_ e) $\frac{3\,000\,000}{4\,000\,000}$ ≈ _0,8_

b) $\frac{3,2}{2,5}$ ≈ _1,3_ d) $\frac{12,4}{3,2}$ ≈ _3,9_

9. Divisez les nombres décimaux suivants et arrondissez au centième :

a) $\frac{8,3}{2,5}$ ≈ _3,32_ c) $\frac{3,25}{0,012}$ ≈ _270,83_ e) $\frac{400\,000}{3\,500}$ ≈ _114,29_

b) $\frac{1,25}{1,05}$ ≈ _1,19_ d) $\frac{3,85}{1,2}$ ≈ _3.21_

10. Complétez les opérations suivantes. Transformez les résultats en des nombres décimaux. Arrondissez au centième ou au dixième lorsque cela est requis.

a) $\frac{3}{5} \times \frac{1}{4}$ = _0,15_ f) $\frac{3}{5} \div \frac{2}{5}$ = _1,5_

b) $\frac{1}{8} \times \frac{2}{5}$ = _0,05_ g) $\frac{2}{3} \div \frac{1}{2}$ = _1,33_

c) $\frac{120}{25} \times \frac{30}{80}$ = _1,8_ h) $\frac{3}{75} \div \frac{1}{50}$ = _2_

d) $\frac{120}{60} \times 15$ = _30_ i) $\frac{1}{2} \div \frac{1}{4}$ = _2_

e) $\frac{130}{45} \times 15$ = _43,33_ j) $\frac{6}{18} \div \frac{2}{8}$ = _1,33_

11. Transformez les pourcentages suivants en des nombres décimaux :

a) 35% = _0,35_ g) $17,5\%$ = _0,175_

b) $2,8\%$ = _0,028_ h) 10% = _0,10_

c) 23% = _0,23_ i) $8,2\%$ = _0,082_

d) 12% = _0,12_ j) 3% = _0,03_

e) $0,9\%$ = _0,009_ k) 59% = _0,59_

f) $0,45\%$ = _0,0045_

12. Transformez les fractions suivantes en pourcentages :

a) $\frac{34}{50}$ = _68 %_   b) $\frac{15}{25}$ = _60 %_   c) $\frac{65}{100}$ = _65 %_

13. Appliquez les calculs appropriés aux contextes suivants.

a) M. Tremblay doit prendre des comprimés d'acétaminophène (Tylenol) pour la douleur. Chaque comprimé a une teneur (concentration) de 325 mg. Combien de comprimés doit-il prendre pour obtenir une dose de 650 mg ?

_2 co_

b) M. Fortin doit boire 42,5 ml d'un liquide 6 fois par jour. Combien de millilitres de ce liquide prendra-t-il par jour ?

_255 mL_

c) Mme Garon doit limiter son absorption de liquide car elle a un problème d'insuffisance cardiaque. Son médecin lui a recommandé de ne pas dépasser 1 500 ml de liquide par jour. Vous devez lui expliquer qu'elle doit faire attention, étant donné qu'elle prend du liquide au déjeuner, au dîner, au souper et en soirée. Quelle quantité devra-t-elle prendre chaque fois, sachant qu'elle désire prendre une quantité égale de liquide à chaque occasion ?

_375 mL_

d) M. Alaris a un soluté qui s'égoutte à 60 ml chaque heure. Combien de millilitres de soluté seront administrés après $4\frac{1}{2}$ heures ?

_270 ml_

e) Une bouteille de sirop contre la toux a une contenance de 30 ml. Sachant qu'à chaque dose de sirop vous devez en utiliser 1,25 ml, combien de doses contient votre bouteille ?

24 doses

$$\begin{array}{r} 13 \\ 42,5 \\ \times\, 6 \\ \hline 255,0 \end{array}$$

Chapitre **4**

Les méthodes de calcul des rapports et des proportions

À la fin de ce chapitre, vous serez en mesure :

- d'expliquer ce qu'est un rapport ;
- d'expliquer ce qu'est une proportion ;
- de résoudre une proportion à partir :
  - de la méthode des produits des extrêmes et des moyens ;
  - de la méthode des produits croisés ;
- de transformer un pourcentage en rapport ;
- de transformer un rapport en pourcentage.

Introduction

Le dosage des médicaments peut se calculer de diverses façons. Ce chapitre vous rappellera les différentes méthodes de calcul des rapports et des proportions par l'utilisation des règles de proportion, soit **les produits des extrêmes et des moyens** ou **les produits croisés**, **souvent nommés « règle de trois »**. Lorsque vous aurez compris les principes de base de ces méthodes, vous découvrirez qu'elles sont fiables et faciles à appliquer.

4.1 La définition d'un rapport

Le **rapport** indique une relation entre deux nombres *a* et *b*. Les deux nombres d'un rapport sont séparés par un deux-points (:), une barre horizontale (–) ou une barre oblique (/). Sur les étiquettes de médicaments, le rapport est souvent indiqué par une barre oblique.

$$a : b \text{ s'écrit aussi } \frac{a}{b} \text{ ou } a/b.$$

Donc,

$$1 : 50 \text{ s'écrit aussi } \frac{1}{50} \text{ ou } 1/50.$$

Lorsqu'il s'agit de médicaments solides, le rapport sert à indiquer la teneur (ou la concentration) du médicament, c'est-à-dire la quantité de médicament contenue dans un comprimé ou une capsule. Ainsi, le rapport 1 co : 50 mg signifie qu'on trouve 50 mg de médicament dans un comprimé.

Lorsqu'il s'agit de médicaments liquides, on utilise généralement un rapport pour exprimer la concentration ou la quantité de médicament contenue dans un certain volume de liquide. Ainsi, le rapport 100 mg : 1 ml signifie qu'il y a 100 mg de médicament dissous dans 1 ml de liquide, ce qui devient une solution ou soluté.

EXEMPLE 4.1

Le rapport d'un médicament dont la teneur est de 250 milligrammes par millilitre peut s'exprimer ainsi : 250 mg : 1 ml ou 250 mg/ml. Cela signifie qu'on trouve une concentration de 250 mg de médicament dans 1 ml de liquide.

ACTIVITÉ 4.1

Expliquez la signification des rapports suivants :

a) 100 mg : 0,5 ml _____

b) 1 co : 0,8 mg _____

c) 1 g : 10 ml _____

d) 80 mg/1 ml _____

e) 160 mg/5 ml _____

4.2 La règle de proportionnalité

Nous verrons maintenant la règle de proportionnalité selon la méthode des produits des extrêmes et des moyens et selon la méthode des produits croisés, souvent appelée « règle de trois ».

Une **proportion** est une égalité de deux rapports. Ainsi, 1 : 2 = 2 : 4 est une présentation de deux rapports exprimant une proportion. Dans le domaine des soins infirmiers, les proportions sont souvent essentielles au calcul des doses de médicaments. Il est donc important de connaître la signification de chacun des éléments composant un rapport.

L'application de la règle de proportionnalité

Le premier et le quatrième terme d'une proportion (a et d) s'appellent les **extrêmes**. Le deuxième et le troisième terme (b et c) s'appellent les **moyens**.

Dans une proportion, le produit des extrêmes (a et d) est égal au produit des moyens (b et c).

La méthode des produits des extrêmes et des moyens

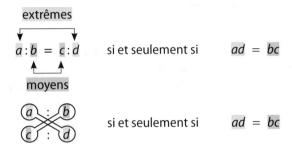

Si l'on multiplie les moyens l'un par l'autre et les extrêmes l'un par l'autre, les deux produits (résultats) seront égaux. On dit aussi que les produits « croisés » sont égaux.

EXEMPLE 4.2

Soit la proportion $1:50 = 2:100$.

On peut faire la **preuve mathématique** que ces rapports sont égaux et qu'il s'agit bien d'une proportion.

Produits des extrêmes et des moyens

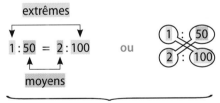

Le produit des extrêmes
est égal au produit des moyens :
$$1 \times 100 = 2 \times 50$$

À l'aide de l'exemple ci-dessus, on peut facilement vérifier l'adéquation de l'opération mathématique par un calcul mental. Ainsi, on s'aperçoit rapidement que les rapports sont égaux et qu'il s'agit bien d'une proportion.

À partir de l'exemple 4.2 de la page précédente, on peut refaire l'exercice en le transposant dans le domaine des médicaments :

$$1 \text{ co} : 50 \text{ mg} = 2 \text{ co} : 100 \text{ mg} \text{ ou } 50 \text{ mg} : 1 \text{ co} = 100 \text{ mg} : 2 \text{ co}$$

$$1 \text{ ml} : 50 \text{ mg} = 2 \text{ ml} : 100 \text{ mg} \text{ ou } 50 \text{ mg} : 1 \text{ ml} = 100 \text{ mg} : 2 \text{ ml}$$

On peut donc dire, pour un médicament solide : si un comprimé contient 50 mg, deux comprimés en contiennent 100 mg. De la même façon, pour un médicament liquide : si 1 ml contient 50 mg, 2 ml en contiennent 100 mg. Dans les deux cas, les proportions sont conservées.

La méthode des produits croisés (règle de trois)

> Rappelez-vous qu'une proportion est une égalité de deux rapports.

Les notions de rapport et de proportion sont importantes dans les calculs de doses, parce qu'on peut les utiliser pour trouver un rapport incomplet à partir d'un rapport connu.

Formule de présentation selon la méthode des produits croisés :

$$\frac{a}{b} \diagdown = \diagup \frac{c}{d} \qquad \text{si et seulement si} \qquad ad = cb$$

Attention !

Les produits croisés (ou règle de trois) permettent de calculer le terme manquant (ou inconnue x) de n'importe quelle proportion. Cette règle se base sur le principe suivant : lorsqu'une mesure est proportionnelle à une autre, les deux mesures peuvent être mises en rapport. Lorsqu'il y a trois valeurs connues et une valeur inconnue x, nous pouvons appliquer la règle des produits croisés ou règle de trois.

Supposons que vous disposez d'un médicament dont la teneur est de 20 milligrammes par millilitre. Le rapport connu est donc 20 mg : 1 ml. Si le médecin prescrit une dose de 12 mg, le rapport est incomplet. Il faudra donc utiliser x pour représenter la quantité inconnue de millilitres qui contient 12 mg.

20 mg : 1 ml rapport complet (teneur du médicament)	=	12 mg : x ml rapport incomplet (dose à administrer)

Attention !

Selon la méthode des produits des extrêmes et des moyens, cela revient à écrire les rapports en plaçant les unités de mesure toujours dans le même ordre.

$$\text{mg} : \text{ml}$$
$$\text{mg} : \text{ml}$$

Ou, selon la méthode des produits croisés, l'ordre se présente comme suit :

$$\frac{\text{mg}}{\text{ml}} = \frac{\text{mg}}{\text{ml}}$$

Examinez maintenant les étapes arithmétiques qui permettront de trouver la valeur de l'inconnue x. Ces étapes arithmétiques sont ce qu'on appelle la résolution d'une proportion par les produits croisés ou règle de trois.

EXEMPLE 4.3

Soit la proportion 20 mg : 1 ml = 12 mg : x ml.

On veut déterminer la valeur de l'inconnue x.

Il faut d'abord **s'assurer que les unités de mesure sont placées dans le même ordre.**

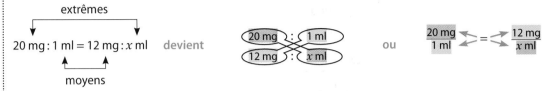

Produits des extrêmes et des moyens   **Produits croisés**

On effectue ensuite le produit des croisés. On se rappelle que le « produit » est le résultat d'une multiplication. On multiplie donc :

$$20 \text{ mg} \times x \text{ ml} = 12 \text{ mg} \times 1 \text{ ml}$$

Comme nous sommes dans une égalité, chaque nouvelle opération faite d'un côté du signe = doit aussi être faite de l'autre côté. Nous cherchons toujours à isoler le x.

Dans cet exemple, on divise donc par 20 mg des deux côtés.

$$\frac{20 \text{ mg} \times x \text{ ml}}{20 \text{ mg}} = \frac{12 \text{ mg} \times 1 \text{ ml}}{20 \text{ mg}} \quad x \text{ est maintenant isolé.}$$

$$x \text{ ml} = \frac{12}{20} = \frac{6}{10} = 0,6 \text{ ml}$$

Comme le x de la proportion est en millilitres, la réponse sera en millilitres.

La réponse est $x = 0,6$ ml.

Ainsi, dans l'exemple 4.3, pour respecter la dose prescrite de 12 mg, vous devez administrer une dose de 0,6 ml.

Cet exemple illustre donc la façon d'utiliser les rapports et les proportions pour résoudre les problèmes de dosage de médicaments.

Attention !

Lorsqu'on administre des médicaments, il est primordial de s'assurer que les calculs sont adéquats. Il s'avère donc essentiel de vérifier les calculs de doses afin d'en garantir l'exactitude. Il faut ainsi évaluer mentalement chaque solution pour s'assurer qu'elle est vraisemblable.

La vérification des calculs

On doit toujours s'assurer de nos calculs. Une méthode rapide consiste à en vérifier la **vraisemblance mathématique**. Ainsi, si 1 ml contient 20 mg, il faudra moins de 1 ml pour 12 mg. La réponse obtenue, 0,6 ml, est inférieure à 1 ; elle est donc vraisemblable. Même si cette évaluation ne garantit pas l'exactitude de vos calculs, elle vous indique au moins que vous n'avez pas confondu les rapports entre eux.

On peut également faire la **preuve mathématique** en remplaçant, dans la proportion, x par la valeur trouvée :

$$20 \text{ mg} : 1 \text{ ml} = 12 \text{ mg} : 0,6 \text{ ml}$$

Cette égalité est vraie, car le produit des extrêmes, $20 \times 0,6 = 12$, est égal au produit des moyens, $1 \times 12 = 12$.

En faisant la preuve mathématique, on s'aperçoit que la réponse est exacte.

Les applications mathématiques

Dans le présent chapitre, nous mettons l'accent sur les notions d'arithmétique nécessaires au dosage des médicaments. Le reste du chapitre est donc purement arithmétique. Vous étudierez plus à fond les problèmes d'application de dosage dans les chapitres ultérieurs.

ACTIVITÉ 4.2

Trouvez la valeur de l'inconnue, arrondie au dixième, dans les proportions suivantes et faites la preuve du résultat obtenu. Effectuez l'exercice selon la méthode de calcul de votre choix.

a) $12,5 : 5 = 24 : x$ _____

b) $40 : 2,5 = 30 : x$ _____

c) $\dfrac{0,6}{0,8} = \dfrac{0,3}{x}$ _____

d) $36 : 2$
$24 : x$ _____

e) $78 : 0,9$
$52 : x$ _____

f) $\dfrac{7}{0,6} = \dfrac{2}{x}$ _____

On peut calculer les rapports et les proportions aussi bien avec des fractions qu'avec des nombres décimaux.

EXEMPLE 4.4

On veut déterminer la valeur de l'inconnue dans la proportion suivante :

$$\frac{1}{2} : 2 = \frac{1}{8} : x$$

Produits des extrêmes et des moyens

extrêmes

$\frac{1}{2} : 2 = \frac{1}{8} : x$ ou

moyens

Produits croisés

$\frac{\frac{1}{2}}{2}$ = $\frac{\frac{1}{8}}{x}$

ou encore

> La règle de trois permet de connaître une valeur inconnue à partir de trois valeurs connues.

$\dfrac{1}{2}x = 2 \times \dfrac{1}{8}$

Le produit des extrêmes est égal au produit des moyens et les produits croisés sont égaux.

$\dfrac{1}{2}x = \dfrac{\boxed{\div 2}}{2} \times \dfrac{1}{8_{\boxed{\div 2}}} = \dfrac{1}{2}x = \dfrac{1}{4}$

On divise le nombre, 2, par 2.
On divise le dénominateur, 8, par 2.

$2 \times \dfrac{1}{2}x = 2 \times \dfrac{1}{4}$ devient $x = 2 \times \dfrac{1}{4}$

On veut isoler le x. Comme nous sommes dans une égalité, on multiplie par 2 de chaque côté.

$x = \dfrac{\overset{\div 2}{2}}{1} \times \dfrac{1}{\underset{\div 2}{4}}$

On divise le numérateur, 2, par 2.
On divise le dénominateur, 4, par 2.

$x = \dfrac{1}{2}$

Ou, si on divise 1 par 2 :

$x = 0,5$

Vraisemblance :

Puisque $\dfrac{1}{8}$ est plus petit que $\dfrac{1}{2}$, le résultat doit être inférieur à 2, ce qui est le cas : 0,5 est inférieur à 2.

EXEMPLE 4.5

Calcul à l'aide de la règle des proportions :

Produits des extrêmes et des moyens   **Produits croisés**

extrêmes

$$300 : 1,2 = 120 : x \quad \text{ou} \quad \begin{array}{c} 300 : 1,2 \\ 120 : x \end{array} \quad \text{ou encore} \quad \frac{300}{1,2} = \frac{120}{x}$$

moyens

$300x = 1,2 \times 120$	Le produit des extrêmes est égal au produit des moyens et les produits croisés sont égaux.
$x = \dfrac{1,2 \times 120}{300}$	On divise les deux membres de l'équation par 300.
$x = 0,48$	On effectue les calculs.
$x \approx 0,5$	La réponse est arrondie au dixième.

Vraisemblance :

120 est plus petit que 300, et le résultat, soit 0,5, est plus petit que 1,2, comme il se doit.

Dès que vous maîtriserez les étapes arithmétiques à suivre pour calculer les rapports et les proportions, vous apprendrez vite à combiner plusieurs étapes et vous travaillerez plus efficacement. Étudiez les étapes dans l'activité suivante.

ACTIVITÉ 4.3

Trouvez la valeur de l'inconnue, arrondie au dixième, dans les proportions suivantes et faites la preuve du résultat obtenu.

a) $\dfrac{1}{4} : 2 = \dfrac{1}{8} : x$ _____

b) $7,5 : 3,2 = 10 : x$ _____

> Deux démarches vous ont été expliquées. Privilégiez-en une et utilisez toujours la même !

c) $\dfrac{0,1}{0,3} = \dfrac{\frac{1}{5}}{x}$ _____

d) $\dfrac{\frac{2}{5} : 2}{\frac{3}{5} : x}$ _____

e) $\dfrac{0,04 : 0,05}{0,12 : x}$ _____

Les calculs de proportions peuvent aussi se présenter dans des activités courantes. L'activité 4.4 à la page suivante vous permettra d'appliquer les formules des proportions qui ont été expliquées dans les sections précédentes.

ACTIVITÉ 4.4

a) Un contenant de 4 kg de pommes coûte 3,75 $. Combien coûteraient 3 kg de pommes ? _____

b) Votre voiture consomme 8 L d'essence tous les 100 km. De combien de litres d'essence aurez-vous besoin pour parcourir 650 km ? Sachant que l'essence coûte 1,07 $ le litre, combien vous coûtera votre voyage en essence ? _____

c) 4 crayons coûtent 2,75 $. Quel sera le prix de 9 crayons ? _____

d) Une entreprise de couture produit 4 750 pantalons tous les 5 jours. Combien en produit-elle tous les 2 jours ? _____

e) Vous avez parcouru une distance de 245 km à vélo en 6 jours. Combien de kilomètres avez-vous parcourus en 4 jours, sachant que vous avez toujours parcouru le même nombre de kilomètres chaque jour ? _____

4.3 La transformation d'un pourcentage en rapport et d'un rapport en pourcentage

Un **pourcentage** est une fraction dont le dénominateur est égal à 100.

EXEMPLE 4.6

On veut transformer les pourcentages suivants en **rapports** :

a) $40\% = \dfrac{\cancel{40}}{\cancel{100}}$ $\boxed{\div 10}$ $\boxed{\div 10}$ On divise 40 par 10.
On divise 100 par 10.

$= \dfrac{\cancel{4}}{\cancel{10}}$ $\boxed{\div 2}$ $\boxed{\div 2}$ On divise 4 par 2.
On divise 10 par 2.

$= \dfrac{2}{5}$

$= 2 : 5$

b) $22,5\% = \dfrac{22,5}{100}$

$= \dfrac{22,5}{100,0}$ $\boxed{\times 10}$ $\boxed{\times 10}$ On ajoute une virgule et un zéro à 100.
On déplace les virgules d'une décimale vers la droite (on multiplie le numérateur et le dénominateur par 10), ce qui équivaut à :

$= \dfrac{\cancel{225}}{\cancel{1\,000}}$ $\boxed{\div 25}$ $\boxed{\div 25}$ On divise 225 par 25.
On divise 1 000 par 25.

$= \dfrac{9}{40}$

$= 9 : 40$

EXEMPLE 4.7

On veut transformer les rapports suivants en **pourcentages** :

a) $4 : 5 \ = \ \dfrac{4}{5}$ On divise 4 par 5.

$= \dfrac{\frac{4}{5} \times 100}{100}$ On divise 4 par 5 et on multiplie le résultat par 100.
On divise par 100.

$= \dfrac{80}{100}$

$\approx 80\,\%$

b) $2 : 3 \ = \ \dfrac{2}{3}$ On divise 2 par 3.

$= \dfrac{\frac{2}{3} \times 100}{100}$ On multiplie 2/3 par 100.
On divise par 100.

$= \dfrac{66,66\ldots}{100}$

$\approx 66,7\,\%$ La réponse est arrondie au dixième.

> Il serait également possible d'appliquer la règle des produits croisés.

ACTIVITÉ 4.5

Transformez les pourcentages en rapports et les rapports en pourcentages. Arrondissez les réponses au dixième.

a) 70 % _____   c) 47 % _____   e) 3 : 2 _____

b) 0,25 % _____   d) 9 : 20 _____   f) 1 : 2 _____

Notions essentielles à retenir ————————————

- Un rapport est composé de deux nombres qui sont en relation.

- Une proportion est une égalité de deux rapports.

- Dans une proportion, le produit des extrêmes est égal au produit des moyens.

- Lorsqu'il y a une inconnue dans une proportion, on peut trouver cette inconnue en appliquant la méthode des produits croisés ou règle de trois.

- Dans une égalité de rapports, les produits croisés sont égaux.

- Lorsqu'on utilise les rapports et les proportions pour résoudre des problèmes de dosage, les unités de mesure doivent être placées dans le même ordre.

- Un pourcentage est une fraction dont le dénominateur est égal à 100.

Exercices de révision

1. Utilisez la méthode de calcul de votre choix pour trouver la valeur de l'inconnue dans les proportions suivantes. Arrondissez les réponses au dixième lorsque cela est requis.

   a) $75:5$ $=$ $187,5:x$ _12,5_

   b) $0,25:0,8$ $=$ $0,75:x$ _2,4_

   c) $250:2,3$ $=$ $325:x$ _2,99_

   d) $12,5:1,2$ $=$ $6,25:x$ _0,6_

   e) $1\,250:1,4$ $=$ $625:x$ _0,7_

   f) $200\,000:2,5$ $= 150\,000:x$ _1,875_

   g) $0,02:1,2$ $=$ $0,05:x$ _3_

   h) $175:0,6$ $=$ $225:x$ _0,8_

   i) $750:1,5$ $=$ $1\,125:x$ _2,25_

2. Transformez les pourcentages suivants en rapports :

   a) 20 % _1:50_   b) 0,75 % _1:80100_   c) 0,07 % _1:142860_

3. Transformez les rapports suivants en pourcentages. Arrondissez les réponses au dixième.

   a) $7:21$ _33,3 %_   b) $7:8$ _87,5 %_   c) $2:15$ _13,3 %_

Application dans différents contextes cliniques

4. a) Vous devez administrer une dose de 0,125 mg (milligramme). Les comprimés (co) que vous avez à votre disposition ont une teneur de 0,25 mg par comprimé. Combien de comprimés devrez-vous administrer ?

   i) 1 co ;   ii) plus de 1 co ;   iii) moins de 1 co.

   b) Le médecin vous prescrit 3 co d'un médicament dont la teneur est de 0,75 mg par comprimé. Combien de milligrammes de médicament prendrez-vous ? _2,25_

   c) Vous avez à donner $\dfrac{1}{50}$ mg d'une médication qui a une concentration de 0,01 mg par comprimé. Combien de comprimés donnerez-vous ? _2_

   d) Une solution désinfectante recommandée est de 1 : 25. Vous avez en votre possession une solution qui indique 1 : 20. Votre solution est-elle trop concentrée ou pas assez concentrée ? Expliquez votre réponse. _trop conc. 5 % > 4 %_

   e) Une solution d'iode contient 0,04 g : 60 ml. Calculez le pourcentage d'iode et arrondissez au centième. _66,67 %_

   f) Vous devez administrer 325 mg d'un sirop à un enfant. La bouteille de sirop a une concentration de 250 mg/5 ml. Combien de millilitres devrez-vous préparer ? _6,5 ml_

   g) L'étiquette de votre bouteille de médicament indique 85 mg : 1 ml. Vous administrez 3,2 ml par dose.

   i) À chaque dose, combien de milligrammes de médicament la personne reçoit-elle ? _272 mg_

   ii) Combien de doses vous reste-t-il, sachant que la quantité restante dans la bouteille est de 16 ml ? _5 doses_

Chapitre **5**

Les systèmes de mesure des médicaments

À la fin de ce chapitre, vous serez en mesure :

- de nommer les unités de mesure du système international (SI), communément appelé système métrique, utilisées dans le domaine de la santé ;

- d'exprimer les différentes mesures du SI selon les règles de leur notation ;

- de convertir des unités de mesure de longueur, de masse, de volume et de quantité de matière ;

- d'expliquer ce que représentent d'autres mesures utilisées en pharmacologie, telles que les unités, les pourcentages, les équivalents et les rapports ;

- de reconnaître les mesures des systèmes apothicaire, domestique et impérial ;

- de convertir des mesures du système apothicaire, domestique et impérial en mesures du SI.

Introduction

Le système métrique a été institué en France en 1875. En 1960, à la suite de plusieurs conférences internationales, la Conférence générale des poids et mesures a adopté le **système international d'unités (SI), qui est en fait une version moderne du système métrique**. Le Canada a pour sa part adopté le SI le 16 janvier 1970.

L'intérêt du système international (SI), ou système métrique, se trouve dans sa simplicité et sa précision. En effet, ses mesures sont constituées de préfixes qui déterminent la valeur des unités de mesure. Ainsi, toutes les unités de mesure se calculent dans un rapport de 1 à 10 ou de multiples de 10 qu'on appelle **système décimal de numération**. Il suffit donc de déplacer la virgule décimale (imaginaire ou non) vers la droite pour convertir les unités du système en unités plus grandes ou vers la gauche pour diminuer les unités de mesure.

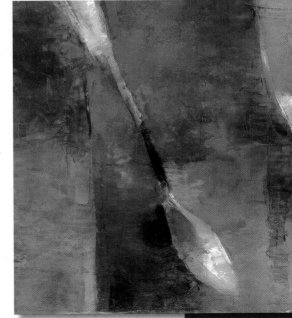

Pour administrer des médicaments de façon sécuritaire, il importe de comprendre la structure du système métrique ou international et d'être familière avec les unités de mesure que vous aurez à utiliser dans votre travail quotidien. Dans ce chapitre, le terme « système métrique » ne sera plus utilisé, mais vous comprendrez que les expressions « système métrique » et « système international », en soins infirmiers, sont équivalentes.

Même si, de nos jours, les unités de mesure employées dans le domaine de la santé proviennent du SI, on se sert encore des mesures d'anciens systèmes (apothicaire, domestique et impérial). Comme infirmière, il faut donc être capable de les reconnaître et de les convertir dans le système international lorsque la situation l'exige.

5.1 Les unités de mesure du SI couramment utilisées

Les principales mesures utilisées dans le domaine de la santé sont les mesures de longueur, de masse, de volume et de quantité de matière. Voici les unités de base composant chacune de ces quatre mesures :

> Le **mètre** représente la longueur.
>
> Le **gramme** représente la masse.
>
> Le **litre** représente le volume.
>
> La **mole** représente la quantité de matière.

Il est impératif de pouvoir reconnaître et utiliser ces unités de mesure, car il n'y a aucune place pour le doute ou l'erreur quand vous devez y recourir. Si vous ne les connaissez pas ou ne les maîtrisez pas, les activités 5.1 et 5.2 vous aideront à vous habiliter à l'utilisation de ces différentes unités.

ACTIVITÉ 5.1

Pour chaque unité de mesure métrique suivante, indiquez si elle représente la longueur, la masse, le volume ou la quantité de matière.

a) Kilogramme _____

b) Litre _____

c) Mètre _____

d) Millilitre _____

e) Centimètre _____

f) Microgramme _____

g) Milligramme _____

h) Mole _____

Les unités de mesure du SI

On fait appel à des préfixes pour présenter des unités de mesure plus grandes et plus petites que les unités de base employées dans le SI. La valeur des unités de longueur, de masse, de volume et de quantité de matière est modifiée selon la valeur qui est accordée au préfixe. Les mêmes préfixes transforment la valeur de chacune des unités de base par le même facteur. Ainsi, il y a le **kilo**, qui est le seul préfixe indiquant une valeur plus grande. Sa valeur est 1 000 fois plus élevée que l'unité de base. On trouve cependant plusieurs préfixes indiquant des valeurs plus petites que l'unité de base, soit **centi** (100 fois plus petit), **milli** (1 000 fois plus petit) et **micro** (1 000 fois plus petit que le milli et 1 000 000 de fois plus petit que l'unité de base).

> « Micro » est le préfixe du terme « microscopique », qui vient du grec et qui signifie « petit ».

Voici des exemples de mesures plus grandes que l'unité de base :

1 kilomètre	=	1 000 mètres
1 kilogramme	=	1 000 grammes
1 kilolitre	=	1 000 litres

Voici des exemples de préfixes représentant des mesures plus petites que l'unité de base :

centi	(comme dans centimètre)	=	0,01 mètre
milli	(comme dans milligramme)	=	0,001 gramme
milli	(comme dans millilitre)	=	0,001 litre
micro	(comme dans microgramme)	=	0,000 001 gramme ou 0,001 milligramme

En soins infirmiers, il arrive fréquemment que les ordonnances médicales soient formulées dans une unité de mesure différente de l'unité de mesure du médicament disponible. Le cas échéant, vous devrez donc procéder à une conversion de ces mesures afin d'administrer la bonne dose de médicament.

Les symboles des différentes mesures du SI

On utilise des abréviations qui correspondent habituellement à l'initiale de l'unité de base. Ces symboles s'écrivent généralement en minuscules, à l'exception du « L » de « litre ». Celui-ci s'écrit souvent avec une majuscule afin de ne pas être confondu avec le chiffre 1 et ainsi générer des erreurs de calcul.

m	(pour mètre)
g	(pour gramme)
L	(pour litre)
mol	(pour mole)

Cette transcription s'applique également aux symboles des préfixes couramment utilisés dans le domaine de la santé en combinaison avec les symboles des unités de base du SI. Ainsi, on trouve :

k	(pour kilo)	comme dans kilogramme	(kg)
c	(pour centi)	comme dans centimètre	(cm)
m	(pour milli)	comme dans milligramme	(mg)
m	(pour milli)	comme dans millilitre	(ml)
mc	(pour micro)	comme dans microgramme	(mcg)

> Dans l'abréviation « ml », le « l » est généralement noté en minuscule. On rencontre toutefois encore l'abréviation « mL ».

Attention !

Le préfixe « micro » peut être aussi représenté par le symbole µ, et utilisé en combinaison avec les symboles des unités de base, comme dans microgramme, µg. Or, dans l'écriture manuscrite, il est possible de confondre les symboles mg (milligramme) et µg (microgramme). Le risque d'erreur de lecture étant important, on ne devrait plus retrouver ce symbole dans les ordonnances médicales ni dans les formulaires provenant du département de pharmacie. Il est maintenant commun d'utiliser le symbole mcg ou même microgramme au long. Toutefois, s'il vous arrive de lire une ordonnance ou une étiquette d'un médicament comportant le symbole µg (pour microgramme), vous devrez être attentive et, dans le doute, il faudra procéder à une double vérification indépendante avec une collègue (*voir le chapitre 2*). Il faut se souvenir qu'il y a un écart de 1000 entre ces unités (1 mg = 1000 µg), et **une mauvaise lecture des symboles peut entraîner de graves erreurs d'administration de la médication.**

Le tableau 5.1 présente les équivalences des mesures du système international.

Tableau 5.1 • Les équivalences des mesures du SI

Préfixe	Unité de grandeur	Interprétation
kilo	1 000	1 000 fois plus grand que l'unité de base
déci	0,1	10 fois plus petit que l'unité de base
centi	0,01	100 fois plus petit que l'unité de base
milli	0,001	1 000 fois plus petit que l'unité de base
micro	0,000 001	1 000 000 de fois plus petit que l'unité de base

ACTIVITÉ 5.2

Notez les symboles des unités suivantes. Puis, indiquez s'il s'agit d'unités de longueur, de masse, de volume ou de quantité de matière.

		Symbole	Ce que cette unité mesure
a)	Gramme	_____	_____
b)	Millimole	_____	_____
c)	Centimètre	_____	_____
d)	Millilitre	_____	_____
e)	Centilitre	_____	_____
f)	Milligramme	_____	_____
g)	Kilogramme	_____	_____
h)	Litre	_____	_____
i)	Millimètre	_____	_____
j)	Microgramme	_____	_____

5.2 Les règles de notation des unités de mesure du SI

Il existe certaines règles d'inscription des unités de mesure du SI. Celles-ci assurent une lecture uniforme et sans risque d'erreur d'interprétation par différents intervenants du domaine de la santé tels que les médecins, les infirmières, les infirmières auxiliaires et les pharmaciens. Ces règles garantissent à tous ces intervenants une compréhension commune des symboles couramment utilisés en pharmacologie. L'encadré suivant présente les principales règles de notation.

Les principales règles de notation du SI

Un nombre ou chiffre arabe s'écrit : 1, 2, 3, 4, etc.

Règle	Exemples
1. Transcrire les nombres en chiffres arabes.	1 ; 1,5 ; 2.
2. Placer les symboles après le nombre.	3,5 kg ; 2 ml ; 3,5 cm.
3. Laisser une espace entre le nombre et le symbole.	10,2 ml ; 0,1 mg ; 31,5 kg.
4. Utiliser la notation décimale plutôt que la notation fractionnaire.	0,5 ml (et non 1/2 ml) ; 1,5 ml (et non 1 1/2 ml).
5. Afin d'éviter les erreurs de lecture, mettre un zéro à gauche de la virgule lorsqu'il n'y a pas de nombre entier avant la décimale. Ne jamais laisser une virgule sans valeur numérique à sa gauche.	0,4 g ; 0,5 kg ; 0,75 cm.
6. Omettre les zéros non significatifs dans la portion décimale.	0,4 mg (et non 0,40 mg) ; 0,5 kg (et non 0,50 kg) ; 1 ml (et non 1,0 ml).
7. Utiliser le singulier car les symboles ne prennent pas la marque du pluriel.	15 ml (et non 15 mls).
8. Ne pas mettre de point après un symbole, sauf à la fin d'une phrase.	Il faut administrer du Tylenol 325mg/co, 2 comprimés per os à votre client pour qu'il reçoive une dose de 650 mg.

Attention !

En soins infirmiers, on utilise les nombres décimaux pour l'administration de médicaments. Cependant, il existe une exception à cette règle en ce qui concerne l'administration de médicaments solides. Le cas échéant, lorsque la médication est sécable, on retrouve encore « 1/2 co » au lieu de « 0,5 co ». Donc, vous pourrez voir les deux façons d'exprimer la quantité, soit par une fraction ou par une décimale.

ACTIVITÉ 5.3

Inscrivez les mesures suivantes selon les règles de notation numérique du SI :

a) Deux dixièmes de gramme _____

b) Un kilogramme et cinq centièmes _____

c) Huit millièmes de milligramme _____

d) Neuf dixièmes de kilogramme _____

e) Treize grammes et neuf millièmes _____

f) Un mètre soixante-cinq _____

g) Trois kilogrammes et quinze centièmes _____

h) Trois litres et quatre cent cinquante-trois millilitres _____

i) Trente millilitres et quatre dixièmes _____

j) Trois dixièmes de microgramme _____

k) Quatre microgrammes _____

5.3 La conversion des unités du SI

Lorsqu'une ordonnance est rédigée avec une unité de mesure qui diffère de l'unité utilisée par le fabricant du médicament concerné, vous devrez procéder à la conversion de l'unité de mesure afin d'administrer le médicament sans erreur de dosage. Il est donc important de reconnaître les valeurs des unités. Le tableau 5.2 présente plus en détail les mesures du SI les plus couramment utilisées dans le domaine de la santé.

Tableau 5.2 • Les mesures métriques les plus utilisées dans le domaine de la santé

Longueur	Masse	Volume	Quantité de matière
mètre (m)	kilogramme (kg)	litre (L)	mole (mol)
centimètre (cm)	gramme (g)	millilitre (ml)	millimole (mmol)
millimètre (mm)	milligramme (mg)		micromole (mcmol)
	microgramme (mcg)		

Attention !

Le millilitre (ml) et le centimètre cube (cm^3 ou cc) ont la même valeur. Cependant, le centimètre cube représente un espace, une capacité. Quant au millilitre, il indique une quantité de liquide occupant un espace. Dans le domaine de la santé, les symboles ml, cm^3 et cc sont utilisés de façon indifférenciée. Ces mesures sont donc équivalentes : $1\ cm^3 = 1\ ml = 1\ cc$. Lorsque vous utiliserez des seringues, vous rencontrerez souvent les termes cc et ml. Toutefois, le terme ml est le plus courant.

Le tableau 5.3 résume les principales unités dans l'ordre décroissant de leur valeur.

Tableau 5.3 • L'ordre décroissant de la valeur des principales unités

Longueur	Masse	Volume	Quantité de matière
1 m = 100 cm	1 kg = 1 000 g	1 L = 1 000 ml	1 mol = 1 000 mmol
1 m = 1 000 mm	1 g = 1 000 mg		
	1 mg = 1 000 mcg		

Pour l'administration de médicaments, il faut avoir en tête que le SI s'appuie principalement sur des multiples de 1 000. De cette façon, vous pourrez effectuer rapidement des conversions d'une unité de mesure à une autre. Comme vous l'avez vu dans le rappel de notions mathématiques dans le chapitre 3, lorsqu'on transforme une petite unité en une unité plus grande, le nombre diminue et peut devenir un nombre décimal. Il faudra alors utiliser une virgule décimale. Si on doit diminuer l'unité, il faut ajouter des zéros. Ainsi, il suffit de se déplacer à gauche ou à droite du nombre initial, selon que le nombre attendu croît ou décroît.

Attention !

Dans quelle direction faut-il déplacer la virgule décimale ?

Si l'on veut convertir une grande mesure en une mesure plus petite (par exemple, transformer des grammes en milligrammes), on déplace la virgule vers la droite. Le nombre obtenu sera alors plus grand.

Ainsi, 0,2 g = 0 2 0 0, mg → devient 200 mg

Si l'on veut convertir une mesure plus petite en une mesure plus grande (par exemple, transformer des milligrammes en grammes), on déplace la virgule vers la gauche. Le nombre obtenu sera alors plus petit.

Ainsi, 200 mg = 0,2 0 0 g → devient 0,2 g

Notes :

– Un nombre entier possède une virgule imaginaire à sa droite. C'est cette virgule que l'on doit déplacer vers la gauche ou la droite.

– Il ne faut pas oublier d'ajouter un zéro devant la virgule décimale si aucune valeur numérique ne s'y trouve.

Voici un exemple de conversion qui permet d'augmenter l'unité de mesure et ainsi de transformer une mesure plus petite en une mesure plus grande.

EXEMPLE 5.1

On a 75 mg = _____ g.

Il faut diviser par 1 000, car 1 milligramme est 1 000 fois plus petit que 1 gramme.
Donc : 75 mg ÷ 1 000 = 0,075 g. On obtient rapidement la réponse en déplaçant la virgule décimale de trois espaces vers la gauche. On ajoute des zéros afin d'arriver au nombre décimal attendu. **Ainsi, lorsque l'unité de mesure à obtenir a une valeur plus grande, le nombre obtenu est nécessairement plus petit (75 mg → 0,075 g).**

> Au besoin, consulter la figure 3.1 intitulée «Les valeurs des chiffres selon leur place dans un nombre décimal» (*voir la page 40*).

Le même principe de déplacement de la virgule s'applique lorsqu'on diminue les valeurs attendues, comme l'indique l'exemple suivant.

EXEMPLE 5.2

On a 1 g = _____ mg.

Il faut multiplier par 1 000, car 1 gramme est 1 000 fois plus gros que 1 milligramme. Donc : 1 mg × 1 000 = 1 000 mg. Dans ce cas, on obtient ce résultat en déplaçant la virgule décimale de trois espaces vers la droite et en ajoutant des zéros au besoin. **Ainsi, lorsque l'unité de mesure à obtenir a une valeur plus petite, le nombre obtenu est nécessairement plus grand (1 g → 1 000 mg).**

ACTIVITÉ 5.4

Déterminez si les équations suivantes sont vraies ou fausses. Si elles sont fausses, donnez leur équivalence.

> Revoyez le tableau 5.1 intitulé «Les équivalences des mesures du SI» (*voir la page 74*) et le tableau 5.2 intitulé «Les mesures métriques les plus utilisées dans le domaine de la santé» (*voir la page 76*).

		V ou F	Équivalence
a)	$12 \text{ cm}^3 = 12 \text{ ml}$	_____	_____
b)	$50 \text{ mg} = 0,5 \text{ mcg}$	_____	_____
c)	$1 500 \text{ ml} = 15 \text{ L}$	_____	_____
d)	$1 000 \text{ mg} = 1 \text{ mcg}$	_____	_____
e)	$1 600 \text{ mg} = 0,16 \text{ g}$	_____	_____
f)	$100 \text{ mg} = 0,01 \text{ g}$	_____	_____
g)	$1 \text{ mg} = 1 000 \text{ g}$	_____	_____
h)	$1 000 \text{ kg} = 1 \text{ g}$	_____	_____

ACTIVITÉ 5.5

Convertissez les mesures métriques suivantes :

a)	5 g	= _____ mg	h)	20 mol	= _____ mmol
b)	30 ml	= _____ L	i)	650 ml	= _____ L
c)	0,12 g	= _____ mg	j)	254 g	= _____ kg
d)	0,35 mg	= _____ mcg	k)	2 200 mg	= _____ g
e)	400 mcg	= _____ mg	l)	2 350 mcg	= _____ mg
f)	320 mcg	= _____ mg	m)	520 mmol	= _____ mol
g)	12 kg	= _____ g	n)	750 cm^3	= _____ ml

5.4 Autres mesures utilisées

D'autres unités de mesure ne faisant pas partie du SI permettent d'indiquer la force[1] d'un médicament ou d'une substance. On rencontre régulièrement dans le domaine médical des mesures telles que : **unités, millimoles, milliéquivalents, pourcentage** et **rapport**.

---

1. À noter qu'en pharmacologie, lorsqu'on fait référence à un médicament solide, la force est exprimée par le terme «teneur». Lorsqu'il s'agit d'un médicament liquide, on utilise le terme «concentration».

Les unités

Certains médicaments sont mesurés en unités. L'**unité** exprime une quantité de médicament dans un certain volume de solution. Elle représente la concentration de médicaments couramment utilisés, comme l'insuline, l'héparine et la pénicilline. Par exemple, un médecin prescrira 5 unités d'insuline Humulin R ou 20 000 unités d'héparine. Il est à noter que l'unité n'est pas une mesure de masse. On en traite plus en détail dans le chapitre 14.

L'abréviation employée antérieurement était U ou UI pour « unité internationale ». Cette abréviation n'est toutefois plus recommandée parce que sa lecture a occasionné de graves erreurs d'administration de médicaments. Par exemple, « 5 U d'insuline Humulin R » indiqué de façon manuscrite est source d'erreur de lecture et cela a déjà été interprété comme étant 50 unités. Si vous rencontrez cette abréviation, ayez recours à la double vérification indépendante (*voir le chapitre 2*) afin d'éviter toute erreur[2].

Attention!

Dans la notation, le terme « unité » est précédé d'un nombre écrit en chiffres arabes. On aura, par exemple : Humulin R 4 unités ou héparine 5 000 unités. Comme dans le cas des règles de notation du SI, une espace sépare le nombre du terme « unité ».

ACTIVITÉ 5.6

Transcrivez les quantités suivantes en chiffres arabes :

a) Cinquante unités _____

b) Dix-huit unités _____

c) Trois millions d'unités _____

d) Vingt mille unités _____

e) Quatre mille cinq cents unités _____

f) Quarante-quatre unités _____

Les millimoles et les milliéquivalents

Les **millimoles** (mmol) et les **milliéquivalents** (mEq) expriment la teneur de certains médicaments en comprimés ou la concentration de médicament dans un volume de solution. En soins infirmiers, l'infirmière n'aura pas à convertir ces unités. Cette responsabilité revient au pharmacien.

Les millimoles par litre[3]

Le nombre de millimoles par litre (mmol/L) exprime une substance déterminée contenue dans 1 000 millilitres de solution. On obtient ce nombre en divisant le nombre de mg/L par la masse moléculaire de la substance considérée. En des termes plus scientifiques, la masse moléculaire est égale à la somme des poids atomiques des éléments qui composent la molécule.

Par exemple, exprimée en mg/L, une solution de bicarbonate de sodium ($NaHCO_3$) à 8,4 % (pds/vol) est de 84 000 mg/L. Pour convertir cette solution en mmol/L, il faut la diviser par la masse moléculaire du bicarbonate de sodium, soit 84. On obtient alors une concentration de 1 000 mmol/L ou de 1 mmol/ml.

2. Pour plus d'information à ce sujet, consulter « Éliminer l'utilisation dangereuse d'abréviations, de symboles et de certaines inscriptions numériques », *Bulletin de l'ISMP Canada*, vol. 6, n° 4, 16 juillet 2006, [En ligne], http://www.ismp-canada.org/fr/dossiers/bulletins/BISMPC2006-04.pdf (Page consultée le 29 mai 2009)
3. Adapté de PHARMACIE DES HÔPITAUX DE L'EST LÉMANIQUE, *Unités de mesure…*, [En ligne], http://www.phel.ch/secure/unites.htm (Page consultée le 30 mai 2009)

Les milliéquivalents par litre[4]

Le nombre de milliéquivalents par litre (mEq/L) exprime le nombre d'ions déterminés contenus dans 1 000 millilitres d'un produit fini. On peut trouver le nombre de milliéquivalents par litre en multipliant le nombre de mEq/L par la valence de l'ion considéré. Ainsi, millimoles et milliéquivalents ne sont pas toujours égaux. Par exemple, la concentration d'une solution de sulfate de magnésium ($MgSO_4$) à 2 000 mEq/L correspond à 2 000 × 2 (valence de l'ion Mg^{++}), soit 4 000 mEq/L. Cependant, il faut noter que le cation du potassium étant monovalent, 1 mEq de potassium équivaut à 1 mmol de potassium.

Attention !

Les dosages en millimoles et en milliéquivalents sont eux aussi écrits en chiffres arabes, suivis des symboles mmol ou mEq. On trouvera, par exemple, 30 mmol ou 30 mEq. On fait appel à ces mesures surtout pour administrer des électrolytes comme du chlorure de potassium (KCl) ajouté à des perfusions. Ce sujet est traité dans le chapitre 13.

Le pourcentage

Le **pourcentage** (%) est utilisé pour certaines préparations médicamenteuses, telles que les solutions administrées par voie intraveineuse, les onguents pour une application topique, les gouttes pour les yeux ou les solutions désinfectantes, antibactériennes et antimicrobiennes.

Attention !

Le pourcentage indique la concentration d'une solution, c'est-à-dire **le nombre de grammes d'un produit ou d'un médicament dans une certaine quantité de liquide.**

Généralement, dans sa pratique, l'infirmière n'a pas à effectuer ces calculs. Ces exemples visent seulement à vous sensibiliser aux pourcentages des solutions. Cependant, la lecture des étiquettes de ces solutions demande autant d'attention que celle des étiquettes des autres médicaments, comme nous le verrons dans le chapitre 12 qui traite des solutés.

EXEMPLE 5.3

1. Dans 100 ml d'une solution à 5 %, il y a 5 g de médicament.
   En voici l'explication : 5 % = 0,05. Donc, 100 ml × 0,05 = 5 g par 100 ml.

2. Dans 1 000 ml d'une solution à 5 %, il y a 50 g de médicament.
   Explication : 5 % = 0,05. Donc, 1 000 ml × 0,05 = 50 g par 1 000 ml.

3. Dans 50 ml d'une solution à 4 %, il y a 2 g de médicament.
   Explication : 4 % = 0,04. Donc, 50 ml × 0,04 = 2 g par 50 ml.

4. Dans 100 ml d'une solution à 2 %, il y a 2 g de médicament.
   Explication : 2 % = 0,02. Donc, 100 ml × 0,02 = 2 g par 100 ml.

> Souvenez-vous que, pour multiplier par 1 000, on déplace la virgule décimale de trois espaces vers la droite en ajoutant des zéros si cela est nécessaire.

Dans le but de vous familiariser avec l'interprétation des ordonnances de solutions ou de médicaments présentés sous forme de pourcentages, l'activité suivante vous invite à calculer à partir des unités exprimées en pourcentages.

---

4. Adapté de PHARMACIE DES HÔPITAUX DE L'EST LÉMANIQUE, *Unités de mesure…*, [En ligne], http://www.phel.ch/secure/unites.htm (Page consultée le 30 mai 2009)

ACTIVITÉ 5.7

1. Combien de grammes de dextrose à 5 % sont dissous dans 100 ml de solution ? _____

2. Une perfusion d'un litre de dextrose a une concentration de 10 %. Combien de grammes de dextrose y a-t-il dans ce litre ? _____

3. Combien de grammes de dextrose y a-t-il dans une perfusion d'un litre de dextrose à 5 % ?

   _____

4. Sur l'étiquette d'un sac de 500 ml, on peut lire : « Dextrose à 5 % ». Quelle est la quantité totale de dextrose dans ce sac ? _____

5. Combien y a-t-il de grammes de Fluorometholone 0,1 % dans 15 ml de solution ophtalmique ?

   _____

6. Si 350 ml de dextrose à 10 % sont administrés par voie intraveineuse, combien de grammes de dextrose le client reçoit-il ? _____

7. Une perfusion de dextrose à 5 % est interrompue après l'injection de seulement 150 ml. Combien de grammes de dextrose le client a-t-il reçus ? _____

Le rapport

Le **rapport** (ou ratio) sert à indiquer la concentration d'une solution. Un rapport représente la part d'une substance médicamenteuse (qui peut être, par exemple, un médicament ou une substance désinfectante ou nettoyante) contenue dans une partie de solution. Ainsi, le rapport 1 : 1 000 équivaut à 1 partie de substance pour 1 000 parties de solution.

Un rapport est toujours exprimé dans sa forme la plus simple. Ainsi, on ne peut avoir un rapport de 3 : 15, car il peut être réduit à 1 : 5.

EXEMPLE 5.4

1. Une concentration de 1 : 20 représente 1 partie de substance pour 20 parties de solution.

2. Une concentration de 2 : 5 représente 2 parties de substance pour 5 parties de solution.

3. Pour indiquer qu'une solution contient une partie de substance pour 100 parties de solution, on écrit 1 : 100.

Il devient évident que plus une substance est diluée dans une solution, plus sa concentration est faible. On peut alors dire qu'une solution de 1 : 1 000 est moins concentrée ou plus faible qu'une solution de 1 : 100.

Attention !

Étant donné la lutte qui est menée actuellement contre de nombreux agents infectieux, il existe de plus en plus de produits désinfectants, de détergents, d'antimicrobiens, d'antiseptiques ou autres qui sont présentés avec des concentrations différentes et souvent sous forme de rapport. L'infirmière doit être en mesure de reconnaître les différences de concentration des produits et d'expliquer la puissance de ces produits selon leur rapport.

ACTIVITÉ 5.8

1. Transformez en un rapport chacune des solutions suivantes :
   a) 1 partie d'une substance médicamenteuse pour 100 parties de solution _____
   b) 2 parties d'une substance désinfectante pour 20 parties de solution _____
   c) 5 parties de médicament pour 250 parties de solution _____

2. Indiquez la solution la moins concentrée pour chacun des exemples suivants :

a) 1 : 1000	1 : 100	1 : 10
b) 1 : 3	1 : 7	1 : 10
c) 1 : 100	1 : 50	1 : 200

5.5 Les mesures apothicaires, domestiques et impériales

De nos jours, le système international est le système de mesure le plus largement utilisé pour le dosage des médicaments. Toutefois, il existe d'autres systèmes de mesure, dont l'usage est moins fréquent et qui proviennent des systèmes apothicaire, domestique et impérial (appelé aussi « système anglais »). Vous devez être capable de reconnaître et de convertir les unités de mesure de ces systèmes, car vous aurez à y recourir occasionnellement.

Le système apothicaire

Le système apothicaire (le terme « apothicaire » signifiant « pharmacien ») est un système de poids et de mesures originaire de l'Angleterre. Il remonte à l'Antiquité et n'est presque plus utilisé de nos jours. Ainsi, vous entendrez probablement peu parler de ces mesures dans votre pratique future. Sachez cependant qu'elles ont existé et qu'on y recourt encore à l'occasion.

Voici quelques unités de mesure apothicaires qu'on peut encore rencontrer aujourd'hui. Le **grain** (gr) est l'unité de masse du système apothicaire. À l'origine, il correspondait à la masse d'un grain de blé. Cet exemple démontre bien que ce système de mesure était très approximatif. Les unités qui en ont découlé sont la **drachme** et l'**once**. L'unité de base des mesures apothicaires pour représenter le volume est le **minime** (m ou min) ou la **goutte** (gtt). Il est à noter qu'on trouve encore une échelle graduée en minimes sur certaines seringues fabriquées en Amérique du Nord.

À la fin du volume, vous trouverez un tableau de conversion de chiffres arabes en chiffres romains.

Pour écrire des nombres dans le système apothicaire, on utilise le chiffre romain. Ce chiffre est normalement placé après l'abréviation. Ainsi, on dit « gr V », qui signifie « 5 grains ». À titre d'exemple, certains cardiologues prescrivent à l'occasion : Aspirin gr V. En sachant qu'un grain équivaut à environ 65 mg : Aspirin 325 mg ≈ Aspirin gr V. Ces mesures sont peu à peu abandonnées depuis qu'elles ont été remplacées par les unités du système international.

Le système domestique

Le système domestique est un autre système de mesure encore utilisé de temps en temps. Toutefois, les mesures domestiques manquent de précision. Il faut se souvenir que les mesures du système domestique sont encore employées à domicile, dans l'administration d'un sirop, par exemple. De même, la posologie (ou «mode d'emploi») de certains médicaments en vente libre est souvent indiquée en mesures domestiques. Ainsi, afin de transmettre une information appropriée au client, l'infirmière doit pouvoir lui expliquer ces mesures.

Parmi les unités de mesure du système domestique, on trouve la **cuillère à thé**, la **cuillère à soupe** et la **tasse**. La capacité des ustensiles de cuisine peut varier selon les modèles utilisés, ce qui en fait un système de mesure peu fiable. C'est pourquoi, pour plus de précision, il est important de suggérer aux clients d'utiliser des cuillères graduées qui se vendent en pharmacie.

Le système impérial

Le système impérial, appelé «système anglais», fait aussi référence aux unités de longueur, de masse et de volume. Dans le domaine médical, on utilise encore les unités de longueur exprimées en **pouces** et en **pieds** et les unités de masse exprimées en **onces** et en **livres**. Ainsi, il faudra transformer ces mesures en unités du système international.

5.6 Les équivalences métriques des mesures apothicaires, domestiques et impériales

Le tableau 5.4 présente les équivalences métriques des mesures apothicaires, domestiques et impériales. Rappelons qu'il ne s'agit pas de mesures exactes.

Tableau 5.4 • Le système métrique et les mesures apothicaires, domestiques et impériales

Longueur	Masse	Volume
1 pouce $\approx$ 2,5 cm	grains (gr) XV $\approx$ 900 mg-1 000 mg	1 minime (m) = 1 goutte
12 pouces ou 1 pied $\approx$ 30 cm	grains (gr) V $\approx$ 300 mg-325 mg	15 gouttes (gtt) = 1 ml 60 microgouttes (mcgtt) = 1 ml
3 pieds 3 pouces $\approx$ 1 mètre	grain (gr) I $\approx$ 60 mg-65 mg	1 drachme (dr) = 4 ml
	grain (gr) 1/4 $\approx$ 15 mg	1 once (oz) = 30 ml
	2,2 livres (lb) = 1 kg	1 c. à soupe (1 c. à s) = 15 ml
	1 livre (lb) = 454 g	1 c. à thé = 5 ml
	16 onces (oz) = 1 livre	

Dans le chapitre 12, lorsqu'il sera question des calculs du débit d'un soluté, vous verrez que certaines chambres compte-gouttes ont des valeurs différentes, mais, généralement, 15 gtt = 1 ml.

ACTIVITÉ 5.9

Trouvez les équivalences métriques des mesures suivantes :

a) 15 gtt $\approx$ _____ ml

b) gr $\frac{1}{4}$ $\approx$ _____ mg

c) $\frac{1}{2}$ oz = _____ ml

d) $1\frac{1}{2}$ po $\approx$ _____ cm

e) 1 lb = _____ kg

f) gr V $\approx$ _____ mg

g) 1,5 oz = _____ ml

h) 2 c. à thé = _____ ml

i) 2 c. à s = _____ ml

j) $\frac{1}{2}$ lb = _____ g

On peut aussi calculer les équivalences à l'aide d'une des méthodes de calcul des rapports et des proportions ; il suffit de connaître une équivalence.

EXEMPLE 5.5

On veut convertir gr $\frac{1}{6}$ en mg.

On sait que gr I vaut 60 mg. C'est l'équivalence connue.

On écrit donc ce rapport en premier :

gr I : 60 mg

On ajoute le rapport incomplet en prenant soin d'écrire les unités de mesure dans le même ordre (gr, mg).

Calcul à l'aide de la règle des proportions

Produits des extrêmes et des moyens　　　　　　　　**Produits croisés**

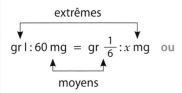　ou　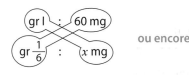　ou encore

$$gr\ I \times x\ mg = 60\ mg \times gr\ \frac{1}{6}$$

$$x\ mg = \frac{60\ mg \times gr\ \frac{1}{6}}{gr\ I}$$

$$x = 10\ mg$$

Réponse : gr $\frac{1}{6}$ équivaut à 10 mg.

ACTIVITÉ 5.10

À l'aide de l'une des méthodes de calcul des rapports et des proportions, trouvez les équivalences métriques des mesures apothicaires suivantes :

a)　gr $\frac{1}{4}$　$\approx$　_____ mg

b)　gr $\frac{1}{200}$　$\approx$　_____ mg

Notions essentielles à retenir ────────────────■

- Le système international (SI) est aussi appelé système métrique.

- Les principales mesures du SI utilisées dans le domaine de la santé sont le mètre, le gramme, le litre et la mole. On les appelle « mesures de base du SI ».

- On se sert des préfixes pour indiquer des mesures plus petites ou plus grandes que les unités de mesure de base. Ainsi, on trouve :

Préfixe	Unité de grandeur	Interprétation
kilo	1000	1 000 fois plus grand que l'unité de base
centi	0,01	100 fois plus petit que l'unité de base
milli	0,001	1 000 fois plus petit que l'unité de base
micro	0,000001	1 000 000 de fois plus petit que l'unité de base

- Quelle que soit l'unité de mesure utilisée, le préfixe métrique a toujours la même valeur.

- Pour convertir les unités du SI, il suffit simplement de déplacer la virgule décimale vers la droite ou vers la gauche du nombre à convertir. Ainsi, la valeur de chacune des unités de mesure plus grandes ou plus petites que la suivante a un facteur de 1 000 fois plus grand ou plus petit.

- Lorsqu'on effectue une conversion vers une unité de mesure plus petite, la réponse sera un nombre plus élevé. On déplace alors la virgule décimale (imaginaire ou non) de trois espaces (soit × 1 000) vers la droite.

- Lorsqu'on effectue une conversion vers une unité de mesure plus grande, la réponse sera un nombre plus petit. On déplace alors la virgule décimale (imaginaire ou non) de trois espaces (soit ÷ 1 000) vers la gauche en ajoutant des zéros si cela est nécessaire.

- Il est très important de respecter les règles de notation du SI afin d'éviter des erreurs de lecture. Consultez la page 75 pour réviser la liste de ces règles.

- L'**unité** ou **unité internationale** est une mesure d'action du médicament.

- Le **pourcentage** représente le nombre de grammes d'un médicament présents dans une quantité de solution.

- Le **milliéquivalent** (mEq) et la **millimole** (mmol) sont utilisés principalement pour le dosage des solutions contenant des électrolytes.

- Le **rapport** représente la portion de la substance médicamenteuse, désinfectante ou nettoyante contenue dans une partie de solution. Exemple : 1 : 1 000 représente 1 partie de substance pour 1 000 parties de solution.

- La **cuillère à soupe**, la **cuillère à thé** et la **goutte** sont les trois mesures domestiques encore en usage de nos jours.

- À partir du tableau de conversion à l'intérieur de la couverture, on peut trouver les équivalences métriques des mesures apothicaires, domestiques et impériales à l'aide d'une méthode de calcul des rapports et des proportions.

Exercices de révision

1. Inscrivez le symbole des unités du SI suivantes et précisez ce qu'elles mesurent.

	Symbole	Ce que cette unité mesure
a) Gramme	g	poids
b) Millilitre	ml	volume
c) Microgramme	mg	poids
d) Mètre	m	longueur

2. Inscrivez les mesures suivantes selon les règles du SI :

   a) Cent vingt-trois centimètres — 1,23 m

   b) Deux centièmes de gramme — 0,02 g

   c) Sept cent cinquante-cinq millilitres — 0,755 L

   d) Un kilogramme et trois cent quarante grammes — 1340 g

   e) Douze centièmes de centimètre cube — 0,012 ml

   f) Cinq dixièmes de gramme — 0,5 g

   g) Cent millilitres et trois centièmes — 100,03 ml

   h) Mille millilitres — 1 L

   i) Trois mille cinquante microgrammes — 3500 mg

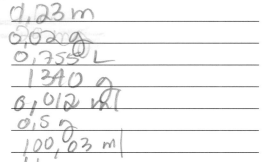

3. En utilisant l'unité de base du gramme, indiquez l'équivalence des unités de mesure suivantes :

   1 kg = 1000 g

   1 g = 1000 mg

   1 mg = 1000 mcg

   0,02 g

4. Faites la conversion des mesures métriques suivantes :

   a) 6,25 g = 6250 mg

   b) 600 mcg = _____ mg

   c) 50 mg = _____ g

   d) 2,25 L = _____ ml

   e) 2,2 g = _____ mg

   f) 750 ml = _____ L

   g) 6 ml = _____ cm³

   h) 4,3 mg = _____ mcg

   i) 1,43 L = _____ ml

   j) 25 ml = _____ L

5. Poursuivez vos calculs :

   a) 3,2 g = _____ mg

   b) 0,5 mg = _____ mcg

   c) 0,03 L = _____ ml

   d) 1,3 cm³ = _____ ml

   e) 0,1 mg = _____ mcg

   f) 100 ml = _____ L

   g) 1 000 mcg = _____ g

   h) 34 g = _____ kg

   i) 14 mg = _____ mcg

   j) 0,15 L = _____ ml

6. Écrivez la notation des expressions suivantes :

a) Huit cent quatre unités   _____

b) Trente milliéquivalents   _____

c) Cinq mille unités   _____

d) Deux dixièmes pour cent   _____

e) Un ratio de deux pour cent   _____

f) Deux cuillères à soupe   _____

g) Douze centièmes pour cent   _____

h) Trois cuillères à thé   _____

i) Deux millions trois cent mille unités   _____

j) Deux onces et demie   _____

7. Calculez le nombre de grammes de médicament dans les solutions suivantes :

a) Un sac de soluté de 500 ml de dextrose à 5 %.

_____

b) Une perfusion de 100 ml avec une solution de 10 % de dextrose.

_____

c) Votre client a reçu 600 ml de dextrose à 5 %.

_____

d) Vous avez administré 50 ml de dextrose à 50 %.

_____

8. Trouvez les équivalences du SI ou mesures métriques des mesures suivantes :

a) 45 gtt   =   _____ ml

b) gr V   ≈   _____ mg

c) 1 oz   =   _____ ml

d) 1 lb   =   _____ kg

e) 1 c. à thé   =   _____ ml

f) 3 c. à s   =   _____ ml

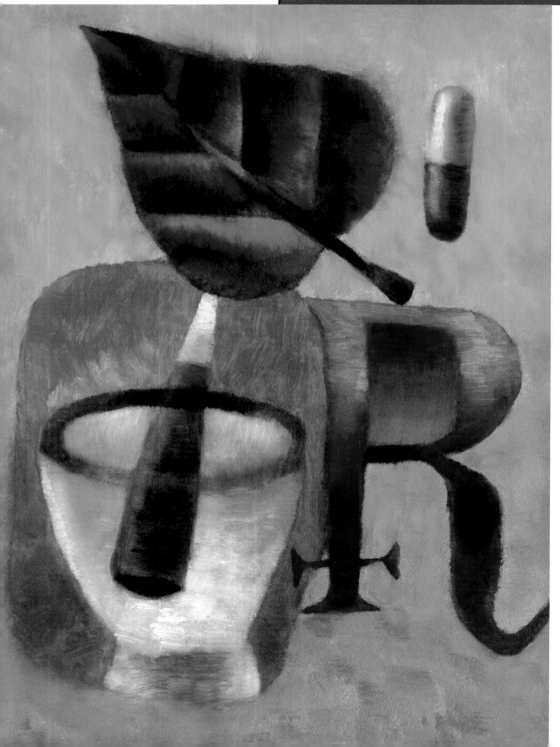

Chapitre **6**

La lecture des étiquettes de médicaments et d'ordonnances médicales

À la fin de ce chapitre, vous serez en mesure :

- de reconnaître le rôle de l'infirmière en lien avec l'interprétation et le suivi des ordonnances ;

- d'interpréter les abréviations et les symboles utilisés dans l'administration des médicaments ;

- d'inscrire la date et l'heure internationale utilisées dans les outils clinico-administratifs des milieux cliniques ;

- de reconnaître les éléments d'une étiquette de médicament ;

- d'énumérer les éléments d'une ordonnance médicale ;

- d'interpréter les renseignements apparaissant sur les principaux formulaires employés pour l'administration des médicaments dans les centres hospitaliers ou autres centres de soins.

Introduction

Les défis que doit relever l'infirmière sont nombreux. Elle doit prodiguer des soins, parfois simples mais souvent complexes, à une clientèle qui se compose de personnes de tous âges, de la naissance à la vieillesse et jusqu'en fin de vie. En toute situation, l'infirmière doit faire preuve de vigilance et d'efficacité, et encore plus particulièrement dans le cadre de l'administration des médicaments. Ce chapitre vous aidera à mieux interpréter les ordonnances médicales, à lire les étiquettes apposées sur les contenants de médicaments et à les comparer avec une feuille d'administration des médicaments ou avec tout autre système de vérification utilisé dans le milieu clinique. Il vous permettra aussi d'apprendre à administrer adéquatement la médication prescrite et, finalement, à en assurer une bonne inscription, et ce, toujours dans le but d'administrer les médicaments de façon sécuritaire.

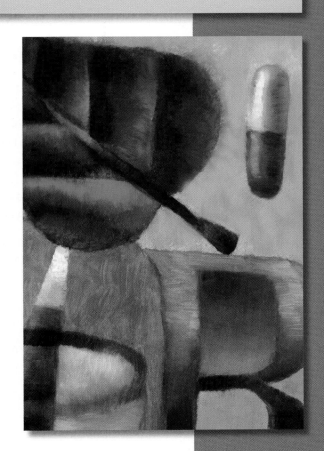

6.1 L'administration des médicaments et le rôle de l'infirmière

Comme cela a été précisé dans le chapitre 1, un des rôles importants de l'infirmière consiste à interpréter les ordonnances médicales, à s'assurer de l'administration adéquate des médicaments et à en effectuer le suivi au dossier et au client. En pratique, une fois l'ordonnance rédigée par le médecin, l'**infirmière** doit:

1. En vérifier l'adéquation.
2. Faire parvenir l'ordonnance au département de pharmacie (*voir la section 6.4 à la page 98*).
3. Au retour des formulaires et de la médication, vérifier la justesse de la transcription de l'ordonnance médicale, sur les différents formulaires tels que la feuille d'administration (FADM) ou la feuille d'enregistrement des médicaments (FEM[1]) et le profil médicamenteux ou pharmacologique.
4. Veiller à son inscription au Plan de soins et de traitements infirmiers (PSTI) s'il y a lieu.
5. Vérifier la médication livrée afin de s'assurer d'avoir le bon médicament.
6. Classer les formulaires et entreposer la médication ou vérifier que la médication a été rangée aux endroits appropriés.

> L'administration sécuritaire doit répondre aux 5-7 «bons»: bon médicament, bonne dose, bonne voie d'administration, bon moment, bon client, bonne documentation, bonne surveillance des effets attendus et secondaires.

L'infirmière doit aussi s'assurer de l'**administration sécuritaire** des médicaments prescrits. Cette administration peut être exécutée soit par elle-même ou par l'infirmière auxiliaire. Dès que la médication est administrée, la personne qui a administré la médication au client doit procéder à son enregistrement sur les différents formulaires. Par la suite, l'infirmière doit évaluer les effets attendus et les effets secondaires ou indésirables susceptibles de survenir chez le client à la suite de l'administration des médicaments. Elle peut faire cette surveillance en même temps qu'elle apporte différents soins au client; sinon, elle peut demander aux autres membres de l'équipe de soins (préposé ou infirmière auxiliaire) d'en effectuer la surveillance tout en leur précisant les éléments à surveiller. L'infirmière peut aussi rédiger un **PTI** (plan thérapeutique infirmier) si elle considère que la médication nécessite un suivi clinique particulier.

6.2 Les abréviations et les symboles

Il existe nombre d'abréviations et de symboles reconnus et utilisés par les professionnels de la santé. Les médecins et les pharmaciens se servent régulièrement de ces abréviations et symboles, par exemple lorsque le médecin rédige l'ordonnance médicale du client ou lorsque le pharmacien remplit les différents formulaires qu'il retourne à l'unité de soins avec les médicaments du client. L'infirmière doit donc reconnaître ces abréviations et symboles afin de bien les interpréter. De cette manière, elle pourra éviter de faire des erreurs de compréhension quand elle prend connaissance des ordonnances, qu'elle reçoit les médicaments et qu'elle vérifie les profils pharmacologiques, les feuilles d'administration des médicaments ou les cartes fiches provenant du département de pharmacie du centre.

Enfin, dans son travail de tous les jours, l'infirmière utilise couramment ces abréviations et symboles. Au verso de la page couverture de ce volume, un tableau présente leur signification. Les erreurs qui se produisent dans la lecture des abréviations peuvent avoir un impact très important sur le client; il faut par conséquent **lire et interpréter ces abréviations avec une grande attention**. Dans le doute, l'infirmière doit demander des précisions au médecin qui a prescrit le médicament ou demander l'aide d'une autre infirmière. Certaines abréviations ne doivent pas être utilisées car elles peuvent donner lieu à une interprétation erronée (*voir le tableau 6.1*).

---

1. Il est à noter que, selon les milieux, les formulaires peuvent porter des noms différents, mais leur utilité est la même. Ainsi, la FADM est l'équivalent de la FEM.

Tableau 6.1 • Les abréviations à NE PAS utiliser selon l'ISMP

Abréviation	Sens voulu	Problème potentiel	Correction
U	Unité	Peut être pris pour « 0 » (zéro), « 4 » (quatre) ou cc.	Utiliser « unité ».
IU	Unité internationale	Peut être pris pour « iv » (intraveineux) ou « 10 » (dix).	Utiliser « unité ».
Abréviations pour les noms de médicaments		Peuvent être mal interprétées. Parce qu'il existe des abréviations semblables pour plusieurs médicaments : MS, MSO_4 (sulfate de morphine), $MgSO_4$ (sulfate de magnésium), ils peuvent être confondus.	Ne pas abréger les noms de médicaments.
QD QOD	Chaque jour Un jour sur deux	Peut être pris aussi pour « œil droit » (OD = *oculus dexter*).	Utiliser « par jour » ou « un jour sur deux ».
OS, OD, OU	Œil gauche, œil droit, les deux yeux	Peuvent être confondus.	Utiliser « œil gauche », « œil droit » et « les deux yeux ».
D/C	Congé	Peut être interprété comme étant « discontinuer les médicaments suivants » (souvent les médicaments pour le congé).	Utiliser « congé ».
cc	Centimètre cube	Peut être pris pour « u » (unité).	Utiliser « ml » ou « millilitre ».
µg	Microgramme	Peut être pris pour « mg » (milligramme), résultant en une surdose de mille fois la dose prévue.	Utiliser « mcg ».

Symbole	Sens voulu	Problème potentiel	Correction
@	à	Peut être pris pour « 2 » (deux) ou « 5 » (cinq).	Utiliser « à ».
> <	Plus grand que Plus petit que	Peut être pris pour « 7 » (sept) ou la lettre « L ». Confusion entre les deux symboles.	Utiliser « plus grand que » / « plus que » ou « plus petit que » / « moins que ».

Inscription numérique	Sens voulu	Problème potentiel	Correction
Zéro à droite	x,0 mg	La virgule décimale est souvent ignorée, résultant en un accident de dix fois la dose prévue.	Ne jamais écrire un zéro après une virgule décimale. Utiliser « x mg ».
Manque un zéro à gauche	,x mg	La virgule décimale est souvent ignorée, résultant en un accident de dix fois la dose prévue.	Toujours utiliser un 0 avant une virgule décimale. Utiliser « 0,x mg ».

Source : Reproduit avec l'autorisation de ISMP Canada. Disponible sur le site http://www.ispm-canada.org/fr/dossiers/AbreviationsDangereux-2006ISMPC.pdf

---

ACTIVITÉ 6.1

En vous référant aux abréviations présentées dans la page couverture, inscrivez la signification des abréviations et des symboles suivants :

a) c̄ _____

b) im _____

c) qh _____

d) rep. _____

e) NPO _____

f) stat. _____

g) vag. _____

h) ad lib. _____

i) pc _____

j) supp. _____

ACTIVITÉ 6.2

En vous référant aux abréviations présentées dans la page couverture, inscrivez le symbole correspondant à chacun des termes suivants :

a) Goutte _____

b) Deux fois par jour _____

c) Médicament à libération continue _____

d) Ne rien prendre par la bouche _____

e) À volonté _____

f) Au coucher _____

g) Par la bouche _____

h) Immédiatement _____

i) Après les repas _____

La date et l'heure

Dans les dossiers médicaux, tous les intervenants doivent inscrire la date et l'heure avant de noter leurs différentes observations, évaluations ou interventions. Cette règle d'inscription de données qui est utilisée dans la rédaction des dossiers médicaux permet de suivre l'évolution de la condition clinique du client et de s'assurer du respect de la chronologie des interventions des professionnels dans les soins du client. Pour ce qui est de l'inscription de la date, celle-ci s'effectue toujours de la même façon par tous les intervenants. Ainsi, on inscrit l'année en premier, suivie du mois et du jour en dernier lieu (Année-Mois-Jour ou AAAA-MM-JJ, les mots ou chiffres étant séparés par un trait d'union [-], par exemple 2011-09-24).

Au Québec, dans tous les documents utilisés dans le domaine de la santé, on adopte l'heure internationale afin de repérer l'heure réelle des interventions, et ce, pour éviter toute confusion. Ainsi, on doit lire l'heure sur une période de 24 heures : de 00 : 00 à 23 : 59 (*voir la figure 6.1*). On inscrit l'heure en premier, suivie d'une espace, d'un deux-points (:) puis d'une autre espace, et on termine avec les minutes ; cela donne, par exemple, 02 : 05. Lorsqu'on veut parler du début de la journée (à partir de minuit), on inscrit 00. Par exemple, minuit et cinq minutes devient 00 : 05. Lorsqu'on veut faire référence à minuit en fin de journée, on peut aussi utiliser le nombre (24) et on présente l'heure de la façon suivante : 24 : 00.

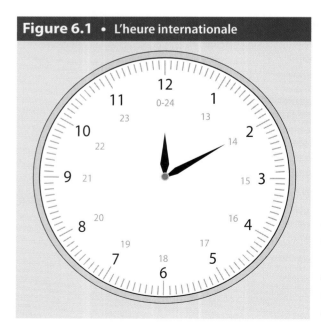

Figure 6.1 • L'heure internationale

ACTIVITÉ 6.3

Inscrivez les abréviations et les chiffres arabes pour les heures ou les dates suivantes :

a) Vingt-cinq septembre deux mille douze _____

b) Deux juillet deux mille onze _____

c) Une heure et demie du matin _____

d) Midi _____

e) Minuit et quinze minutes _____

f) Cinq heures moins le quart de l'après-midi _____

g) Neuf heures quinze minutes du soir _____

h) Neuf heures du matin _____

i) Six heures du soir _____

j) Onze heures trente du soir _____

k) Dix heures du matin _____

l) Minuit moins le quart _____

6.3 La lecture des étiquettes

En ce qui concerne la lecture des étiquettes de médicaments des compagnies pharmaceutiques, il faut noter que, peu importe la présentation du médicament, qu'il s'agisse d'une préparation orale, parentérale ou autre, l'étiquette comprend habituellement à peu près les mêmes renseignements. Afin de vous permettre de mieux retrouver les différents renseignements d'une étiquette de médicament, nous apportons plusieurs exemples dans ce chapitre. Dans les étiquettes présentées, nous avons fourni, entre autres, les formes pharmaceutiques des médicaments, les conditions spécifiques d'entreposage et d'autres précisions ou considérations des compagnies pharmaceutiques. Ainsi, certaines étiquettes peuvent contenir plus d'information que d'autres.

Les médicaments solides

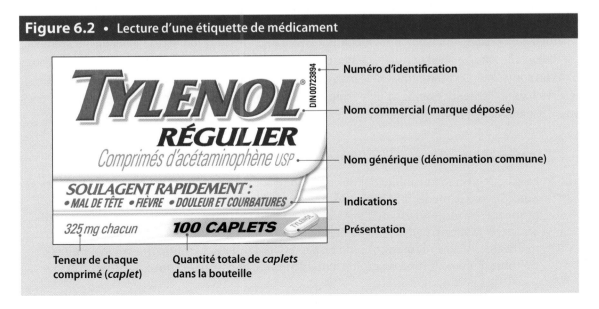

Figure 6.2 • Lecture d'une étiquette de médicament

Examinez l'étiquette de Tylenol de la figure 6.2, à la page précédente. On peut voir que ce médicament porte deux noms. Le premier nom, Tylenol, est la **marque déposée**, ou nom commercial, généralement identifiée par un symbole. Les **symboles**[2] utilisés pour identifier le nom commercial ou la marque déposée d'un produit sont l'astérisque (*), le symbole ® signifiant *registered*, MD pour « marque déposée », TM pour *Trade Mark* ou MC pour « marque de commerce » (nom commercial). L'appellation commerciale est placée bien en évidence sur l'étiquette. Elle débute toujours par une lettre majuscule.

Le deuxième nom, qui est « acétaminophène » sur cette étiquette, est imprimé en caractères plus petits et commence habituellement par une lettre minuscule : c'est le **nom générique** du médicament, c'est-à-dire sa dénomination commune. Dans l'industrie pharmaceutique, le nom générique du médicament fait généralement référence à la **molécule active** du médicament. Étant donné que plusieurs compagnies pharmaceutiques sont susceptibles de commercialiser un même médicament, celui-ci peut avoir plusieurs marques déposées, comme le montre la figure 6.3, mais il n'aura qu'un seul nom générique.

Figure 6.3 • **Exemple de différents noms commerciaux pour un même nom générique**

Les appellations de noms commerciaux ou de marques déposées sont à l'usage exclusif de la compagnie qui fabrique le produit. Une étiquette de médicament peut avoir le même nom pour désigner son nom commercial et son nom générique, c'est le cas lorsque le fabricant commercialise ce médicament par le nom de son appellation générique, comme l'indique l'étiquette d'acétaminophène dans la figure 6.3. Toutefois, la dénomination commune du médicament doit toujours apparaître sur l'étiquette de tous les produits pharmaceutiques.

Un autre élément mis en évidence sur l'étiquette de la figure 6.2 est la **teneur** ou la concentration du médicament : 325 mg par *caplet*. (Le terme *caplet* est une création d'un laboratoire américain qui désigne, à partir des mots *capsule* et *tablet*, un comprimé présenté sous une autre forme.) La teneur du médicament est toujours accompagnée d'une unité de mesure. Ici, la teneur est la quantité de médicament contenue dans un comprimé. On utilise souvent le mot « concentration » en milieu clinique, bien que l'usage réserve habituellement ce terme pour les solutions. Dans la littérature, le terme « concentration » renvoie obligatoirement à une quantité par unité de volume, qui est absente dans le cas d'un comprimé.

 Attention !

La teneur d'un médicament solide correspond souvent à la posologie recommandée et prescrite par le médecin. Ainsi, il est très fréquent de n'administrer qu'un seul comprimé qui correspond exactement à la dose prescrite. Cependant, il ne faut pas généraliser, car le médecin peut prescrire des doses plus fortes ou plus faibles que la teneur du médicament. À ce moment, afin de respecter l'ordonnance, l'infirmière devra administrer plus d'un comprimé ou moins d'un comprimé et calculer la dose à administrer.

---

2. Ces symboles ne font pas partie de la liste des abréviations et des symboles de ce volume. Ils sont liés principalement à des marques de commerce et l'infirmière ne les utilise pas dans sa pratique courante.

Dans la figure 6.2, à la page 93, on remarque que la **présentation** ou forme pharmaceutique du médicament y est aussi montrée. Sur cette étiquette, la présentation est sous forme de *caplet*. La **voie d'administration**, en général, se retrouve sur l'étiquette, sauf dans le cas des médicaments solides qui s'administrent habituellement par **voie orale**. Sur les étiquettes des présentations des médicaments en comprimés, en sirop ou en suppositoires, il est possible que la voie d'administration n'apparaisse pas.

Selon le médicament ou la présentation de la compagnie, un même médicament peut avoir plusieurs présentations ou formes pharmaceutiques. Par exemple, le Gravol est offert en liquide pour administration parentérale, en comprimés et en suppositoires. La figure 6.4 donne des exemples de différentes présentations d'un même médicament.

Toujours en référence à la figure 6.2, on trouve le **nombre de comprimés** (*caplets*) contenus dans le flacon (100 *caplets*), qui est indiqué au bas de l'étiquette. Il ne faut pas confondre le nombre de comprimés avec la teneur du médicament. Comme nous l'avons déjà dit, la teneur est toujours accompagnée de son unité de mesure, qui peut être, par exemple, g, mg ou mcg.

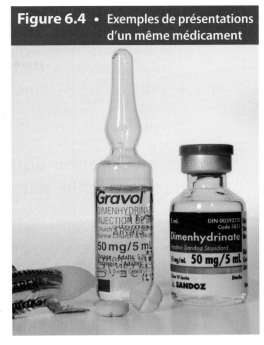

Figure 6.4 • Exemples de présentations d'un même médicament

Dans le coin supérieur droit de l'étiquette, remarquez l'inscription **DIN** suivie de plusieurs chiffres. Ce numéro d'identification du médicament (DIN pour *Drug Identification Number*) est attribué par le programme des médicaments de Santé Canada à chaque produit dont l'usage est autorisé conformément à la *Loi sur les aliments et drogues*. C'est le gouvernement fédéral qui est chargé de faire appliquer cette loi.

Sur une étiquette, on trouve souvent les lettres **EXP.**, suivies de chiffres. C'est la **date limite d'utilisation** (date de péremption) du médicament, c'est-à-dire que celui-ci ne devrait pas être administré après cette date. Cette information se trouve habituellement sur le rabat de la boîte et sur l'étiquette. Elle peut aussi être imprimée directement sur le contenant du médicament. Il faut toujours vérifier la date limite d'utilisation sur les étiquettes avant de préparer les médicaments.

> Cette surveillance fait partie des 5 à 7 « bons » : le bon médicament.

D'autres renseignements peuvent se retrouver sur les étiquettes. Ainsi, sur l'étiquette du médicament ci-dessous, on voit que le produit contient deux substances médicamenteuses (molécules actives) : l'oxycodone et l'acétaminophène. On parle alors de **médicaments en association**. La teneur respective de ces substances est indiquée à droite de l'étiquette : « 5 mg de chlorhydrate d'oxycodone USP et 325 mg d'acétaminophène USP ». Cette information est souvent écrite en petits caractères.

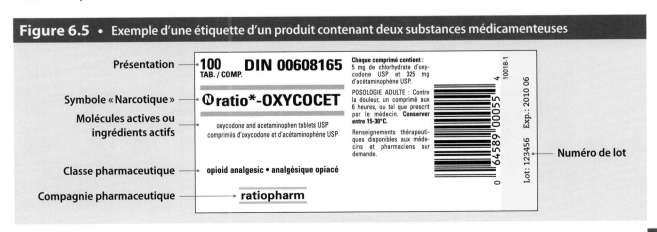

Figure 6.5 • Exemple d'une étiquette d'un produit contenant deux substances médicamenteuses

Présentation

Symbole « Narcotique »

Molécules actives ou ingrédients actifs

Classe pharmaceutique

Compagnie pharmaceutique

100 TAB. / COMP. **DIN 00608165**

Ⓝ **ratio*-OXYCOCET**

oxycodone and acetaminophen tablets USP
comprimés d'oxycodone et d'acétaminophène USP

opioid analgesic • analgésique opiacé

ratiopharm

Chaque comprimé contient : 5 mg de chlorhydrate d'oxycodone USP et 325 mg d'acétaminophène USP.

POSOLOGIE ADULTE : Contre la douleur, un comprimé aux 6 heures, ou tel que prescrit par le médecin. **Conserver entre 15-30°C.**

Renseignements thérapeutiques disponibles aux médecins et pharmaciens sur demande.

10018-1

Exp.: 2010 06

Lot: 123456

Numéro de lot

Remarquez aussi, sur l'étiquette de la figure 6.5, à la page précédente :

- Le symbole ℕ (pour narcotique) à gauche du nom du médicament. Il signifie que l'Oxycocet est une substance contrôlée qui est assujettie à la *Loi sur les aliments et drogues*, nécessitant dès lors une ordonnance.
- En haut, à droite de l'étiquette, se trouve un numéro. Il s'agit du **numéro de lot**. Il est important car, par exemple, s'il y a eu une erreur quelconque lors de la fabrication du médicament ou encore dans l'étiquetage du produit, ce numéro permettra de retrouver plus facilement les médicaments en circulation.

La préparation liquide de médicaments administrés par voie orale, parentérale ou autre

Dans les préparations présentées sous forme solide, chaque comprimé contient une teneur de médicament, par exemple 250 mg. Dans les préparations liquides, la concentration de médicament contenue dans un volume de solution est habituellement mesurée en millilitres. Comparons les formes solide et liquide des médicaments pour voir la différence.

Un médicament présenté sous forme solide ayant une teneur de 250 mg par comprimé (**mg/co**) peut correspondre à un même médicament présenté sous forme liquide et dont la concentration sera en **mg/ml**, comme, par exemple, 250 mg par 5 ml. Selon l'ordonnance, pour la médication sous forme liquide, il y aura souvent un calcul à effectuer pour faire concorder le nombre de millilitres à administrer avec la dose prescrite ou requise pour l'administration de ce médicament. De ce fait, si le médecin prescrit l'administration de 175 mg de ce médicament, il y aura un calcul de proportion préalable à faire avant la préparation de ce médicament.

Lisez l'information inscrite sur l'étiquette de Novamoxin présentée dans la figure 6.6. La marque déposée est Novamoxin ; sa dénomination commune est « amoxicillin ». Le médicament a une concentration de 250 mg/5 ml, et la quantité totale de la bouteille est de 75 ml. La voie d'administration est la voie orale. À côté de la voie d'administration, on note le terme **USP**, qui signifie *United States Pharmacopoeia*. Ce sigle établit un standard de pratique devant être respecté dans la fabrication des produits pharmaceutiques et de santé ainsi que des suppléments alimentaires. Il vise à assurer la qualité, la composition (teneur ou concentration) et la pureté des produits[3]. On trouve aussi dans le coin supérieur gauche le sigle Pr, qui signifie « sur ordonnance ». Par conséquent, ce médicament ne peut être en vente libre en pharmacie.

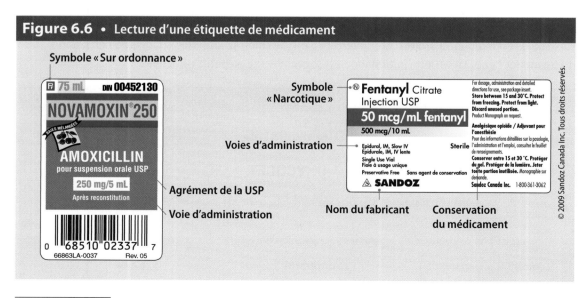

Figure 6.6 • Lecture d'une étiquette de médicament

---

3. Pour plus d'information, consulter le site http://www.usp.org/aboutUSP

Il est à remarquer que l'étiquette de Fentanyl de la figure 6.6 fournit aussi de l'information sur la **conservation du médicament** et qu'on peut y lire le **nom du fabricant** du médicament : Sandoz. Cette étiquette désigne également les **voies d'administration** qui conviennent à ce médicament. On y trouve aussi le symbole Ⓝ à gauche du nom commercial. Il signifie que le Fentanyl est une substance contrôlée assujettie à la *Loi sur les aliments et drogues* et que ce médicament nécessite une ordonnance.

ACTIVITÉ 6.4

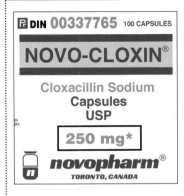 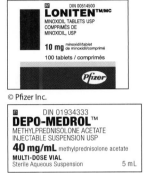 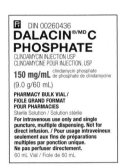

1. Répondez aux questions suivantes en vous référant à l'étiquette de Novo-Cloxin :
   a) Quel est le nom générique de ce médicament ? *Cloxacillin Sodium*
   b) Quelle en est la marque déposée ? *Novo-Cloxin*
   c) Quelle est la teneur du médicament ? *250 mg*
   d) Combien y a-t-il de capsules dans le flacon ? *100*
   e) Quel est le DIN ? *00337765*

2. Répondez aux questions suivantes en vous référant à l'étiquette de Loniten :
   a) Quelle est la dénomination commune de ce médicament ? *minoxidil*
   b) Quelle en est la marque déposée ? *Loniten*
   c) Quelle est la teneur du médicament ? *10 mg*
   d) Combien y a-t-il de comprimés dans le flacon ? *100*
   e) Quel est le nom de la compagnie pharmaceutique ? *Pfizer*

3. Examinez l'étiquette de Depo-Medrol et répondez aux questions suivantes :
   a) Quel est le nom générique de ce médicament ? *methyl prednisolone*
   b) Quel en est le nom commercial ? *Depo Medrol*
   c) Quelle est la concentration de ce médicament ? *40 mg/mL*
   d) Quelle est la quantité totale de la fiole ? *5 mL*

4. Examinez l'étiquette de Dalacin C et répondez aux questions suivantes :
   a) Quel est le nom générique de ce médicament ? *clindamycin*
   b) Quelle en est la voie d'administration ? *IV*
   c) Quelle est la concentration de ce médicament ? *150 mg/mL*
   d) Combien de millilitres chaque bouteille contient-elle ? *60 mL*
   e) Que signifie le symbole Pr sur l'étiquette ? *Sur ordonnance*

6.4 La lecture des ordonnances médicales et des différents formulaires

Dans les milieux cliniques, le médecin doit prescrire les médicaments de son client hospitalisé sur un formulaire spécifique (feuille du dossier du client) intitulé «Ordonnances», «Ordonnances médicales» ou «Prescriptions médicales» (*voir la figure 6.7*).

Figure 6.7 • Exemple d'une ordonnance médicale

Centre hospitalier de Champfleury

ORDONNANCES MÉDICALES

Allergies: *Pénicilline*

Poids: *75 kg*   Taille: *1,75 m*

Créatinine: _____   Date: *2010-09-16*

Alt: _____   Date: _____

Grossesse: _____ /sem.   Allaitement: _____

C.H. DE CHAMPFLEURY   CH 2402-2
1953-09-26   99499
LAFRAMBOISE JEAN-MARIE
DUCHENE BLANCHE
SERGE   M 514 555-3976
7001 BOUL. SAINT-LAURENT
MONTREAL QUE
LAFJ 5309 2621   1011

Date	Heure	Médicaments: teneur, posologie, voie d'administration, durée	Fax
2010-09-16	9:45	*Lasix 20 mg per os bid*	
		Jean Malo md	
		#149567	

Comme nous l'avons mentionné dans le chapitre 1, l'ordonnance rédigée par le médecin doit contenir certains éléments essentiels afin d'être valide.

Les éléments essentiels à une ordonnance valide

1. Le nom du médecin, imprimé ou en lettres moulées, son numéro de téléphone*, son numéro de permis d'exercice et sa signature.

2. Le nom et la date de naissance du patient.

3. La date de rédaction de l'ordonnance.

4. S'il s'agit d'un médicament:

   a) le nom intégral du médicament, rédigé de façon lisible;

   b) la posologie, incluant la forme pharmaceutique, la teneur, le nombre de comprimés, s'il y a lieu, la fréquence d'administration et le dosage;

   c) la voie d'administration;

   d) la durée du traitement, le nombre de renouvellements autorisés ou la mention qu'aucun renouvellement n'est autorisé*;

---

* En milieu clinique, la durée du traitement, le nombre de renouvellements et le numéro de téléphone ne sont pas indiqués.

e) la masse corporelle du patient, s'il y a lieu ;

f) l'intention thérapeutique, si cela est jugé utile ;

g) le nom d'un médicament dont le patient doit cesser l'usage ;

h) l'interdiction de procéder à une substitution de médicaments, s'il y a lieu.

Source : Adapté de COLLÈGE DES MÉDECINS DU QUÉBEC, *Les ordonnances faites par un médecin*, mai 2005, © Collège des médecins.

À la suite de la rédaction de l'ordonnance médicale, il revient à l'infirmière :

1. De valider l'ordonnance médicale (*voir l'encadré précédent*).

2. D'acheminer la copie du formulaire d'ordonnance médicale (soit directement ou par télécopie) au département de pharmacie du centre hospitalier. Les médicaments prescrits y sont préparés par l'équipe de techniciens de ce département, puis ils sont vérifiés par un pharmacien. Après avoir été étiqueté au nom du client (*voir la figure 6.8*), ou mis dans un contenant, ou ensaché en une dose unitaire, le médicament retourne à l'unité de soins. Il est accompagné de différents formulaires et de l'ordonnance originale. Si celle-ci avait été initialement télécopiée au département de pharmacie, la télécopie est jointe aux formulaires.

3. Sur l'unité, l'infirmière fait une vérification des formulaires et de la médication.

4. Puis elle range les médicaments et les formulaires aux endroits appropriés.

5. Généralement, l'infirmière insère la copie de la feuille d'ordonnance dans le dossier médical, à la suite de la feuille originale dans la section « Ordonnance ». Un profil pharmacologique (*voir la figure 6.9 à la page 100*), une feuille d'administration de médicament ou FADM (*voir la figure 6.10 à la page 101*) et, plus rarement dans certains milieux, une carte fiche (*voir la figure 6.11 à la page 102*) accompagnent aussi le ou les médicaments du client.

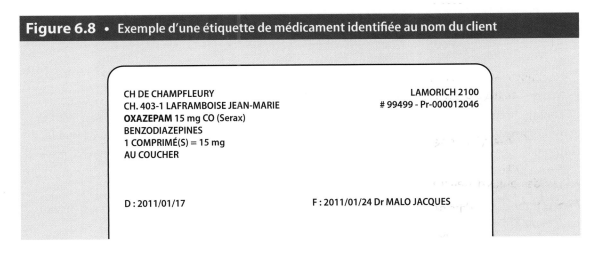

Figure 6.8 • **Exemple d'une étiquette de médicament identifiée au nom du client**

CH DE CHAMPFLEURY   LAMORICH 2100
CH. 403-1 LAFRAMBOISE JEAN-MARIE   # 99499 - Pr-000012046
OXAZEPAM 15 mg CO (Serax)
BENZODIAZEPINES
1 COMPRIMÉ(S) = 15 mg
AU COUCHER

D : 2011/01/17   F : 2011/01/24 Dr MALO JACQUES

Le **profil pharmacologique** de la figure 6.9 présente l'ensemble des médicaments prescrits au client. Il est habituellement inséré dans le dossier dans la même section que la feuille d'ordonnance médicale. Ce profil informatisé assure le suivi de la médication active du client. Chaque fois qu'un nouveau médicament est prescrit, un nouveau profil doit être délivré par le département de pharmacie. Il en est de même pour les médicaments qui sont cessés par le médecin sur la feuille d'ordonnance ; ils sont à ce moment retirés du profil pharmacologique par le département de pharmacie. Ainsi, lorsqu'un nouveau profil est délivré, l'ancien profil du client est retiré du dossier et remplacé par le nouveau profil. L'infirmière s'assure de détruire l'ancien profil dans un endroit approprié de façon à préserver la confidentialité de cette information. La vérification du profil pharmacologique est réalisée par l'infirmière au moins une fois toutes les 24 heures ou chaque fois qu'il y a des modifications des ordonnances médicales.

Figure 6.9 • Exemple d'un profil pharmacologique

CH DE CHAMPFLEURY   **Profil pharmacologique**

No. de dossier : **99499 – Pr-000012046**
Nom : **LAFRAMBOISE JEAN-MARIE**
Chambre : **CH 403-1**
D/N : 1953-09-25 (56 ans)
Md traitant : MALO JACQUES
Date adm : 2010/09/20

Remarques :

Taille : 1,75 m   SC :
Poids : 75 kg   Cl cr :
Allergies : Pénicilline

Intolérances : -

Autres
remarques :

Ordonnance(s) active(s)
Médication régulière

# 001	**Digoxine**	**0,125 mg/CO (Lanoxin)**	
½ COMPRIMÉ = 0,0625 mg		UNE FOIS PAR JOUR	H : 9 : 00
			MALO JACQUES
Début : 2010/09/20 14 : 34 Fin : 2010/09/26 14 : 33			
# 002	**Diltiazem**	**120 MG/caps (Tiazac)**	
1 CAPSULE = 120 mg		UNE FOIS PAR JOUR	H : 9 : 00
			MALO JACQUES
Début : 2010/09/20 14 : 33 Fin : 2010/09/26 14 : 36			
# 003	**Furosemide**	**20 mg/2 ml (Lasix)**	
2 ml = 20 mg		DEUX FOIS PAR JOUR	H : 09 : 00-15 : 00
			MALO JACQUES
Début : 2010/09/20 14 : 34 Fin : 2010/09/26 14 : 35			
# 004	**Oxazepam**	**15 mg/CO (Serax)**	
1 COMPRIMÉ = 15 mg		AU COUCHER	H : 21 : 00
			MALO JACQUES
Début : 2010/09/20 14 : 36 Fin : 2010/09/26 14 : 37			
# 005	**Acetaminophen**	**500 mg/CO (Tylenol)**	
1 COMPRIMÉ = 500 mg		AUX 4 HEURES SI T° PLUS QUE 38,5 °C	H : PRN
			MALO JACQUES
Début : 2010/09/20 14 : 34 Fin : 2010/09/26 14 : 36			

La **FADM** présentée à la figure 6.10 est préparée par le département de pharmacie et délivrée toutes les 24 heures. On l'utilise au cours de l'administration de la médication au client afin de vérifier son identité et d'enregistrer les médicaments tout de suite après leur administration. (Dans certains milieux cliniques, cette feuille peut être appelée différemment, comme FEM[4].) Dans plusieurs centres hospitaliers, cette feuille est placée dans un cartable que l'infirmière ou l'infirmière auxiliaire utilise durant tout son quart de travail et dont elle se sert pour préparer la médication, l'administrer et l'enregistrer par la suite. Dans certains centres, on ne peut apporter la FADM dans la chambre du client : d'autres formulaires existent alors pour identifier la médication avec le bracelet du client. Il faut suivre les recommandations des centres. Tous les jours, une nouvelle FADM est fournie par le département de pharmacie pour y inscrire la médication administrée. Les feuilles des jours précédents sont gardées dans le dossier, soit dans la section « Infirmière » ou « Soins infirmiers » ou dans la section « Ordonnances », selon les centres.

Dans certains milieux cliniques, la FADM est placée sur le chariot à médicaments de l'infirmière. La FADM est toujours utilisée pour enregistrer les médicaments administrés. Il faut se rappeler qu'au chevet du client, l'infirmière doit utiliser un formulaire (tel que la carte fiche, la FADM ou la FEM) afin de vérifier les 5-7 « bons » (le bon médicament, la bonne dose, le bon moment, la bonne voie d'administration, le bon client) et ainsi assurer une administration sécuritaire pour le client.

---

4. Feuille d'enregistrement des médicaments.

Attention !

La préparation du médicament doit se faire immédiatement avant l'administration : on ne doit pas préparer la médication à l'avance. De plus, la médication doit toujours être enregistrée immédiatement après son administration.

Figure 6.10 • Exemple d'une feuille d'administration des médicaments

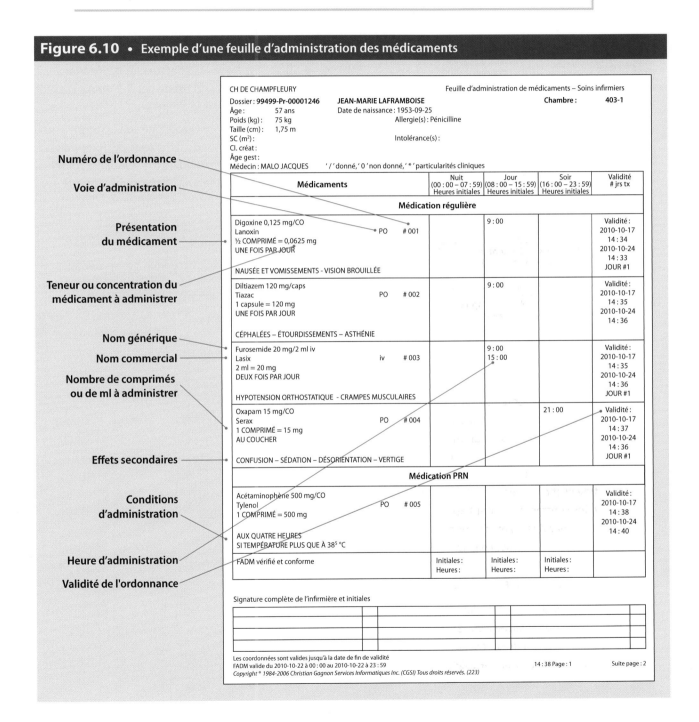

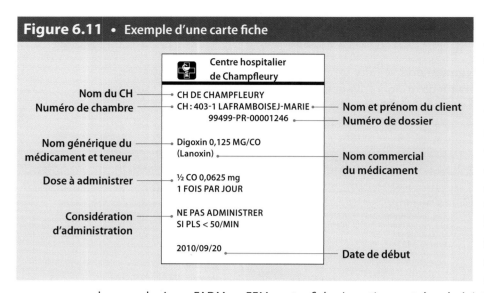

Figure 6.11 • Exemple d'une carte fiche

Centre hospitalier
de Champfleury

Nom du CH	CH DE CHAMPFLEURY
Numéro de chambre	CH : 403-1 LAFRAMBOISEJ-MARIE
	99499-PR-00001246
Nom générique du médicament et teneur	Digoxin 0,125 MG/CO (Lanoxin)
Dose à administrer	½ CO 0,0625 mg 1 FOIS PAR JOUR
Considération d'administration	NE PAS ADMINISTRER SI PLS < 50/MIN
	2010/09/20

Nom et prénom du client
Numéro de dossier
Nom commercial du médicament
Date de début

Lorsque la FADM est utilisée au chevet du client, l'infirmière enregistre la médication dans la chambre du client. Si la FADM est dans le dossier, l'infirmière se rend enregistrer la médication dans le dossier du client avec les cartes fiches ou autres formulaires ayant servi à effectuer les vérifications d'usage (les 5-7 « bons ») avec le client.

Quelle que soit la façon de faire, tous ces formulaires (feuille d'ordonnance, profil pharmacologique, FADM ou FEM, cartes fiches) contiennent des abréviations et des symboles que l'infirmière doit interpréter adéquatement.

ACTIVITÉ 6.5

1. Examinez l'ordonnance médicale ci-dessous. Ajoutez quatre éléments qu'il manque à cette ordonnance pour être complète.

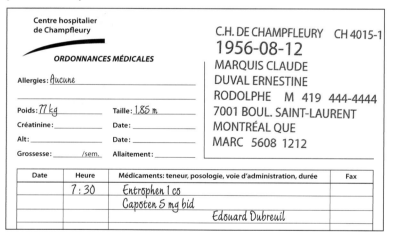

2. Examinez la FADM ci-dessous.

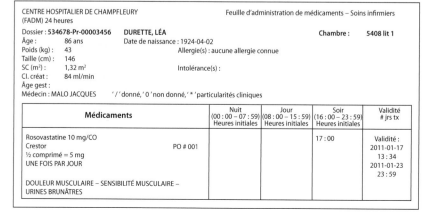

En vous référant à cette FADM, répondez aux questions suivantes :

a) Quelle est la dénomination commune de ce médicament ? _____

b) Quelle est sa teneur ? _____

c) Quelle est la dose à administrer ? _____

d) Quels sont les effets secondaires du médicament ? _____

e) À quelle heure l'infirmière doit-elle administrer le médicament ? _____

f) Quelle est la voie d'administration de ce médicament ? _____

3. Examinez la FADM ci-dessous.

CH DE CHAMPFLEURY · Feuille d'administration de médicaments – Soins infirmiers

Dossier : **99499-Pr-00001246**   **JEAN-MARIE LAFRAMBOISE**   Chambre :   **403-1**

Âge : 57 ans	Date de naissance : 1953-09-25	
Poids (kg) : 75 kg	Allergie(s) : Pénicilline	
Taille (cm) : 1,75 m		
SC (m²) : 1,32 m²	Intolérance(s) :	
Cl. créat : 84 ml/min		

Âge gest :

Médecin : MALO JACQUES   ' / ' donné, ' 0 ' non donné, ' * ' particularités cliniques

Médicaments	Nuit (00 : 00 – 07 : 59) Heures initiales	Jour (08 : 00 – 15 : 59) Heures initiales	Soir (16 : 00 – 23 : 59) Heures initiales	Validité # jrs tx
Médication régulière				
Digoxine 0,125 mg/CO Lanoxin PO # 001 ½ COMPRIMÉ = 0,0625 mg UNE FOIS PAR JOUR NAUSÉE ET VOMISSEMENTS – VISION BROUILLÉE		9 : 00		Validité : 2010-10-17 14 : 34 2010-10-24 14 : 33 JOUR #1
Diltiazem 120 mg/caps Tiazac PO # 002 1 capsule = 120 mg UNE FOIS PAR JOUR CÉPHALÉES – ÉTOURDISSEMENTS – ASTHÉNIE		9 : 00		Validité : 2010-10-17 14 : 35 2010-10-24 14 : 36
Furosemide 20 mg/2 ml Lasix iv # 003 2 ml = 20 mg DEUX FOIS PAR JOUR HYPOTENSION ORTHOSTATIQUE – CRAMPES MUSCULAIRES		9 : 00 15 : 00		Validité : 2010-10-17 14 : 35 2010-10-24 14 : 36 JOUR #1
Oxapam 15 mg/CO Serax PO # 004 1 COMPRIMÉ = 15 mg AU COUCHER CONFUSION – SÉDATION – DÉSORIENTATION – VERTIGE			21 : 00	Validité : 2010-10-17 14 : 37 2010-10-24 14 : 36 JOUR #1
Médication PRN				
Acétaminophène 500 mg/CO Tylenol PO # 005 1 COMPRIMÉ = 500 mg AUX QUATRE HEURES SI TEMPÉRATURE PLUS QUE 38⁵ °C				Validité : O 2010-10-17 14 : 38 2010-10-24 14 : 40
FADM vérifié et conforme	Initiales : Heures :	Initiales : Heures :	Initiales : Heures :	

Signature complète de l'infirmière et initiales

Les coordonnées sont valides jusqu'à la date de fin de validité

FADM valide du 2010-10-22 à 00 : 00 au 2010-10-22 à 23 : 59   14 : 38 Page : 1   Suite page : 2

Copyright ® 1984-2006 Christian Gagnon Services Informatiques Inc. (CGSI) Tous droits réservés. (223)

En vous référant à cette FADM, répondez aux questions suivantes :

a) Quel est le numéro de chambre du client ? _____

b) Quelle est la dénomination commune de l'ordonnance numéro 001 ? _____

c) Combien de comprimés de Lanoxin l'infirmière doit-elle administrer ? _____

d) Quelle est la voie d'administration du furosémide ? _____

e) À quelle heure l'infirmière doit-elle administrer le furosémide ? _____

f) Quels sont les effets secondaires du furosémide ? _____

g) À quelle heure l'infirmière doit-elle administrer l'acétaminophène ? _____

Notions essentielles à retenir

- L'infirmière doit être capable de reconnaître et d'utiliser les abréviations reconnues. Surveillez le site d'ISMP Canada pour vous tenir à jour en lien avec les abréviations et symboles à utiliser.

- Les étiquettes des médicaments fournissent de nombreux renseignements, entre autres :
  - la dénomination commune (ou nom générique) ;
  - la marque déposée (ou nom commercial) ;
  - la teneur du médicament ;
  - la date limite d'utilisation ou date de péremption ;
  - la voie d'administration.

- Les ordonnances médicales, les FADM (ou FEM), les profils pharmacologiques, les cartes fiches et autres formulaires doivent être bien interprétés par l'infirmière, qui est responsable de ses clients.

- L'ordonnance médicale doit fournir des renseignements essentiels pour être valide. Voir l'encadré des pages 98 et 99.

Exercices de révision

1. Donnez la signification des abréviations présentées dans les phrases suivantes :

a) L'infirmière m'a dit : « Donne ce médicament stat. (_____) »

b) L'infirmière m'a dit : « Demande à M. Marquis de prendre sa caps. (_____), pc (_____) prn (_____) s'il présente des brûlures d'estomac. »

c) Mme Deschênes est NPO (_____) ad (_____) nouvel ordre.

d) Je dois administrer Synthroid 75 mcg (_____) po (_____), 1 co (_____) une fois par jour.

2. Mettez les abréviations reconnues dans les phrases suivantes :

a) M. Marquis doit s'injecter son insuline par voie sous-cutanée (_____) avant les repas (_____) selon les résultats de ses glycémies.

b) Le 2 octobre 2010, à 10 : 30, l'infirmière de M. Marquis a dû appeler son médecin traitant (le Dr Dufour) pour lui signifier que ce client avait une céphalée frontale très intense (intensité à 8/10) et non soulagée par Tylenol. Le médecin a prescrit par téléphone de lui administrer Imitrex 25 milligrammes (_____), 1 comprimé (_____) immédiatement (_____).

3. Reportez-vous à la question 2. L'infirmière doit enregistrer l'ordonnance verbale dans le dossier du client. Rédigez l'ordonnance comme si vous étiez infirmière en mettant la date et l'heure actuelle.

> Souvenez-vous que vous ne pouvez, comme étudiante, prendre ou rédiger une ordonnance verbale ou téléphonique. Voir dans le chapitre 1 l'information à mettre dans les ordonnances verbales.

Centre hospitalier
de Champfleury

ORDONNANCES MÉDICALES

Allergies: *Aucune*

Poids: *77 kg*   Taille: *1,85 m*

Créatinine: _____   Date: _____

Alt: _____   Date: _____

Grossesse: _____/sem.   Allaitement: _____

C.H. DE CHAMPFLEURY   CH 4015-1
1956-08-12
MARQUIS CLAUDE
DUVAL ERNESTINE
RODOLPHE   M 419 444-4444
7001 BOUL. SAINT-LAURENT
MONTRÉAL QUE
MARC 5608 1212

Date	Heure	Médicaments: teneur, posologie, voie d'administration, durée	Fax

4. Le nom commercial de votre médicament est Cardizem CD. Que signifie l'abréviation CD ?

_____

5. Transformez l'heure présentée en heure internationale :

a) 1 heure du matin   _____   c) 5 heures du matin   _____

b) 2 heures de l'après-midi _____   d) 10 heures du soir   _____

6. Examinez l'étiquette de Cortef et répondez aux questions suivantes :

a) Quel est le nom générique de ce médicament ?   _____

b) Quelle en est la marque déposée ?   _____

c) Quelle est la teneur du médicament ?   _____

d) Combien y a-t-il de comprimés dans la bouteille ?   _____

e) Quel est le DIN ?   _____

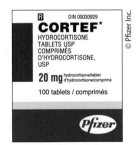

7. Examinez l'étiquette de vitamine B_{12} et répondez aux questions suivantes :

a) Quel est le nom générique de ce médicament ?   _____

b) Quel est son nom commercial ?   _____

c) Quelle est la voie d'administration de ce médicament ?   _____

d) Peut-on l'administrer par voie intraveineuse ?   _____

e) Quelle est la concentration de ce médicament par millilitre ?

_____

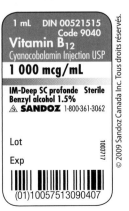

8. Examinez la FADM ci-dessous et répondez aux questions suivantes :

CENTRE HOSPITALIER DE CHAMPFLEURY (FADM) 24 heures			Feuille d'administration de médicaments – Soins infirmiers		

Dossier : **534678-Pr-00003456**   DURETTE, LÉA   Chambre :   5408 lit 1
Âge :   86 ans   Date de naissance : 1924-04-02
Poids (kg) :   43   Allergie(s) : aucune allergie connue
Taille (cm) :   146
SC (m²) :   1,32 m²   Intolérance(s) :
Cl. créat :   84 ml/min
Âge gest :
Médecin : MALO JACQUES   '/' donné, '0' non donné, '*' particularités cliniques

Médicaments			Nuit (00 : 00 – 07 : 59) Heures initiales	Jour (08 : 00 – 15 : 59) Heures initiales	Soir (16 : 00 – 23 : 59) Heures initiales	Validité # jrs tx
Apo-metoprolol 25 mg/co Lopresor ½ comprimé = 12,5 mg 2 FOIS PAR JOUR	PO	# 001		9 : 00	17 : 00	Validité : 2011-01-17 13 : 34 2011-01-23 23 : 59
FATIGUE- FAIBLESSE- IMPUISSANCE						

a) Quel est le nom commercial de ce médicament ? _____

b) Quelle est sa dénomination commune ? _____

c) Quelle est la teneur du médicament ? _____

d) Quelle est la dose à administrer ? _____

e) Combien de comprimés faut-il administrer à chaque dose ? _____

f) À quelle heure faut-il administrer ce médicament ? _____

g) Quelle est la voie d'administration de ce médicament ? _____

h) La cliente présente-t-elle des allergies ? _____

i) La cliente présente-t-elle des intolérances aux médicaments ?_____

9. Dans les ordonnances suivantes, notez l'information manquante, s'il y a lieu :

a) Tylenol 1 co po q4h si T° plus que 38,5 °C _____

b) Lopresor 0,25 po die _____

c) Codéine 15 mg si douleur _____

d) Insuline Humulin R 4 unités AC + HS _____

10. Dans l'ordonnance ci-contre, repérez les données manquantes ou relevant d'une mauvaise formulation (en repérer cinq).

C.H. DE CHAMPFLEURY   CH 4015-1
1956-08-12
MARQUIS CLAUDE
DUVAL ERNESTINE
RODOLPHE   M 419 444-4444
7001 BOUL. SAINT-LAURENT
MONTREAL QUE
MARC 5608 1212

DURÉE DE VALIDITÉ DES ORDONNANCES PHARMACEUTIQUES
Les ordonnances sont valides pour la durée du séjour du patient (max=1an) sauf dans les cas suivants:
Classe de médicaments: antibiotique per os ou iv : 7 jours
Nature de l'ordonnance: ordonnance verbale ou téléphonique: 48 heures

Changement implicite de la condition du patient:
Période périopératoire: sommaire obligatoire } doit comprendre l'ensemble de
Sortie des soins intensifs ou coronariens: sommaire obligatoire } la médication active du patient
Prophylaxie chirurgicale: 24 heures

Toute durée non implicite de traitement doit être précisée par le médecin sur l'ordonnance. De même, il est de la responsabilité du médecin de spécifier sur l'ordonnance quels médicaments doivent être cessés. Tout changement dans la médication nécessite une nouvelle ordonnance.

POIDS: _75_ kg   TAILLE: _1,75_ m   SURF. CORP.: _____ m²   DIAGNOSTIC: _____
DIABÈTE: ☑   GROSSESSE: ☐   INSUFF. RÉNALE: ☐   HYPERSENSIBILITÉ: _aucune_

DATE (AAAA/MM/JJ) HEURE	MÉDICAMENTS, DOSE, POSOLOGIE, VOIE D'ADMINISTRATION	INF	ESPACE RÉSERVÉ AU PHARMACIEN
7 : 30	Entrophen 1 co		
	Capoten 5 mg bid		
	Édouard Dubreuil		

Chapitre 7

La lecture des dispositifs d'administration de médicaments liquides pour administration orale ou parentérale

À la fin de ce chapitre, vous serez en mesure :

- de mesurer des médicaments liquides à l'aide de dispositifs adaptés à la quantité à administrer par voie orale ;
- de mesurer des solutions médicamenteuses qui seront administrées par voie parentérale à l'aide :
  - d'une seringue de 1 ml ;
  - d'une seringue de 3 ml ;
  - de seringues de 5 ml et de 10 ml ;
  - de seringues de 20 ml et plus ;
- d'observer certains critères à respecter pour l'administration de la médication parentérale.

Introduction

Il existe différents dispositifs adaptés à l'administration des doses de médicaments. Ainsi, l'administration de médicaments liquides destinés à la voie orale peut se faire à l'aide de seringues, de cuillères graduées ou de gobelets. Il est important de bien identifier les échelles de graduation de ces différents dispositifs afin de préparer avec la plus grande précision possible les médicaments présentés sous diverses formes liquides.

Quant à l'administration de médicaments par voie parentérale, il existe plusieurs modèles de seringues disponibles. L'infirmière doit choisir la seringue en fonction de la nature et de la quantité de la médication à administrer.

Ce chapitre se veut un outil pour aider l'infirmière à développer son jugement clinique en lien avec la préparation et l'administration de médicaments par voie orale et parentérale. Les informations présentées lui fourniront des balises qui lui permettront de prendre des décisions éclairées et sécuritaires pour ses clients.

7.1 La mesure des solutions médicamenteuses administrées par voie orale

Les solutions médicamenteuses administrées par voie orale peuvent être mesurées à l'aide de plusieurs instruments. Les instruments de mesure sont choisis en fonction de la quantité de médicament à administrer (*voir la figure 7.1*).

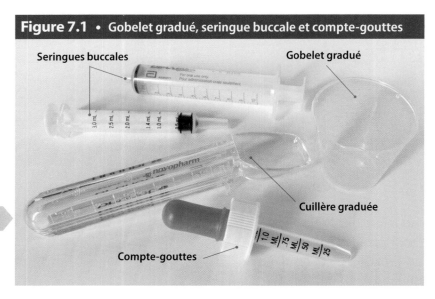

Figure 7.1 • Gobelet gradué, seringue buccale et compte-gouttes

Seringues buccales

Gobelet gradué

Cuillère graduée

Pédiatrie

Compte-gouttes

Pour administrer plus de 10 ml de solution, on utilise habituellement un gobelet gradué qui ressemble à un petit verre (*voir la figure 7.1*). Ce contenant est gradué en plusieurs unités de mesure. On peut y mesurer des millilitres, des cuillères à thé, des cuillères à soupe et des onces. Ce sont toutefois généralement les mesures du système international (ml) qui sont le plus utilisées. Afin de pouvoir mesurer correctement la quantité de médicament préparée avec ce type de contenant, il est très important d'y repérer l'échelle de mesure appropriée (millilitres, cuillères à thé, cuillères à soupe, onces) et de repérer sur le gobelet le dosage à préparer. Finalement, lorsqu'on verse le médicament, on doit tenir le gobelet à la hauteur des yeux (*voir la figure 7.2*). Cette méthode permet de mesurer avec exactitude le dosage prescrit.

Ces unités de mesure sont présentées dans le chapitre 5.

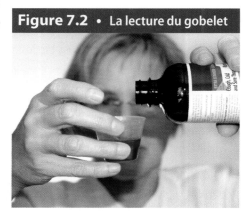

Figure 7.2 • La lecture du gobelet

Pour la préparation des solutions médicamenteuses dans des quantités inférieures à 10 ml, il est préférable d'utiliser une **seringue buccale**, comme celles illustrées dans la figure 7.1, spécialement conçue pour ces solutions. On peut aussi se servir d'une seringue régulière, aussi appelée « seringue hypodermique », utilisée dans ce cas sans l'aiguille. La graduation d'une seringue buccale est la même que la graduation d'une seringue régulière, sauf que l'embout a une forme différente. Lorsqu'on emploie une seringue buccale ou une seringue hypodermique, on doit se référer aux mêmes principes que pour la préparation de médicaments par voie parentérale qui sera présentée dans la section suivante. Toutefois, il faut noter que lorsqu'on utilise des seringues pour la préparation de la médication destinée à la voie orale, l'asepsie chirurgicale n'est pas requise étant donné que la voie digestive (orale) n'est pas stérile. Par contre, les **principes de l'asepsie médicale** doivent toujours être appliqués.

Les solutions qui s'administrent par voie orale et en très petites quantités peuvent aussi être administrées à l'aide d'un **compte-gouttes** (*voir la figure 7.1*). Dans ce cas, le compte-gouttes est souvent fourni et intégré au bouchon de la bouteille du médicament. Le compte-gouttes peut être gradué en millilitres ou en milligrammes selon le choix du fabricant pharmaceutique. Attention : si le compte-gouttes est calibré en milligrammes, il ne peut être utilisé que pour le médicament avec lequel il est offert.

On utilise généralement ces différents instruments de mesure pour un usage pédiatrique.

ACTIVITÉ 7.1

Indiquez la quantité sur les gobelets suivants en hachurant la quantité demandée :

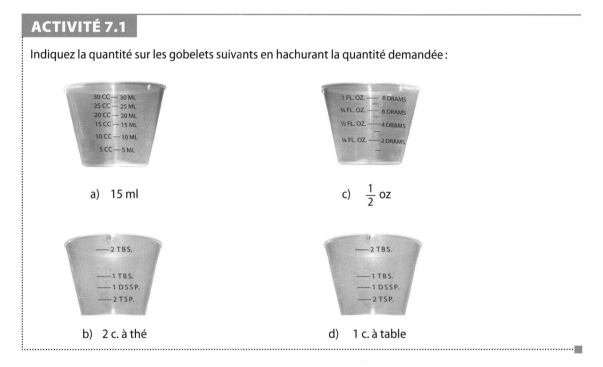

a) 15 ml

c) $\frac{1}{2}$ oz

b) 2 c. à thé

d) 1 c. à table

7.2 Le matériel pour la préparation de médicaments administrés par voie parentérale

Selon *Le grand dictionnaire terminologique*, la **voie parentérale** fait référence à un mode d'introduction dans l'organisme par une voie « autre que la voie digestive[1] ». Généralement, dans la pratique, on utilise ce terme principalement pour les injections sous-cutanées, intramusculaires, intradermiques et intraveineuses. Cependant, ce terme pourrait indiquer d'autres voies. Dans ce volume, le terme « parentéral » est réservé aux injections.

Les seringues

Pour l'administration de médicaments par voie parentérale, il est d'usage d'utiliser des seringues. Comme il existe différents formats de seringues, il revient à l'infirmière de choisir la seringue la mieux adaptée afin de préparer le plus précisément possible la quantité de médicament à administrer, et ce, en fonction des différentes voies d'administration parentérales.

Le **format** (ou **calibre**) des seringues (1 ml, 2 ml ou 3 ml, 5 ml ou 6 ml, 10 ml ou 12 ml, 20 ml, 50 ml ou 60 ml) et leur graduation (ou échelle de mesure) varient selon les modèles de seringues.

---

1. OFFICE QUÉBECOIS DE LA LANGUE FRANÇAISE, « Parentéral », *Grand dictionnaire terminologique*, Québec, [En ligne], www.granddictinnaire.com/BTML/FRA/r_Motclef/index800_1.asp (Page consultée le 19 septembre 2009)

La **graduation** est la division d'un instrument de mesure en degrés d'égale longueur. Les seringues sont toutes graduées en centimètres cubes (cc) et en millilitres (ml). De plus, elles sont graduées en cinquièmes, en dixièmes ou en centièmes de cc. Dans ce chapitre, le symbole **ml** est utilisé conformément au système international (SI), plutôt que l'abréviation cc, qu'on peut aussi trouver sur les gobelets ou les seringues.

Attention!

Selon le SI, l'abréviation de «centimètre cube» est cm^3 ou cc et représente un espace équivalent à un millilitre. Le terme «millilitre» (ml) signifie un volume de liquide dans un espace. Dans les milieux cliniques, les abréviations cc et ml font référence à un volume de liquide. Ainsi, dans la pratique, ces deux abréviations sont utilisées de façon interchangeable.

Certaines seringues présentent aussi une graduation en minimes provenant du système de mesure apothicaire (*voir le chapitre 5*). Cette graduation n'est plus en vigueur. Si vous avez à utiliser des seringues présentant les millilitres et les minimes (*voir la figure 7.6 à la page 113*), il faudra veiller à ne pas confondre ces deux échelles.

Chez les clients diabétiques, il existe une seringue pour administrer l'insuline. Ce modèle de seringue est présenté dans le chapitre 14. Cette seringue n'est pas calibrée en millilitres mais en unités et elle sert exclusivement à l'administration de l'insuline.

Avant d'expliquer les différents calibres ou formats de seringues, il est important de revoir les parties d'une seringue et d'une aiguille. Quel que soit le calibre de la seringue ou de l'aiguille, ses parties sont toujours les mêmes. Afin que les étudiantes de soins s'approprient le bon langage quant aux composantes d'une seringue, il est pertinent de connaître chacune de ces parties, comme l'illustre la figure 7.3.

Figure 7.3 • Les parties d'une seringue et d'une aiguille

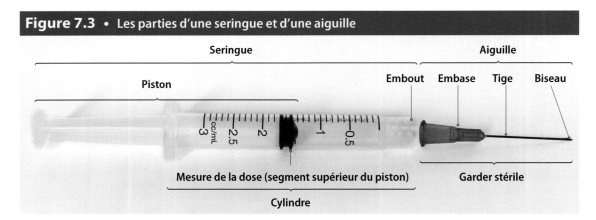

7.3 La mesure de solutions selon les différentes seringues

La seringue de 1 ml

La seringue de 1 ml, souvent appelée «**seringue à tuberculine**[2]», est utilisée lorsqu'on doit administrer un médicament qui se présente en très petite quantité, c'est-à-dire dans une quantité inférieure à 1 ml.

---

2. Cette seringue a été créée pour permettre de réaliser le test de réactivité à l'antigène de la tuberculose (PPD). Source: Brigitte CHARPENTIER, Florence HAMON-LORLEAC'H, Alain HARLAY *et al., Guide du préparateur en pharmacie*, 3e éd., Issy-les-Moulineaux, Éditions Masson, 2008.

Ainsi, on peut en calculer la précision jusqu'au centième de millilitre plutôt qu'au dixième de millilitre, comme c'est le cas avec les seringues de plus gros calibres. Cette précision est importante pour des médicaments tels que l'héparine, qui est un anticoagulant puissant, ou pour des analgésiques opiacés, qui s'administrent en très petites quantités. Aussi, pour la clientèle pédiatrique, il arrive fréquemment qu'on ait à préparer de très petites quantités de médicament.

Que le médicament soit destiné à un adulte ou à un enfant, il faut sélectionner la seringue qui permet la plus grande précision possible au moment de la préparation de la dose à administrer.

En examinant attentivement la graduation de la seringue à tuberculine (*voir la figure 7.4*), on constate que les degrés (les petites lignes tracées sur le cylindre) sont très petits et très rapprochés. Il est à remarquer que la seringue a une capacité totale de 1 ml (indiquée 1,0 ml sur la seringue) et que les grandes lignes divisent les degrés en groupes de dixièmes, soit de 0,1 ml jusqu'à 1,0 ml. Les plus petites lignes indiquent les centièmes. Il est important de bien comprendre cette échelle pour être capable de lire les doses à préparer. Par exemple, la seringue représentée dans la figure 7.4 contient une dose de 0,64 ml.

Il faut porter une attention particulière à la façon dont on lit la quantité du médicament contenue dans la seringue. Dans la figure 7.4, on constate que le piston se termine par deux segments en caoutchouc noir qui ressemblent à des anneaux. La lecture de la dose ou de la quantité de médicament dans la seringue s'effectue au niveau supérieur du piston qui est en contact avec le médicament. On lit donc les degrés sur ce segment du piston. Dans le cas des seringues de plus gros calibre, il peut arriver que le piston ait une partie convexe ; on ne s'en préoccupe pas pour effectuer la lecture.

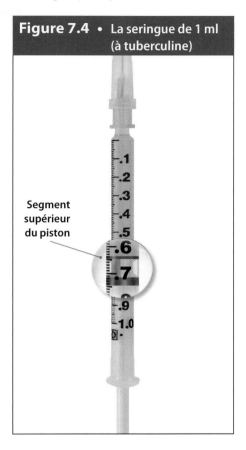

Figure 7.4 • La seringue de 1 ml (à tuberculine)

Segment supérieur du piston

ACTIVITÉ 7.2

Indiquez la quantité contenue dans chacune des seringues à tuberculine suivantes :

a) _____ b) _____ c) _____ d) _____

ACTIVITÉ 7.3

Tracez une flèche sur les seringues suivantes vis-à-vis de la quantité demandée ou ombrez leur cylindre pour représenter les doses indiquées :

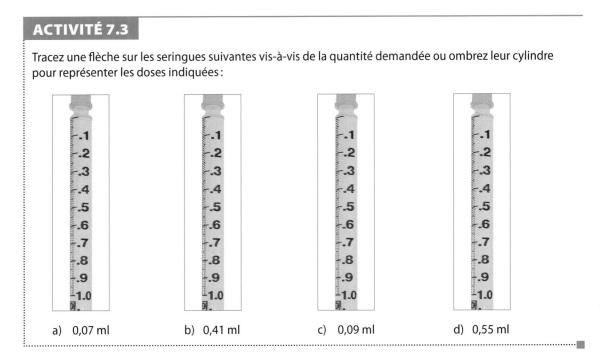

a)   0,07 ml   b)   0,41 ml   c)   0,09 ml   d)   0,55 ml

La seringue de 2 ml ou 3 ml

La seringue de 2 ml ou 3 ml est la seringue la plus répandue. Selon les fabricants, elle peut avoir une capacité de 2 ml ou de 3 ml (*voir la figure 7.5*). La graduation étant la même dans les deux cas, la seringue de 3 ml sera utilisée dans ce volume. Comme nous l'avons expliqué au sujet de la seringue de 1 ml, il faut d'abord observer le nombre de degrés (les petites lignes) qui divisent chacun des millilitres. Cette seringue de 3 ml compte 10 degrés par cc ou ml : elle est donc graduée en dixièmes de millilitre. Les grandes lignes indiquent 0,0 ml, 0,5 ml (1/2 ml), 1 ml, et ainsi de suite. Les petites lignes indiquent les dixièmes. Par exemple, la flèche dans la figure 7.5 indique 0,2 ml. À première vue, on pourrait croire qu'elle indique 0,3 ml, mais il faut se souvenir que la première grande ligne à la base du cylindre équivaut toujours à zéro. Elle est légèrement plus longue que la ligne de 0,1 ml et que celle des degrés ou des dixièmes. En y prêtant attention, on la distingue aisément de la ligne suivante, qui correspond à 0,1 ml.

Figure 7.5 • Une seringue de 3 ml sans minimes

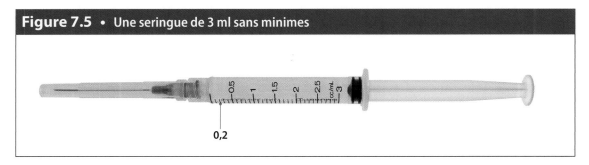

0,2

Il peut arriver que certains modèles de seringues de 3 ml comportent une deuxième graduation à gauche de la graduation habituelle. Il s'agit d'une graduation en minimes (*voir la figure 7.6*). Sur la photo, cette graduation se trouve à gauche du cylindre. Dans le système de mesures apothicaires, « minime » signifie « très petit » et équivaut à la grosseur d'une goutte environ. Ces degrés représentent un total de 30 minimes, divisés également en groupes de 5 petites lignes. Seul le degré 30 m est identifié. Cette échelle est peu employée, mais vous devez bien connaître les seringues que vous utilisez afin de ne pas confondre les graduations en minimes (m) et en millilitres (ml). Ce m pour « minime » n'a pas la signification de mètre, qui est l'unité de longueur. Il faut se rappeler que nous sommes ici en présence d'unités de volume.

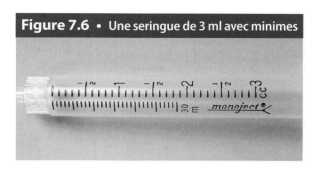

Figure 7.6 • Une seringue de 3 ml avec minimes

ACTIVITÉ 7.4

Indiquez la dose contenue dans chacune des seringues de 3 ml suivantes :

Étant donné que le calibre de ces seringues est gradué au dixième de millilitre, vos réponses seront arrondies au dixième de millilitre.

a) _____

b) _____

c) _____

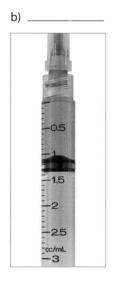

d) _____

e) _____

f) _____

113

ACTIVITÉ 7.5

Tracez une flèche sur les seringues suivantes vis-à-vis de la quantité demandée ou ombrez leur cylindre pour représenter les doses indiquées :

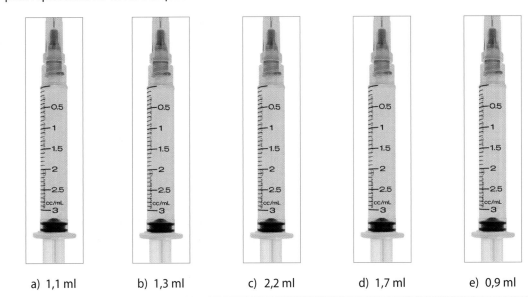

| a) 1,1 ml | b) 1,3 ml | c) 2,2 ml | d) 1,7 ml | e) 0,9 ml |

Les seringues de 5 ml et de 10 ml

Pour administrer des quantités supérieures à 3 ml, on utilise des seringues de 5 ml (ou de 6 ml selon le fabricant) et de 10 ml (ou de 12 ml selon le fabricant). Reportez-vous à la figure 7.7 pour examiner la graduation des seringues.

> Les seringues de 5 ml et de 10 ml ont très souvent une capacité supérieure, comme on peut le voir. On les appelle tout de même des seringues de 5 ml et de 10 ml.

Figure 7.7 • Des seringues de 5 ml et de 10 ml

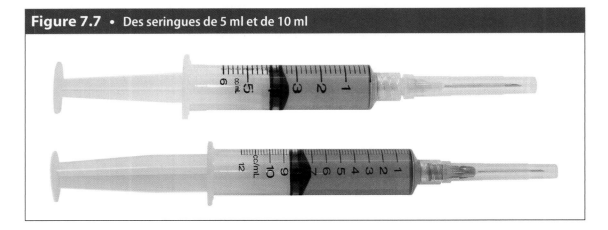

En regardant les seringues, on constate que chaque millilitre est divisé en cinq degrés. Chaque degré correspond ainsi à un cinquième de millilitre, soit 0,2 ml. Dans la figure 7.7, la seringue de 5 ml contient une dose de 3,6 ml et celle de 10 ml contient une dose de 7,8 ml.

ACTIVITÉ 7.6

Indiquez la dose contenue dans chacune des seringues suivantes :

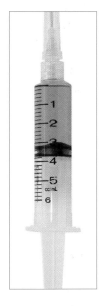   

a) _____ b) _____ c) _____ d) _____

ACTIVITÉ 7.7

Indiquez la dose contenue dans chacune des seringues suivantes :

a) _____ b) _____ c) _____ d) _____

ACTIVITÉ 7.8

Tracez une flèche sur les seringues suivantes vis-à-vis de la quantité demandée ou ombrez leur cylindre pour représenter les doses indiquées :

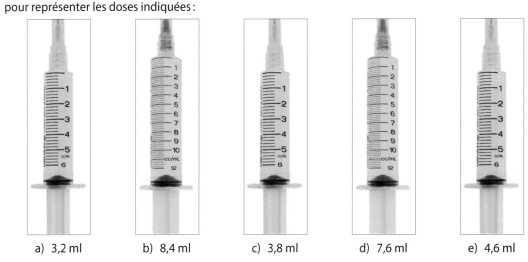

| a) 3,2 ml | b) 8,4 ml | c) 3,8 ml | d) 7,6 ml | e) 4,6 ml |

Les seringues de 20 ml et plus

En observant la figure 7.8, qui représente une seringue de 20 ml, on se rend compte qu'elle est graduée en degrés correspondant à 1 ml chacun, et que les quantités 5 ml, 10 ml, 15 ml et 20 ml sont numérotées.

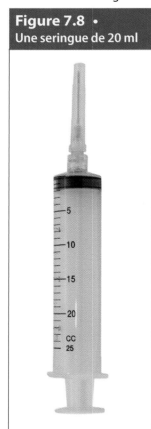

Figure 7.8 •
Une seringue de 20 ml

La précision sera donc en millilitres et non en dixièmes de millilitre. Les seringues de 50 ml ou 60 ml sont aussi graduées en millilitres. On a recours à ces seringues seulement pour mesurer de grandes quantités de médicaments. La figure 7.9 illustre deux seringues de 60 ml, soit une seringue avec un embout régulier et l'autre seringue avec un embout plus long, communément appelée « seringue asepto » ou *bulb syringe*. Cette dernière seringue est utilisée, entre autres, pour l'administration de gavage, pour l'irrigation de la vessie ou pour l'instillation de médicaments dans des sondes vésicales. On ne peut se servir de cette seringue avec un embout long afin de préparer une médication pour une administration intraveineuse.

Figure 7.9 • Deux seringues de 60 ml

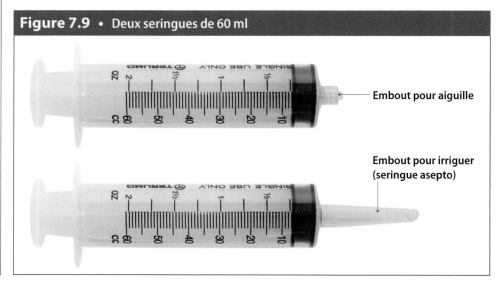

Embout pour aiguille

Embout pour irriguer
(seringue asepto)

ACTIVITÉ 7.9

Indiquez la dose de médicament qui est contenue dans chacune des seringues suivantes :

a) _____   b) _____   c) _____   d) _____

ACTIVITÉ 7.10

Tracez une flèche sur les seringues suivantes vis-à-vis de la quantité demandée ou ombrez leur cylindre pour représenter les doses indiquées :

 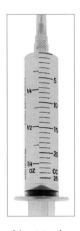  

a)   35 ml   b)   14 ml   c)   15 ml   d)   29 ml

7.4 Les critères à respecter pour l'administration de la médication par voie parentérale

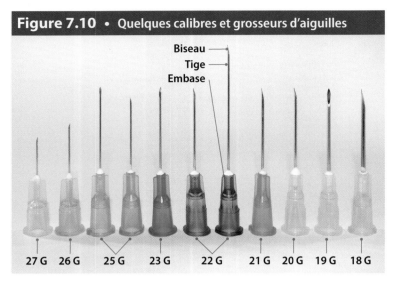

Figure 7.10 • Quelques calibres et grosseurs d'aiguilles

Biseau
Tige
Embase

27 G 26 G 25 G 23 G 22 G 21 G 20 G 19 G 18 G

Comme vous avez pu le constater dans ce chapitre, pour l'administration de médicaments par voie parentérale, il faut choisir le **calibre de la seringue** qui se rapproche le plus de la quantité de médicament à administrer. Il faut aussi se soucier du type d'aiguille à utiliser ainsi que des tissus dans lesquels on devra injecter le médicament. La longueur de l'aiguille variera selon les sites anatomiques visés. Par exemple, pour une administration sous-cutanée, elle variera de 1/2 pouce à 5/8 de pouce (de 1,2 cm à 1,6 cm) et le calibre de l'aiguille, de 24 à 27 gauges, ou G (soit l'unité de mesure indiquant le diamètre de l'aiguille). Pour une injection intramusculaire, la longueur de l'aiguille variera de 1 pouce à 1 1/2 pouce (de 2,5 cm à 3,7 cm) et le calibre variera généralement de 21 à 22 gauges. La figure 7.10 présente différents calibres (diamètres) et longueurs d'aiguilles. Cette figure démontre que plus l'aiguille est fine, plus le numéro est élevé. Inversement, plus l'aiguille est grosse, plus le numéro est petit.

Le choix du calibre de l'aiguille dépend de la viscosité du médicament. Pour un médicament aqueux, le calibre de l'aiguille peut être très petit, mais pour une médication qui se présente sous la forme d'un liquide visqueux (plus épais), il faut prendre un calibre plus gros afin de pouvoir aspirer facilement le médicament dans le cylindre.

Les principes d'injection

Lorsque l'infirmière prépare une **médication pour une administration sous-cutanée ou intramusculaire**, elle doit juger de la qualité des tissus sous-cutanés et intramusculaires et choisir le matériel approprié. Les caractéristiques du tissu influent sur la vitesse d'absorption du médicament et, par conséquent, sur le début de son action. Avant d'injecter un médicament, l'infirmière tout comme l'infirmière auxiliaire doit connaître le volume à administrer, les caractéristiques et la viscosité du médicament ainsi que l'emplacement des structures anatomiques correspondant aux sites d'injection. Le tableau 7.1 présente les différentes voies parentérales (intramusculaire, sous-cutanée), les quantités maximales de médication à administrer en fonction de chaque voie d'administration, le choix des aiguilles appropriées et le début de l'action de la médication en fonction du site d'injection sélectionné.

Bien que le site d'injection puisse aider à prédire le début de l'action des médicaments, il ne faut pas oublier que plusieurs facteurs tels que l'âge du client, l'état de ses tissus et la médication administrée doivent être considérés dans l'évaluation du début d'action.

Attention !

Au cours d'une administration par voie sous-cutanée, il faut se souvenir que, les tissus étant moins vascularisés, le début de l'action est moins rapide que par voie intramusculaire, celle-ci étant plus vascularisée. Ce principe biologique s'applique également à la voie intramusculaire, qui est moins rapide que la voie intraveineuse car les tissus musculaires ne procurent pas un accès direct au flot sanguin. En effet, au cours d'une injection intraveineuse, le médicament est injecté directement dans le flux sanguin et atteint très rapidement son site d'action, soit dans les secondes ou les minutes suivant l'administration.

Tableau 7.1 • Les principes guidant l'intervenant au cours de l'administration de médicaments par voie parentérale chez l'adulte*

Site d'injection	Volume maximal**	Calibre de l'aiguille	Longueur de l'aiguille	Angle d'insertion	Début de l'action
Intramusculaire					
Deltoïde	De 0,5 ml à 1 ml	De 22 G à 25 G	1 po ou 2,5 cm	90°	15 à 20 minutes
Vaste externe	2 ml	De 21 G à 22 G	1,5 po ou 3,7 cm	90°	15 à 20 minutes
Muscle fessier antérieur ou postérieur	2 ml ou 3 ml	De 21 G à 22 G	1,5 po ou 3,7 cm	90°	15 à 20 minutes
Sous-cutané					
Voir l'illustration des différentes régions d'infection à la page 232	1 ml	De 24 G à 27 G	1/2 po ou 1,2 cm	90°	Un peu plus lent que par voie intramusculaire (environ de 15 à 30 minutes)
	1 ml	De 24 G à 27 G ; on trouve aussi de 27 G à 29 G pour l'insuline	5/8 po ou 1,6 cm	45°	

* Il est à noter que ces valeurs sont fournies à titre indicatif seulement et qu'elles peuvent fluctuer selon la condition clinique du client, le médicament ou d'autres considérations.

** Au-delà de ces quantités, l'absorption sera plus difficile étant donné que les tissus ou les muscles auront de la difficulté à absorber un volume plus important.

Dans le tableau 7.1, on peut voir qu'il existe des quantités maximales à administrer selon la voie d'administration prescrite et les sites d'injection choisis. Ainsi, pour un adulte, pour la voie sous-cutanée, la quantité maximale est de 1 ml. Pour la voie intramusculaire, la quantité maximale dépend du muscle choisi. Si on administre dans le deltoïde, la quantité maximale est habituellement de 1 ml. Si on choisit le vaste externe ou le grand fessier, la quantité pourra varier de 2 à 3 ml. Si l'on doit administrer une dose supérieure à ces quantités, il faut effectuer deux préparations, c'est-à-dire diviser en deux seringues la quantité à administrer et changer de site à chaque injection.

Attention !

L'infirmière auxiliaire peut effectuer des injections de médicaments par voie orale, sous-cutanée ou intramusculaire. Cependant, la fonction d'évaluation de toute situation clinique particulière relève de la responsabilité de l'infirmière. Ainsi, selon l'état du client, du site visé ou d'autres considérations d'ordre clinique, il revient à l'infirmière d'évaluer la situation et la condition clinique du client, de décider d'administrer ou non le médicament et de se référer au besoin à un autre professionnel, comme le médecin.

ACTIVITÉ 7.11

1. Le médecin a prescrit à Mme Aubin, dont l'indice de masse corporelle est dans la moyenne, un médicament analgésique de type aqueux à administrer par voie intramusculaire. Selon le site d'injection, quelle aiguille utiliserez-vous ?

	Numéro d'aiguille	Longueur

a) Vous décidez de faire une injection dans le deltoïde : _____ _____

b) Vous décidez de faire une injection dans le fessier postérieur : _____ _____

c) Pour ce type d'injection, quelle est la quantité maximale que vous pouvez administrer :

dans le deltoïde ? _____ dans le fessier postérieur ? _____

d) Mme Aubin vous demande dans combien de temps après l'injection le médicament commencera à agir. Que lui répondez-vous ? _____

2. Voyant sa compagne infirmière très occupée, l'infirmière auxiliaire lui offre d'aller administrer la médication de Mme Simard. Il s'agit de Demerol (mépéridine) 50 mg im.

Est-ce que l'infirmière peut lui laisser exécuter cet acte ? Justifiez votre réponse.

_____

3. L'infirmière reçoit une ordonnance téléphonique lui disant d'administrer à Mme Garon : « Lasix 20 mg iv stat. » Elle travaille avec une infirmière auxiliaire. L'infirmière peut-elle demander à l'infirmière auxiliaire d'administrer cette médication ? Justifiez votre réponse.

_____

4. Il y a deux jours, M. Côté présentait des douleurs très importantes. Le médecin lui a prescrit des analgésiques à heures régulières. Le client doit recevoir sa dose prévue à 14 : 00. Il y a quelques minutes, l'infirmière auxiliaire vous a signalé que M. Côté était très somnolent.

a) Que doit faire l'infirmière ? Expliquez votre réponse.

_____

b) Qui prend la décision finale d'administrer ou non la médication à M. Côté ?

_____

Notions essentielles à retenir ────────────────●

Pour la voie orale

- Un médicament liquide doit être mesuré avec précision. Ainsi, les volumes de moins de 10 ml devraient être mesurés à l'aide d'une seringue hypodermique (sans l'aiguille) ou à l'aide d'une seringue buccale.

- Le compte-gouttes, qui permet de mesurer de très petites quantités de médicaments, peut être gradué en millilitres ou en milligrammes selon le choix du fabricant pharmaceutique. Attention : si le compte-gouttes est calibré en milligrammes, il ne peut être utilisé que pour le médicament avec lequel il est offert.

- Les volumes de plus de 10 ml peuvent être mesurés dans un gobelet gradué, que l'on tient à la hauteur des yeux pour vérifier l'exactitude de la mesure.

Pour les voies parentérales

- Les seringues de 1 ml ou à tuberculine sont graduées en centièmes de millilitre.

- Les seringues de 3 ml sont graduées en dixièmes de millilitre (ml) ou de centimètre cube (cm³ = cc).

- Les seringues de 5 ml et de 10 ml sont graduées en cinquièmes de millilitre, soit 0,2 ml. Les seringues de 20 ml et de 50 ml sont graduées en millilitres.

- La première grande ligne près de l'embout de la seringue équivaut à zéro sur toutes les seringues.

- La lecture d'une dose de médicament se fait sur le segment supérieur du piston de la seringue qui est en contact avec le médicament.

- Il y a des volumes maximaux de médicaments à administrer selon la voie d'administration prescrite et le site d'injection. Ainsi, pour un adulte, pour la voie sous-cutanée, la quantité maximale est de 1 ml. Pour la voie intramusculaire, la quantité maximale variera en fonction des muscles. Pour le deltoïde, la quantité sera de 1 ml alors que pour le vaste externe ou le grand fessier, elle peut varier de 2 à 3 ml. Si l'on doit administrer une dose supérieure à ces quantités, il faut effectuer deux préparations, c'est-à-dire diviser en deux seringues la quantité à administrer et changer de site à chaque injection.

- Le choix de l'aiguille varie selon la viscosité du médicament et la voie d'administration.

- Le début de l'action des médicaments dépend du site d'injection. Ainsi, la voie sous-cutanée est plus lente que la voie intramusculaire et la voie intraveineuse est très rapide.

- Le début de l'action du médicament dépend aussi de l'âge du client, de l'état des tissus et de la médication à administrer.

Exercices de révision

1. Dans chacune des seringues suivantes, quelle est la quantité de médicament présente ?

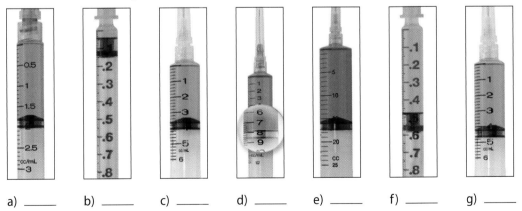

a) _____ b) _____ c) _____ d) _____ e) _____ f) _____ g) _____

2. Quelle seringue choisirez-vous pour préparer ces doses de médicaments ?

a) 0,4 ml _____ d) 0,01 ml _____

b) 3,2 ml _____ e) 2,5 ml _____

c) 1,2 ml _____

3. Associez la bonne seringue à utiliser au cours de l'administration de chaque dose indiquée ci-après. Inscrivez la lettre sous la seringue choisie et tracez une flèche sur les seringues vis-à-vis de la quantité demandée ou ombrez leur cylindre pour illustrer les doses indiquées.

a) 0,02 ml c) 4,21 ml e) 1,2 ml g) 1,34 ml

b) 3,75 ml d) 0,3 ml f) 7,6 ml h) 8,18 ml

_____   _____   _____   _____   _____   _____   _____

4. Le médecin a prescrit à M. Durette, de stature et de masse moyennes, un médicament de type aqueux à administrer par voie intramusculaire.

Selon la région, quelle aiguille utiliserez-vous ?

	Calibre de l'aiguille	Longueur
a) Vous décidez de faire une injection dans le deltoïde :	_____	_____
b) Vous choisissez le vaste externe :	_____	_____

5. Vous devez administrer 3,8 ml d'un médicament visqueux par voie intramusculaire.

a) Quel site choisirez-vous ? _____

Justifiez votre choix. _____

_____

b) Quelle est la particularité de cette préparation de médicament ? _____

_____

c) Quelle calibre de seringue choisirez-vous ? _____

Justifiez votre choix. _____

_____

d) Quel calibre et quelle longueur d'aiguille choisirez-vous ? _____

Justifiez votre choix. _____

_____

6. Vous devez administrer une médication sous-cutanée à votre client.

a) Quel calibre d'aiguille utiliserez-vous ? _____

b) Quelle longueur d'aiguille utiliserez-vous et avec quel angle placerez-vous la seringue pour faire l'injection ? _____

c) Quelle est la quantité maximale à administrer par cette voie ? _____

Chapitre **8**

L'administration de médicaments par voie orale

À la fin de ce chapitre, vous serez en mesure :

- d'expliquer quelques principes essentiels guidant le choix d'un médicament et de sa forme pharmaceutique, en lien avec les principes de pharmacocinétique, de pharmacodynamie et de demi-vie des médicaments dans l'organisme ;

- d'expliquer l'action, la raison d'être et l'utilité des différentes formes pharmaceutiques ;

- de distinguer les présentations des formes pharmaceutiques de médicaments solides ;

- de distinguer les présentations des formes pharmaceutiques de médicaments liquides ;

- d'expliquer les principes généraux relatifs à l'administration des médicaments ;

- de sélectionner sur l'étiquette l'information nécessaire au calcul de la dose à administrer selon l'ordonnance médicale ;

- de choisir la teneur ou la concentration du médicament en fonction de la dose à administrer et d'en effectuer les calculs au besoin ;

- de convertir les unités de mesure.

Introduction

Dans votre travail quotidien, l'administration de médicaments vous amènera nécessairement à calculer les doses à administrer en fonction des ordonnances médicales. Le médecin adapte la posologie médicamenteuse en fonction, entre autres, de l'âge, de la condition physique et de la condition clinique du client. Vous constaterez aussi que les médicaments à administrer ne sont pas toujours présentés selon la dose prescrite par le médecin et qu'à l'occasion on doit effectuer des calculs pour répondre à l'ordonnance.

Pour la préparation de doses de médicament liquide, il s'avérera presque toujours nécessaire d'effectuer des calculs. Dans ce cas, il faut d'abord vérifier la justesse du calcul et, par la suite, s'assurer d'avoir des dispositifs d'administration de médicaments qui conviennent à la dose à administrer (seringue, gobelet gradué ou autres), comme nous l'avons vu dans le chapitre 7.

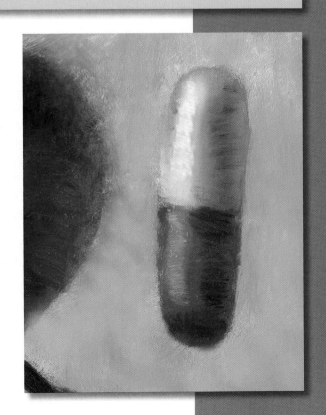

Dans le présent chapitre, nous traiterons de l'administration de médicaments par voie orale, autant pour la médication solide que pour la médication liquide. Vous apprendrez à repérer l'information précise sur l'étiquette d'un médicament. Vous serez aussi en mesure de différencier la teneur ou la concentration de la présentation d'un médicament et de la comparer avec la dose à administrer, de faire des calculs au besoin et de vous questionner sur le résultat de vos calculs, afin d'administrer les médicaments de façon sécuritaire.

8.1 Les principes guidant le choix du médicament et de sa forme pharmaceutique

Pour obtenir l'effet thérapeutique désiré, les compagnies pharmaceutiques ont élaboré différentes formes galéniques[1] adaptées à l'administration par voie orale des médicaments. Ainsi, pour l'administration orale, on trouve des formes pharmaceutiques qui permettent l'action du médicament, communément appelée le principe actif.

Lorsqu'il rédige une ordonnance, le médecin doit tenir compte de la forme pharmaceutique et des principes de pharmacocinétique, de pharmacodynamie et de demi-vie, qui jouent aussi un rôle important dans l'effet thérapeutique des médicaments.

Pour obtenir une information plus complète et scientifique concernant ces sujets, vous pouvez consulter un ouvrage général de soins infirmiers ou un ouvrage de pharmacologie.

La pharmacocinétique est un concept important que les infirmières doivent comprendre. Elle représente le devenir du médicament dans l'organisme et comprend quatre étapes, soit l'absorption, le métabolisme (ou biotransformation), la distribution et l'excrétion.

La pharmacodynamie est l'étude de l'action exercée par le médicament sur l'organisme et des modalités de cette action. Ainsi, elle sert à «examiner l'effet d'un médicament au niveau d'un organe, d'un tissu, d'un lieu ou d'un mécanisme sur lequel il influe[2]». Il est donc important que l'infirmière reconnaisse aussi cette action lorsqu'elle administre des médicaments.

L'importance de considérer la pharmacocinétique et la pharmacodynamie dans l'administration des médicaments

Pharmacocinétique

L'application des principes de pharmacocinétique permet de maximiser les effets thérapeutiques désirés des médicaments et d'en réduire les effets nocifs ou nuisibles. La réponse à un médicament est liée à sa concentration au site d'action du médicament. On peut s'assurer d'en augmenter les bienfaits lorsqu'il y a assez de médicament pour obtenir les réponses souhaitées et de ne pas trop en administrer pour éviter les effets nuisibles. Le médecin tente d'atteindre la dose souhaitée «par le choix de la voie d'administration, de la posologie et de l'horaire d'administration qui conviennent le mieux». Ainsi, l'infirmière doit posséder des connaissances suffisantes en pharmacocinétique. «En comprenant les principes qui régissent la sélection des voies et des horaires d'administration ainsi que la posologie, elle est moins susceptible de commettre des erreurs ; elle est même en mesure de discuter d'un choix de posologie, d'une voie ou d'un horaire d'administration. Si l'infirmière ignore ces principes, cela aura un effet sur la qualité et l'efficacité de ses interventions*.»

* Bruce D. CLAYTON, *Soins infirmiers : pharmacologie de base*, Montréal, Beauchemin, 2003, p. 14.

1. Aspect sous lequel se présentent les médicaments. Source : GARNIER DELAMARE, «Galénique», 2010, p. 348.
2. Bruce D. CLAYTON, 2003, p. 25.

Pharmacodynamie

« Il est nécessaire de connaître l'action des médicaments pour être en mesure de prendre des décisions sur la posologie requise, d'informer les clients et d'évaluer leur réaction bénéfique ou nocive aux médicaments. » Ainsi, si l'infirmière juge que le médicament que prend son client n'est pas adéquat, elle peut en discuter avec le médecin de façon professionnelle car elle s'appuiera sur une connaissance de la pharmacodynamie**.

** Bruce D. CLAYTON, 2003, p. 25.

Un autre élément important à considérer est la variation dans le temps de la réponse au médicament, qu'on appelle la demi-vie.

La **demi-vie sérique** correspond au temps requis par le processus de métabolisme et d'excrétion pour réduire de moitié la concentration sérique (ou concentration sanguine) du médicament. Cette demi-vie est différente pour chaque médicament et varie, entre autres, selon l'âge, la condition physique et l'état de santé ou condition clinique du client. Le médecin doit bien sûr en tenir compte lorsqu'il prescrit l'horaire d'administration d'un médicament. Par exemple, si le médicament est prescrit aux 4 heures, sa concentration sérique atteindra un plateau (une concentration sérique) par l'accumulation du médicament dans l'organisme. En effet, lorsque la quantité de médicament éliminée de l'organisme est équivalente à la dose administrée, les concentrations moyennes restent constantes et l'état stationnaire, ou plateau, ou concentration sérique, est atteint. Ce médicament aura donc un effet constant dans l'organisme durant toute la durée du traitement. Cependant, si une personne a un problème hépatique et que le médicament qu'elle prend est métabolisé dans le foie, la demi-vie du médicament sera plus longue. « Chez les personnes ayant une insuffisance hépatique ou rénale, la demi-vie peut devenir plus longue, à cause de l'incapacité du client à métaboliser (rendre inactif) ou excréter le médicament[3]. » Il faut donc prendre en considération la condition clinique du client au moment de l'administration des médicaments.

> Ces principes sont présentés dans le site Web de l'ouvrage.

Autre exemple : la demi-vie de l'acétaminophène (Tylenol) 325 mg en comprimé est de 4 heures. Après 6 demi-vies, le médicament est éliminé de l'organisme, comme vous pouvez le constater dans le tableau 8.1.

Tableau 8.1 • Exemple de la demi-vie du Tylenol en comprimés

Temps (heures)	Demi-vie	Quantité de médicament dans l'organisme
0	–	325 mg (100 %)
4	1	162 mg (50 %)
8	2	81 mg (25 %)
12	3	41 mg (12,5 %)
16	4	20 mg (6,25 %)
20	5	10 mg (3,12 %)

3. Bruce D. CLAYTON, 2003, p. 23.

ACTIVITÉ 8.1

Vous avez à administrer du lorazepam (Ativan) 1 mg à votre cliente à 22 : 00. La demi-vie de ce médicament est d'environ 10 heures.

a) Complétez le tableau des demi-vies du médicament :

Temps (heures)	Demi-vie	Quantité de médicament dans l'organisme	Heure réelle
0	–		22 : 00
	1		
	2		
	3		
	4		
	5		
	6	Négligeable	

b) Mme Martin a un problème hépatique. Sachant que le lorazepam (Ativan) est fortement métabolisé dans le foie, quelle est la conséquence de la prise de ce médicament ?

_____

c) Le lendemain matin, Mme Martin dit qu'elle se sent très fatiguée et endormie malgré le fait qu'elle a bien dormi durant la nuit. Donnez une explication de l'information que la cliente vient de vous communiquer en fonction de son état de santé et de la demi-vie du médicament.

_____

8.2 Les formes pharmaceutiques de médicaments solides

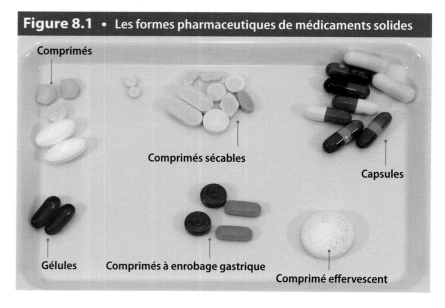

Figure 8.1 • Les formes pharmaceutiques de médicaments solides

Comprimés

Comprimés sécables

Capsules

Gélules

Comprimés à enrobage gastrique

Comprimé effervescent

Les compagnies pharmaceutiques ont mis sur le marché différentes formes de médicaments solides en fonction, entre autres, de leurs effets, de leur début d'action, de leur durée d'action et de leur efficacité (*voir la figure 8.1*). On trouve principalement des capsules, des gélules, des comprimés entérosolubles (enrobage gastrique), des comprimés et des capsules ou comprimés appelés «formes retards».

Les comprimés ou gélules

Ces comprimés ont généralement un début d'action plus rapide, car ils commencent à être absorbés au niveau de l'estomac.

Les comprimés peuvent être sécables ou non selon les fabricants. Il est important de suivre les recommandations du fabricant avant de couper un médicament. Lorsque les comprimés sont sécables, il y a des rainures permettant de couper ceux-ci, ce qui permet d'administrer la dose requise avec le plus de précision possible.

On peut diviser les comprimés sécables à l'aide d'un coupe-pilule, mais on ne peut diviser les comprimés non sécables tels que les capsules ou les gélules (voir la figure 8.2).

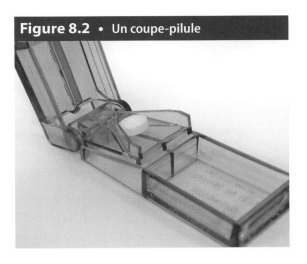

Figure 8.2 • Un coupe-pilule

Les comprimés entérosolubles

Les comprimés entérosolubles sont recouverts d'un revêtement gastrorésistant. Ils résistent donc à l'acidité gastrique. Ces médicaments ne commencent pas à se dissoudre au niveau de l'estomac comme les médicaments réguliers, mais ils sont absorbés au niveau du duodénum. Leur début d'action est un peu plus long que les comprimés réguliers, dont l'absorption se fait au niveau de l'estomac. L'avantage de cet enrobage est qu'il diminue les douleurs épigastriques.

Les capsules

On trouve aussi des médicaments sous forme de capsules. Ces capsules se désagrègent au niveau de l'estomac pour libérer la poudre, les granules ou le liquide qu'elles contiennent. D'ordinaire, ces capsules ne doivent pas être ouvertes (pour en faciliter la prise, par exemple) car la poudre, les granules ou le liquide qu'elles contiennent peuvent, par exemple, laisser un goût très désagréable dans la bouche ou être irritants pour les yeux. Cependant, on ne doit pas généraliser et dire qu'il ne faut jamais ouvrir les médicaments en capsules. Ainsi, pour l'administration pédiatrique ou gériatrique, on peut ouvrir certains médicaments en capsules afin d'en faciliter l'administration. Il faut bien lire les recommandations des compagnies pharmaceutiques ou du pharmacien avant de décider d'ouvrir les capsules. Dans cette situation, il faut comprendre qu'on administre tout le contenu de la capsule. **Pédiatrie**

Les capsules sont évidemment non sécables, c'est-à-dire qu'il n'est pas possible d'administrer une demi-capsule, car on ne peut diviser le contenu de ces capsules et avoir l'assurance que la dose à administrer est exacte.

Considérations particulières pour une administration pédiatrique ou gériatrique

Lorsqu'on administre à un enfant un médicament solide (en comprimé, en capsule ou autre), il faut toujours regarder dans sa bouche après l'administration afin de s'assurer qu'il a avalé le médicament. Dans de nombreux cas, on peut broyer la médication et l'incorporer dans la nourriture (compote de pommes, crème glacée, etc.) au goût de l'enfant, si sa condition le permet et si le médicament peut être broyé, bien entendu. **Pédiatrie**

Dans certains cas, on peut procéder de la même manière avec la clientèle gériatrique. Il faut toujours faire une évaluation juste de la condition de la personne. En effet, ce ne sont pas toutes les personnes âgées qui auront à prendre leurs médicaments de cette façon.

Les médicaments sous forme retard

En fonction de la vitesse d'absorption du médicament, le médecin privilégiera certains médicaments « **retards** » ou médicaments à **action prolongée**. La vitesse d'absorption de ces médicaments est ralentie ou prolongée, ce qui procure une libération et une absorption plus longues du médicament dans l'organisme. Ainsi, sous cette présentation, la durée d'action du médicament se situe souvent entre 12 et 24 heures. Cette forme pharmaceutique permet de diminuer le nombre de prises du médicament par jour (habituellement une ou deux). Cela garantit une fidélité accrue au traitement de la part des clients. Ces derniers ne prendront habituellement qu'un comprimé quotidien au lieu de trois ou quatre. Ces médicaments retards se présentent soit en capsules, soit en comprimés.

On trouve au moins cinq présentations de formes retards de médicaments. Il s'agit souvent de capsules dont l'intérieur est rempli de granules. On peut reconnaître ces médicaments principalement par leur appellation. Le médicament a une forme retard lorsque son nom commercial est suivi d'un acronyme ou d'une abréviation. Ainsi, on trouvera les abréviations suivantes :

> CD : libération contrôlée (*controlled delivery*). Exemple : Cardizem CD.
>
> LA : longue action (*long action*). Exemple : Inderal LA.
>
> SR : libération continue (*sustained release*). Exemple : Voltaren SR.
>
> CR : libération contrôlée (*controlled release*). Exemple : Flomax CR.
>
> XL : action très prolongée (*extreme long action*). Exemple : Adalat XL.

Il faut s'assurer que le médicament prescrit dans sa forme retard est suivi de l'abréviation. Si elle n'apparaît pas sur l'étiquette de la médication, on doit effectuer une vérification auprès du pharmacien.

Attention !

Les comprimés à libération contrôlée, à libération prolongée ou à enrobage gastrique ne doivent pas être croqués ni broyés, sinon il y aura une modification de la dose, une modification de la vitesse d'absorption ou un risque d'irritation gastrique.

8.3 Les formes pharmaceutiques de médicaments liquides

Les médicaments sous forme liquide ont un début d'action plus rapide que les médicaments sous forme solide, car ils sont absorbés directement au niveau de l'estomac.

> Voir le chapitre 1, tableau 1.1.

Les médicaments liquides pour administration par voie orale existent sous les différentes formes suivantes :

- Une **solution** est un liquide contenant un solide dissous ou encore un solide qui peut se présenter en granules ou en poudre qui se dissout habituellement dans l'eau.

- Une **émulsion** consiste en une préparation d'apparence laiteuse ayant en suspension une substance huileuse. C'est le cas de l'huile de ricin.

- Une **suspension** est une substance constituée de minuscules particules solides contenues dans un liquide. Ainsi, certains antibiotiques liquides existent sous cette forme. Lorsqu'on administre un médicament en suspension, on doit se souvenir qu'il peut être insoluble dans un liquide. Par conséquent, lorsqu'il est au repos depuis un certain temps, il se dépose au fond du flacon. Il faut alors bien agiter le médicament en suspension avant de le verser et l'administrer immédiatement après afin d'éviter la formation d'un dépôt.

- Un **sirop** (ou élixir) est une préparation médicamenteuse diluée dans une solution concentrée de sucre et pouvant contenir un aromatisant qui lui donnera un goût agréable.

Dans certaines situations, il faut reconstituer le médicament avant d'effectuer le calcul. Ces médicaments sont présentés sous forme de poudre ou de cristaux et il faut les diluer dans une certaine quantité de solvant. La façon d'effectuer les dilutions est traitée dans le chapitre 10.

8.4 Les principes généraux de l'administration des médicaments par voie orale

La médication doit être prescrite par le médecin. C'est évidemment lui qui décide, en fonction entre autres des considérations de pharmacocinétique, de pharmacodynamie et de demi-vie, de prescrire le meilleur médicament, avec le meilleur dosage, la meilleure voie d'administration et le meilleur horaire. Aussi, selon le client, le médecin décidera de la forme pharmaceutique du médicament. Par exemple, pour un enfant, il pourra privilégier la forme liquide à la forme solide. Quant à l'horaire d'administration du médicament, il faut considérer en plus certaines autres conditions susceptibles de faire varier la quantité de médicament absorbée et, par le fait même, son efficacité. Ainsi, la prise d'un médicament à jeun accélère son absorption. Par contre, la présence d'aliments dans l'estomac en retarde l'élimination, diminuant ainsi la vitesse d'absorption du médicament. Cela peut en retarder l'effet, sans nécessairement en diminuer l'efficacité.

Dans le cas de certains médicaments, il peut être recommandé de les prendre à jeun, c'est-à-dire une heure avant le repas ou au moins deux heures après le repas. D'autres médicaments, comme l'acide acétylsalicylique et les anti-inflammatoires, doivent préférablement être pris en mangeant ; cela permet, entre autres, de réduire l'irritation gastrique qu'ils sont susceptibles de causer, ou tout simplement de rendre les clients plus fidèles au traitement. En effet, il est plus facile pour les clients de penser à prendre leurs médicaments au moment du repas. Par ailleurs, certains aliments tels que le jus de pamplemousse peuvent entraver le métabolisme de médicaments comme certains antihypertenseurs ou hypocholestérolémiants, car ils augmentent la concentration sanguine (taux sérique). L'effet du médicament est alors augmenté.

> Voir à ce sujet le document sur la pharmacocinétique, dans le site Web de l'ouvrage.

Attention !

Lorsque l'ordonnance précise qu'il faut administrer le médicament avec des aliments, à jeun ou selon toute autre indication, il faut respecter ces prescriptions pour que l'administration soit adéquate. Si l'ordonnance n'apporte aucune précision de ce genre et que l'on a un doute, il est préférable de faire une recherche dans un volume de référence ou de consulter le pharmacien du centre hospitalier pour connaître l'horaire d'administration.

Il est également important que l'infirmière applique certains principes de base au cours de l'administration des médicaments par voie orale. L'encadré suivant présente certains de ces principes de base à respecter pour une administration sécuritaire.

Les principes de base à respecter au cours de l'administration de médicaments par voie orale

- S'assurer que l'ordonnance est valide.

- S'assurer de l'identité du client en vérifiant son bracelet avant l'administration du médicament.

- S'assurer que le client n'est pas allergique au médicament à administrer.

- Ne pas utiliser de médicament provenant d'un contenant mal étiqueté ou dont l'étiquette est difficile à lire.

- Toujours vérifier la date de péremption d'un médicament et sa condition avant de le préparer, à plus forte raison s'il a une couleur suspecte ou s'il contient des particules. Dans ce cas, ne pas l'administrer et aviser le pharmacien.

- Ne pas administrer de médicaments préparés par une autre personne.

- Ne jamais administrer un médicament par voie orale chez un client qui est très somnolent ou inconscient; appeler alors le médecin afin de lui expliquer la situation et valider avec lui s'il peut modifier la voie d'administration du médicament ou changer son ordonnance.

- S'assurer par la double identification que le médicament est donné au bon client (*voir le chapitre 2*).

- Au cours de l'administration, demeurer avec le client afin de s'assurer que le médicament est avalé.

- Ne pas diluer un médicament liquide à moins d'indication contraire de la part du médecin ou du pharmacien.

- Enregistrer au dossier la médication administrée.

- Vérifier les effets attendus et les effets secondaires de la médication.

ACTIVITÉ 8.2

Encerclez la bonne réponse :

a)	Tous les médicaments en comprimés peuvent être croqués avant d'être avalés.	Vrai	Faux
b)	Chez un client très somnolent, avant d'administrer un médicament, le mettre en position Fowler haute.	Vrai	Faux
c)	Dans certains cas, il est possible de prendre un médicament en mangeant pour en diminuer certains effets secondaires.	Vrai	Faux
d)	On peut prendre un médicament une heure avant l'heure d'administration prévue pour en obtenir un effet maximal.	Vrai	Faux
e)	Le jus de pamplemousse peut diminuer l'action de certains médicaments.	Vrai	Faux
f)	Le client est généralement plus fidèle à son traitement lorsqu'il prend son médicament en mangeant.	Vrai	Faux
g)	Les médicaments à enrobage gastrique ont une vitesse d'absorption plus rapide.	Vrai	Faux
h)	L'infirmière peut décider de la forme pharmaceutique du médicament.	Vrai	Faux

8.5 Le calcul d'une dose

Avant d'administrer un médicament, on doit lire attentivement l'ordonnance rédigée par le médecin. On y trouve le nom du médicament, indiqué soit par son appellation générique ou par son nom commercial, sa teneur ou sa concentration, la dose prescrite et la fréquence d'administration. Il peut arriver qu'on ait en main un médicament d'une teneur différente de la dose prescrite par le médecin. Il faudra alors calculer la dose à administrer en utilisant les règles des proportions.

> Les règles de proportion sont vues au chapitre 4.

Il est bon de se rappeler que dans le cas d'une **médication solide**, on n'administre généralement pas plus d'**un à trois comprimés** à la fois. Ainsi, il faut se questionner si la préparation de la dose nécessite plus de trois comprimés. Il est important, à ce moment, de vérifier si une erreur s'est glissée dans l'ordonnance (dans le dosage à administrer), durant la transcription de l'ordonnance ou lors du calcul de la dose à administrer. Exceptionnellement, un dosage peut excéder trois comprimés, ou encore une médication peut requérir des doses décroissantes, comme c'est fréquemment le cas de la cortisone (anti-inflammatoire stéroïdien). À l'occasion, afin de se conformer à l'ordonnance médicale, on peut administrer moins d'un comprimé, mais seulement si le comprimé est sécable.

Attention !

Il ne faut jamais oublier que légalement, l'infirmière est entièrement responsable des médicaments qu'elle administre. Elle devra donc rendre compte de toute administration d'une mauvaise dose de médicament à un client. Pour éviter les erreurs, elle doit effectuer les 5 à 7 «bons» principes d'administration.

Si les comprimés sont sécables, il se peut que l'on doive effectuer un calcul afin d'administrer la dose prescrite. Cette section traite de ces calculs et propose des activités pour mieux les maîtriser.

EXEMPLE 8.1

Référez-vous à l'étiquette de Pepcid AC. Tenez pour acquis que les comprimés sont sécables.

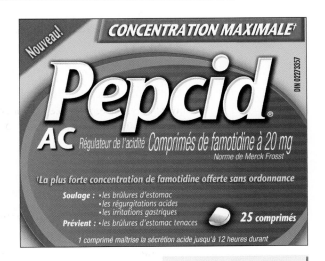

a) Quelle est la teneur de ce médicament ?

Réponse : 1 comprimé = 20 mg

b) Pour observer une ordonnance de 20 mg, combien de comprimés faut-il administrer ?

20 mg = 1 co

Réponse : 1 comprimé

c) Pour observer une ordonnance de 30 mg, combien de comprimés faut-il administrer ?

20 mg = 1 co

30 mg = x co

En faisant les produits croisés, on obtient :

$30 \times 1 \div 20 = 1{,}5$ comprimé

Réponse : 1,5 comprimé

> Si vous préférez effectuer les calculs à l'aide des produits des extrêmes et des moyens, et que vous voulez revoir la théorie, consultez le chapitre 4.

Dans les préparations présentées sous forme solide, chaque comprimé contient une quantité de médicament. Cette quantité est appelée teneur lorsqu'on parle de médicament solide (par exemple, 250 mg/co).

ACTIVITÉ 8.3

Dans l'activité suivante, tenez pour acquis que les comprimés sont sécables. Examinez l'étiquette de Prostin E$_2$ et répondez aux questions suivantes :

a) Quelle est la teneur de ce médicament ?

_____

b) Pour observer une ordonnance de 0,25 mg, combien de comprimés faut-il administrer ? _____

c) Vous suivez l'ordonnance de 1 mg en administrant _____ comprimé(s).

d) Si vous avez une ordonnance de 0,75 mg, combien de comprimés administrerez-vous ? _____

Dans les préparations liquides, la quantité de médicament est appelée concentration, ce qui signifie que le médicament est contenu dans un volume ou une quantité de solution mesuré la plupart du temps en millilitres (par exemple, 250 mg/5 ml). Par conséquent, pour administrer des médicaments sous forme liquide, il faut aussi effectuer des calculs qui sont un peu plus complexes que pour la médication solide.

EXEMPLE 8.2

Référez-vous à cette étiquette de Tylenol pour nourrissons.

a) Quelle est la concentration de ce médicament ?
Réponse : 80 mg = 1 ml

b) Pour observer une ordonnance de 60 mg, combien de millilitres faut-il administrer ?

80 mg = 1 ml

60 mg = x ml

En effectuant les produits croisés, on obtient :

60 mg × 1 ml ÷ 80 mg = x ml

60 ÷ 80 = 0,75 ml

Réponse : 0,75 ml

> Souvenez-vous que pour noter les quantités inférieures à 1 ml, il faut mettre un 0 avant la virgule des décimales afin d'éviter toute confusion et de ne pas faire l'erreur de lire 75 ml, mais bien 0,75 ml.

Il faut donc préparer 0,75 ml de Tylenol pour en administrer 60 mg. Étant donné que cette dose est inférieure à 1 ml, on devra préparer la dose avec une seringue de 1 ml. Cette dernière étant graduée au centième de millilitre, on peut calculer la quantité la plus précise selon notre unité de mesure.

Au besoin, retournez au chapitre 7, où les dispositifs de mesure de médicaments sont expliqués.

La conversion des unités de mesure

Au cours de la préparation de médicaments, il peut arriver que le médicament disponible à la pharmacie du centre hospitalier ne soit pas présenté avec la même unité de mesure que l'ordonnance médicale. Il faut alors exécuter la conversion dans une même unité de mesure avant d'effectuer le calcul du nombre de comprimés ou de millilitres requis. Les conversions d'une unité de mesure à l'autre sont très fréquentes. Par exemple, on convertit des grammes en milligrammes ou des milligrammes en microgrammes.

Habituellement, on convertit l'unité de mesure prescrite dans l'unité de mesure du médicament disponible, mais l'inverse peut aussi se faire. Par exemple, le médecin a prescrit l'administration de 250 mg d'un médicament dont la présentation est de 0,5 g/co. On peut décider de convertir les grammes (unité de mesure disponible) en milligrammes (unité de mesure prescrite) afin d'avoir des décimales. Cependant, on peut aussi faire l'inverse, soit convertir les milligrammes en grammes. Choisissez le calcul qui vous paraît le plus simple à effectuer.

> Pour revoir ces conversions, consultez le chapitre 5.

ACTIVITÉ 8.4

En vous référant à l'étiquette de l'activité 8.3, calculez les dosages suivants :

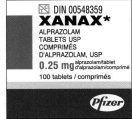

a) Prostin E₂ 1 000 mcg   Il faut _____ comprimé(s).

b) Prostin E₂ 250 mcg   Il faut _____ comprimé(s).

En vous référant à l'étiquette de Xanax, calculez les dosages suivants :

c) Xanax 500 mcg   Il faut _____ comprimé(s).

d) Xanax 125 mcg   Il faut _____ comprimé(s).

ACTIVITÉ 8.5

Reportez-vous à l'étiquette qui convient le mieux à chacune des ordonnances suivantes et indiquez le nombre de comprimés qu'il faut administrer ainsi que la teneur du médicament de l'étiquette choisie. Présumez que tous ces comprimés sont sécables.

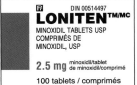
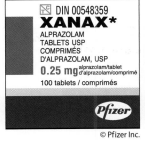

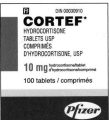
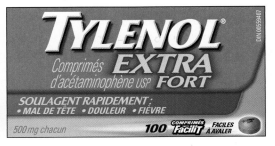

L'ordonnance vous demande d'administrer :

a) Tylenol 650 mg   _____

b) Hydrocortisone 25 mg   _____

c) Loniten 1,25 mg   _____

d) Loniten 3,75 mg   _____

e) Xanax 250 mcg   _____

f) Acétaminophène 160 mg   _____

g) Tylenol 750 mg   _____

h) Xanax 0,375 mg   _____

i) Xanax 0,0625 mg   _____

j) Hydrocortisone 7,5 mg   _____

ACTIVITÉ 8.6

Reportez-vous à l'étiquette qui convient le mieux à chacune des ordonnances suivantes. Indiquez le nombre de millilitres à administrer selon la teneur du médicament de l'étiquette choisie. Arrondissez au centième si la quantité à administrer est inférieure à 1 ml et au dixième si la quantité est supérieure à 1 ml.

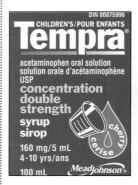

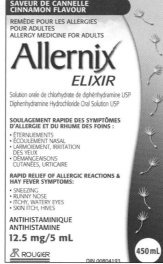
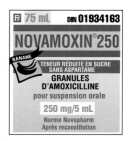

L'ordonnance vous demande d'administrer :

a) Tylenol 240 mg _____ ml

b) Allernix 8 mg _____ ml

c) Tempra 35 mg _____ ml

d) Allernix 20 mg _____ ml

e) Tylenol 120 mg _____ ml

f) Tempra 45 mg _____ ml

g) Novamoxin 90 mg _____ ml

h) Novamoxin 300 mg _____ ml

i) Tylenol 50 mg _____ ml

j) Novamoxin 450 mg _____ ml

k) Novamoxin 325 mg _____ ml

l) Tempra 275 mg _____ ml

Notions essentielles à retenir

- Les compagnies pharmaceutiques ont élaboré différentes formes galéniques adaptées à la voie d'administration orale des médicaments.

- Pour une administration plus sécuritaire, lorsque l'ordonnance précise qu'il faut administrer le médicament avec des aliments, à jeun ou toute autre indication, il faut respecter ces prescriptions. Dans le doute concernant l'administration, on consultera le pharmacien.

- Certaines conditions peuvent faire varier l'effet du médicament absorbé et son efficacité :
  - La prise d'un médicament à jeun accélère son absorption.
  - La présence d'aliments dans l'estomac prolonge l'élimination du médicament et diminue la vitesse de son absorption. Cela peut en retarder l'effet, sans nécessairement en diminuer l'efficacité.

- Pour certains médicaments, il peut être recommandé de les prendre à jeun, c'est-à-dire une heure avant le repas ou deux heures après le repas. Pour d'autres médicaments, il est préférable de les prendre en mangeant pour diminuer l'irritation gastrique ou tout simplement parce que cela permet aux clients d'être plus fidèles à leur traitement.

- Certains aliments peuvent modifier le métabolisme des médicaments. Par exemple, le jus de pamplemousse peut entraver le métabolisme de plusieurs médicaments, ce qui augmente alors les taux sanguins de ces médicaments et leur effet dans l'organisme.

- La dose ou posologie de la plupart des médicaments solides varie habituellement de un à trois comprimés ou capsules. Si le dosage excède trois comprimés pour un même médicament, il faut s'interroger.

- Pour la médication solide ou liquide, il peut être nécessaire d'effectuer des calculs en fonction de l'ordonnance médicale. À ce moment, on calcule à l'aide des proportions.

- Pour le calcul des doses, il faut s'assurer d'effectuer la conversion dans une même unité de mesure avant d'effectuer le calcul.

Exercices de révision

1. Reportez-vous à l'étiquette qui convient à chacune des ordonnances suivantes et indiquez le nombre de comprimés ou de capsules qu'il faut administrer. Présumez que tous les comprimés sont sécables et arrondissez lorsque cela est nécessaire.

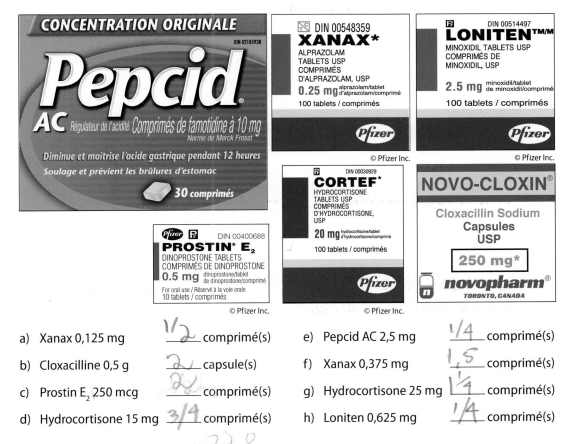

a) Xanax 0,125 mg _1/2_ comprimé(s)

b) Cloxacilline 0,5 g _2_ capsule(s)

c) Prostin E₂ 250 mcg _2_ comprimé(s)

d) Hydrocortisone 15 mg _3/4_ comprimé(s)

e) Pepcid AC 2,5 mg _1/4_ comprimé(s)

f) Xanax 0,375 mg _1,5_ comprimé(s)

g) Hydrocortisone 25 mg _1 1/4_ comprimé(s)

h) Loniten 0,625 mg _1/4_ comprimé(s)

2. Reportez-vous à l'étiquette qui convient à chacune des ordonnances suivantes et indiquez le nombre de comprimés, de capsules ou de millilitres qu'il faut administrer. Arrondissez s'il y a lieu.

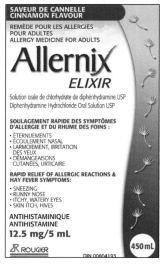

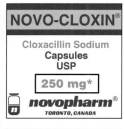
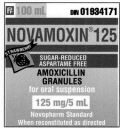

a) Tylenol 120 mg _____1,5 mL_____ (administration pour nourrissons)

b) Novamoxin 30 mg _____1,2 mL_____

c) Novamoxin 90 mg _____3,6 mL_____

d) Tylenol 240 mg _____7,5 mL_____ (administration pour enfants)

e) Tylenol 180 mg _____5,625 mL_____ (administration pour enfants)

f) Allernix 7 mg _____2,8 mL_____

g) Novo-Cloxin 500 mg _____2 cap._____

h) Novamoxin 150 mg _____6 mL_____

i) Allernix 4 mg _____1,6 mL_____

3. Vous devez administrer un médicament à M. Gauthier. Sur l'étiquette, il est précisé d'administrer le médicament à jeun. M. Gauthier vous demande pourquoi il ne peut prendre sa médication en mangeant. Que lui répondez-vous ?

Certains aliments peuvent entraver le métabolisme des médicaments.

4. M. Poulin doit prendre sa médication antihypertensive avec son déjeuner. Dans son plateau, on trouve un café, des rôties, de la confiture de fraises, une demi-banane et un jus de pamplemousse. En relation avec la médication, permettez-vous à M. Poulin de prendre tous les aliments que contient son plateau ? Justifiez votre réponse.

pamplemousse → aug effet du méd aug conc sang

5. Mᵐᵉ Gendron refuse de prendre son médicament en mangeant comme il est précisé sur la recommandation du pharmacien. Elle vous dit que les aliments diminuent l'efficacité de sa médication analgésique. Que lui répondez-vous ?

Les aliments permettent de réduire l'irritat° gastrique

Chapitre 9

L'administration de médicaments par voie parentérale

À la fin de ce chapitre, vous serez en mesure :

- de reconnaître les présentations des médicaments dédiés à la voie parentérale ;
- de distinguer, sur leurs étiquettes, les renseignements nécessaires à la préparation et aux calculs des doses à administrer en fonction de l'ordonnance médicale ;
- de reconnaître, sur les étiquettes, d'autres unités de mesure des médicaments ;
- de calculer les doses selon les mesures du système international (SI) à l'aide de calculs de proportions ;
- d'expliquer les éléments à considérer dans la préparation des seringues en fonction des volumes de médicaments à administrer et des divers sites d'injection ;
- de choisir la seringue adéquate en fonction de la quantité de médicament à administrer ;
- de calculer les doses selon les mesures du SI à l'aide d'une formule simplifiée ;
- de préparer deux médicaments dans la même seringue.

Introduction

Ce chapitre prépare l'étudiante à lire les étiquettes des médicaments destinés à l'administration par voie parentérale, en fonction d'une ordonnance médicale. Les calculs prendront une place importante dans ce chapitre, tout comme le choix du matériel servant à préparer la médication prescrite. De plus, les exercices et les activités proposés aideront la future infirmière à acquérir un jugement clinique. Elle apprendra à mettre en relation la dose de médicament à administrer, la condition clinique de son client, le choix du site d'administration du médicament en fonction de la voie prescrite et la sélection du matériel adéquat pour son administration.

L'administration d'un médicament est dite parentérale lorsque celui-ci est introduit par une voie autre que la voie digestive. Dans la pratique, on utilise ce terme principalement pour les injections sous-cutanée, intramusculaire, intraveineuse et intradermique. Dans ce volume, le terme « parentéral » sera considéré pour les injections seulement.

9.1 Les présentations des médicaments dédiés à la voie parentérale

Les médicaments administrés par voie parentérale sont offerts sous diverses présentations. Comme le montre la figure 9.1, on trouve des ampoules, des fioles, ainsi que des seringues à dose unique, communément appelées « seringues monodoses » ou « unidoses ». D'autres présentations peuvent aussi être mises au point par les fabricants.

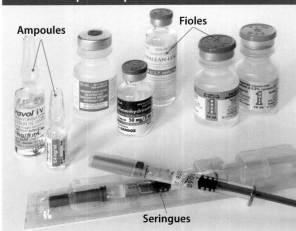

Figure 9.1 • Les présentations de médicaments administrés par voie parentérale

Ampoules
Fioles
Seringues

La médication présentée dans une **ampoule** est habituellement destinée à l'administration d'une dose unique. Ainsi, lorsque le contenu de l'ampoule n'est pas entièrement utilisé, l'infirmière doit détruire la quantité restante, car, une fois l'ampoule cassée, la stérilité du médicament ne peut être préservée puisque le médicament est en contact avec l'air. Le médicament restant dans l'ampoule est donc considéré comme contaminé. On ne peut préparer la médication d'une ampoule à l'avance, car la stabilité du médicament pourrait être compromise.

On trouve aussi d'autres présentations de médicaments telles que les **fioles**. Dans les milieux cliniques, on entend souvent le terme anglais *vial* pour désigner une fiole. Les fioles peuvent être à **usage unique**, mais elles peuvent aussi être utilisées pour des **doses multiples**, c'est-à-dire qu'il est possible de préparer plusieurs doses avec la même fiole. Une **fiole unidose** ne contient généralement pas d'agent de conservation. On utilise donc son contenu dès l'ouverture et l'on jette la fiole par la suite même s'il y reste du médicament.

Une **fiole multidose** ou à doses multiples peut être employée sur une période plus longue, car le fabricant y a ajouté un agent de conservation. Le temps de stabilité du médicament est déterminé par le fabricant. Cependant, une fois le médicament préparé dans une seringue, sa stabilité n'est plus la même que dans la fiole. C'est pourquoi la seringue devrait être utilisée dans un court délai après sa préparation.

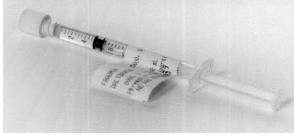

Figure 9.2 • Une seringue préparée par le département de pharmacie d'un centre hospitalier

Les compagnies pharmaceutiques, de même que les services de pharmacie des centres hospitaliers, préparent maintenant plusieurs médicaments dans des seringues prêtes pour l'utilisation (*voir la figure 9.2*). Les médicaments préparés dans ces seringues sont évidemment des doses uniques. L'infirmière doit s'assurer de l'exactitude de la dose à administrer en fonction de l'ordonnance médicale et vérifier la période d'utilisation ou la date limite d'utilisation de la seringue, qui est normalement précisée sur l'étiquette accolée à la seringue par le département de pharmacie.

Rappelons que **l'infirmière est responsable de la médication qu'elle administre** même lorsqu'elle est prête pour l'utilisation.

9.2 La lecture des étiquettes

Nous verrons ici certaines considérations supplémentaires touchant les étiquettes de médicaments devant être injectés par voie parentérale. Toutefois, vous pouvez retourner au besoin au chapitre 6 pour y relire l'information générale concernant la lecture des étiquettes.

Comme on peut le voir dans la figure 9.3, l'étiquette de Depo-Medrol est petite. C'est souvent le cas des étiquettes ou des indications inscrites sur les fioles. Les indications sont encore plus difficiles à lire sur les ampoules, car ces dernières sont d'un format encore plus petit (*voir la figure 9.1*). Il faut donc redoubler de vigilance lorsqu'on en fait la lecture.

Sur l'étiquette de Depo-Medrol, on remarque que la concentration du médicament est exprimée en fonction du système international. Ce médicament a une concentration de 20 mg/ml, la quantité de la fiole (5 ml) est multidose et on ne peut l'administrer ni par voie intraveineuse ni par voie intrathécal.

Figure 9.3 • Exemple d'étiquette utilisée pour identifier une fiole

Voie d'administration

NOT for I.V. or INTRATHECAL use
Benzyl alcohol formula
DIN 01934325
DEPO-MEDROL™
METHYLPREDNISOLONE ACETATE
INJECTABLE SUSPENSION USP
20 mg/mL methylprednisolone acetate
MULTI-DOSE VIAL
Sterile Aqueous Suspension   5 mL
02100-05-0
0274-01-005
Pfizer Canada Inc.
Kirkland, Quebec
H9J 2M5

© Pfizer Inc.

Concentration
Quantité de la fiole
Multidoses : peut contenir plusieurs doses

Lorsque l'infirmière examine les fioles ou les ampoules, elle doit s'assurer que la médication contenue dans la fiole ou l'ampoule correspond à la voie d'administration prescrite par le médecin. Il est important de tenir compte de toutes ces précisions afin d'éviter de faire des erreurs.

9.3 La présentation des médicaments selon des unités de mesure autres que celles du SI

Les solutions des médicaments administrés par voie parentérale sont disponibles en diverses concentrations et peuvent être mesurées de plusieurs façons : en pourcentage, à l'aide d'un rapport ou en unités. La lecture des étiquettes se fait donc différemment selon les unités de mesure des médicaments.

Le dosage des solutions en pourcentage

La concentration d'une solution exprimée en pourcentage équivaut au nombre de grammes d'une substance présente dans une certaine quantité de solution. Généralement, la concentration est aussi indiquée en mesure du SI. Prenons l'exemple d'un médicament tel que la lidocaïne, un anesthésique local. Ce médicament est dosé en pourcentage (1 % ou 2 %). Sa concentration est aussi exprimée en mesure du SI : 10 mg/ml (pour le 1 %) et 20 mg/ml (pour le 2 %). Vous pourriez devoir préparer x ml de lidocaïne à 1 % : il faut alors considérer le nombre de millilitres prescrit. À ce moment, il n'y a pas de calcul à effectuer ; il suffit de choisir la fiole avec le pourcentage de médicament demandé.

> Référez-vous au chapitre 3 si vous avez oublié le calcul des pourcentages.

ACTIVITÉ 9.1

Relisez les données sur la lidocaïne et répondez aux questions suivantes :

a) Quelle peut être la concentration de lidocaïne en pourcentage ? _____

b) Combien y a-t-il de milligrammes de lidocaïne par millilitre ? _____

c) Pour administrer 25 mg de lidocaïne, quelle quantité de millilitres faut-il préparer ? _____

Le dosage des solutions à l'aide d'un rapport

Il est peu fréquent de voir la concentration d'une solution exprimée par un rapport. Lorsqu'une ordonnance est exprimée par un rapport, elle indique nécessairement le nombre de millilitres à administrer. Sur l'étiquette apparaît la conversion en SI. Il faut s'y référer.

EXEMPLE 9.1

Examinez l'étiquette d'épinéphrine. Remarquez que la concentration de la solution d'épinéphrine est de 1 : 10 000 dans une fiole ou de 1 mg/10 ml. On veut calculer le volume qu'il faut prélever pour administrer 0,15 mg d'épinéphrine.

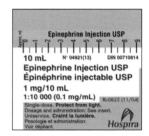

Calcul à l'aide des proportions :

Produit des extrêmes et des moyens

$1 \text{ mg} : 10 \text{ ml} = 0,15 \text{ mg} : x \text{ ml}$ ou

Produits croisés

ou encore $\dfrac{1 \text{ mg}}{10 \text{ ml}} = \dfrac{0,15 \text{ mg}}{x \text{ ml}}$

$$1 \text{ mg} \times x \text{ ml} = 10 \text{ ml} \times 0,15 \text{ mg}$$

$$x \text{ ml} = 10 \text{ ml} \times \frac{0,15 \text{ mg}}{1 \text{ mg}}$$

$$x = 1,5 \text{ ml}$$

Réponse : Le volume à prélever pour administrer 0,15 mg de ce médicament est de 1,5 ml de solution.

Le dosage des solutions en unités

Les abréviations U et UI ne sont plus recommandées car elles entraînent un risque d'erreur de lecture.

Les unités servent à mesurer l'action de nombreux médicaments, comme celle de l'insuline et de l'héparine, qui sont des médicaments très souvent utilisés. On écrit la quantité en chiffres arabes, suivie du terme « unité » ou « unité internationale ».

ACTIVITÉ 9.2

À l'aide des étiquettes d'héparine, répondez aux questions suivantes :

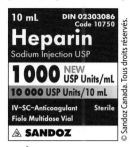

Étiquette numéro 1

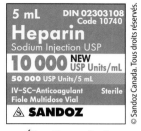

Étiquette numéro 2

a) Quelle est la concentration de la solution d'héparine sur l'étiquette numéro 1 ? _____

b) Pour administrer 7 500 unités d'héparine par voie sous-cutanée, quelle concentration (étiquette numéro 1 ou étiquette numéro 2) est-il préférable d'utiliser ? _____

   Combien de millilitres préparerez-vous ? _____

c) Pour administrer 2 500 unités d'héparine par voie intraveineuse, quelle préparation (étiquette numéro 1 ou étiquette numéro 2) utiliserez-vous ? _____

   Combien de millilitres préparerez-vous ? _____

d) Si vous prélevez 0,5 ml de solution avec l'héparine de l'étiquette numéro 2, combien d'unités préparerez-vous ? _____

e) Selon l'étiquette numéro 1, combien de millilitres faut-il prélever pour administrer 750 unités d'héparine ?

   _____

f) Si vous prélevez 0,45 ml de la solution d'héparine portant l'étiquette numéro 2, combien d'unités préparerez-vous ? _____

9.4 Le calcul de doses prescrites en fonction du système international

Reportez-vous à la figure 9.4. On y lit que la concentration du médicament contenu dans la fiole de Depo-Medrol est de 20 mg/ml. Avec ce médicament, le calcul des doses est assez simple. Par exemple, si l'ordonnance indique qu'il faut administrer 40 mg de médicament, vous en injecterez 2 ml ; pour administrer 20 mg, vous injecterez 1 ml ; pour administrer 30 mg, vous injecterez 1,5 ml. La fiole en entier contient 100 mg ou 5 ml ; elle comprend donc plusieurs doses : c'est une fiole multidose.

La concentration de la solution de Dexamethasone illustrée ci-contre est de 4 mg/ml. Sur cette étiquette, la concentration indiquée sous le nom du médicament représente la concentration de médicament contenue dans 1 ml et, juste à côté, on trouve la concentration totale de la fiole, soit 20 mg/5 ml. Notez qu'il arrive parfois que la concentration par millilitre n'apparaisse pas sur l'étiquette. De plus, en haut et à gauche de cette étiquette, on y lit la quantité totale de la fiole, qui est de 5 ml.

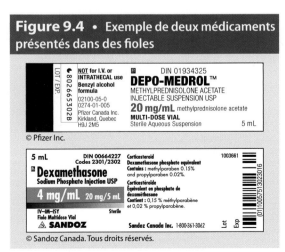

Figure 9.4 • Exemple de deux médicaments présentés dans des fioles

EXEMPLE 9.2

Si l'ordonnance indique d'administrer 3 mg de Dexamethasone, le calcul de la dose est simple. Il suffit d'établir la proportion et de faire le calcul à l'aide du produit des extrêmes et des moyens ou à l'aide des produits croisés.

Produit des extrêmes et des moyens   **Produits croisés**

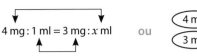

$$4 \text{ mg} : 1 \text{ ml} = 3 \text{ mg} : x \text{ ml}$$ ou   **ou encore** $\dfrac{4 \text{ mg}}{1 \text{ ml}} = \dfrac{3 \text{ mg}}{x \text{ ml}}$

Les données en milligrammes (mg) sont placées du côté gauche et les données en millilitres (ml) sont placées du côté droit.

Les données en milligrammes (mg) sont placées au numérateur et les données en millilitres (ml) sont placées au dénominateur.

$$4 \text{ mg} \times x \text{ ml} = 1 \text{ ml} \times 3 \text{ mg}$$

$$x \text{ ml} = 1 \text{ ml} \times \frac{3 \text{ mg}}{4 \text{ mg}}$$

$$x = 0{,}75 \text{ ml}$$

> En faisant le produit des extrêmes par le produit des moyens, on voit que le résultat est le même. Donc, la preuve démontre l'adéquation du calcul.

Réponse : Pour administrer 3 mg de Dexamethasone, il faut donc injecter 0,75 ml de solution.

Assurez-vous que votre calcul est exact en vérifiant la **vraisemblance** et en faisant la **preuve** au besoin.

Vraisemblance : Si 4 mg = 1 ml, il faudra moins de 1 ml pour 3 mg.

Si votre réponse est supérieure à 1 ml, il est probable que vous avez inversé vos données.

Preuve : $4 \text{ mg} : 1 \text{ ml} = 3 \text{ mg} : 0{,}75 \text{ ml}$ ou selon les produits croisés : $\dfrac{4 \text{ mg}}{1 \text{ ml}} = \dfrac{3 \text{ mg}}{0{,}75 \text{ ml}}$

$4 \text{ mg} \times 0{,}75 = 1 \text{ ml} \times 3 \text{ mg}$

$3 = 3$ $3 = 3$

EXEMPLE 9.3

Selon l'ordonnance, il faut administrer 700 mg d'un médicament offert en concentration de 500 mg/2 ml. On veut connaître le nombre de millilitres nécessaires pour préparer l'ordonnance.

On arrondit le résultat au dixième.

Produit des extrêmes et des moyens   **Produits croisés**

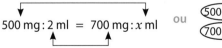

$$500 \text{ mg} : 2 \text{ ml} = 700 \text{ mg} : x \text{ ml}$$ ou   **ou encore** $\dfrac{500 \text{ mg}}{2 \text{ ml}} = \dfrac{700 \text{ mg}}{x \text{ ml}}$

$$500 \text{ mg} \times x \text{ ml} = 2 \text{ ml} \times 700 \text{ mg}$$

$$x \text{ ml} = 2 \text{ ml} \times \frac{700 \text{ mg}}{500 \text{ mg}}$$

$$x = 2{,}8 \text{ ml}$$

Réponse : Pour administrer 700 mg, il faudra 2,8 ml.

Vraisemblance : Après avoir vérifié les calculs, il faut s'assurer que le résultat obtenu est vraisemblable. S'il y a 500 mg dans 2 ml, il faudra donc un peu plus de 2 ml pour une dose de 700 mg. Par conséquent, le résultat de 2,8 ml est vraisemblable. Cette évaluation ne garantit pas l'exactitude des calculs, mais elle permet, entre autres, de s'assurer que les extrêmes et les moyens n'ont pas été intervertis.

Preuve :

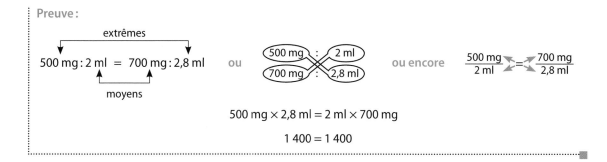

$$500 \text{ mg} \times 2,8 \text{ ml} = 2 \text{ ml} \times 700 \text{ mg}$$

$$1\,400 = 1\,400$$

9.5 Les éléments à considérer dans la préparation des seringues

Le tissu sous-cutané et le tissu musculaire ne peuvent absorber un grand volume de solution. En effet, les injections sont douloureuses lorsqu'il y a une quantité trop importante de liquide injecté dans ces tissus. Les solutions administrées par les voies sous-cutanée et intramusculaire sont par conséquent conçues pour être injectées en petites quantités. **On administre rarement des quantités supérieures à un millilitre (1 ml) pour l'injection par voie sous-cutanée et à trois millilitres (3 ml) pour l'injection par voie intramusculaire.** Si la quantité de médicament à administrer est supérieure à ces volumes, on devra donc procéder à deux injections tout en s'assurant de préparer la dose à administrer dans deux seringues et de changer de site d'injection.

Pour ce qui est de l'administration de la médication par voie intraveineuse, le médicament étant injecté directement dans le flot sanguin, il n'y a pas vraiment de quantité maximale à respecter. Ce sujet sera traité plus en profondeur dans les chapitres 12, 13 et 14.

> Pour revoir les quantités de médicaments à administrer en fonction des voies d'administration et des régions anatomiques, consulter le chapitre 7, tableau 7.1.

La précision à accorder dans le calcul des doses selon la seringue utilisée et le site d'injection

L'infirmière doit régulièrement décider d'arrondir les résultats de ses calculs. Elle doit respecter certains principes afin de préparer la médication le plus précisément possible et en toute sécurité. L'encadré suivant présente certaines règles générales susceptibles de servir de guide dans les calculs des doses de médicaments et le choix des seringues à utiliser.

Marche à suivre pour calculer avec précision la dose à administrer et pour choisir la seringue adéquate

1. Bien lire l'ordonnance.

2. Dans le choix du matériel pour injection, on doit considérer la condition clinique du client, la quantité de médicament, la voie d'administration et le site de l'injection.

Pour une dose inférieure à 1 ml :

Cette dose peut s'administrer avec une seringue de 1 ml. Cette seringue étant graduée au centième de millilitre, on doit poursuivre son calcul jusqu'au millième et par la suite arrondir au centième.

Si le calcul arrive de façon précise au dixième et que la quantité est supérieure à 0,5 ml, on peut à ce moment choisir une seringue de 3 ml, laquelle se manipule mieux et offre la précision des dixièmes. La dose sera aussi précise avec une seringue de 3 ml qu'avec une seringue de 1 ml.

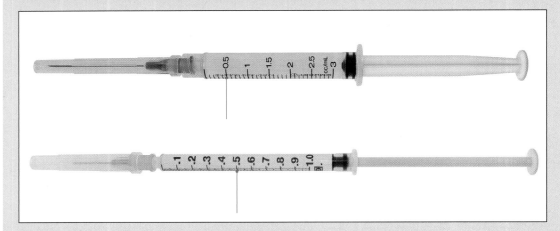

Pour une dose supérieure à 1 ml :

a) Si la voie d'administration est sous-cutanée, préparer la médication dans deux seringues de 1 ml, étant donné que le tissu sous-cutané ne permet pas une quantité excédant 1 ml. À ce moment, poursuivre son calcul jusqu'au millième et arrondir au centième.

b) Si la voie d'administration est intramusculaire, on devrait privilégier un site d'injection tolérant une dose plus importante de médicament (par exemple, le vaste externe ou le grand fessier). Si l'injection doit se faire absolument dans le deltoïde, on devra administrer la dose dans deux sites différents (par exemple, une injection par deltoïde), car, rappelons-le, on ne peut injecter plus de 1 ml dans ce muscle. On utilisera alors une seringue de 3 ml graduée au dixième si la réponse a une valeur au dixième et si elle est supérieure à 0,5 ml. On utilisera deux seringues de 1 ml si l'on peut préciser la réponse jusqu'au centième.

> Il y a des exceptions : les personnes musclées ou plus corpulentes peuvent recevoir des quantités plus importantes pouvant aller, par exemple, jusqu'à 2 ml pour l'injection intramusculaire dans le deltoïde.

c) Si la voie d'administration est intramusculaire et que la quantité excède 1 ml sans dépasser 3 ml, et qu'on l'injecte dans le grand fessier ou le vaste externe, prendre une seringue de 3 ml et poursuivre son calcul jusqu'au centième pour arrondir au dixième. Préparer ensuite sa dose avec une précision au dixième de millilitre, car la seringue de 3 ml ne permet pas une plus grande précision.

Attention !

Les règles qui précèdent vous permettront de rendre vos calculs aussi précis que possible et de faire appel à votre jugement clinique face à la décision d'arrondir les résultats de vos calculs. Cette décision se prend toujours en fonction de votre évaluation de la condition clinique du client, de la quantité de médicament à administrer, de la voie d'administration et du site d'injection.

ACTIVITÉ 9.3

1. Pour chacune des lettres, repérez la bonne étiquette et calculez le volume nécessaire pour préparer les doses demandées.

    i) En fonction du nombre de millilitres requis, décidez si vous arrondissez au dixième ou au centième.

    ii) Écrivez avec quel calibre ou grosseur de seringue vous allez préparer la dose à administrer (1 ml, 3 ml ou 5 ml).

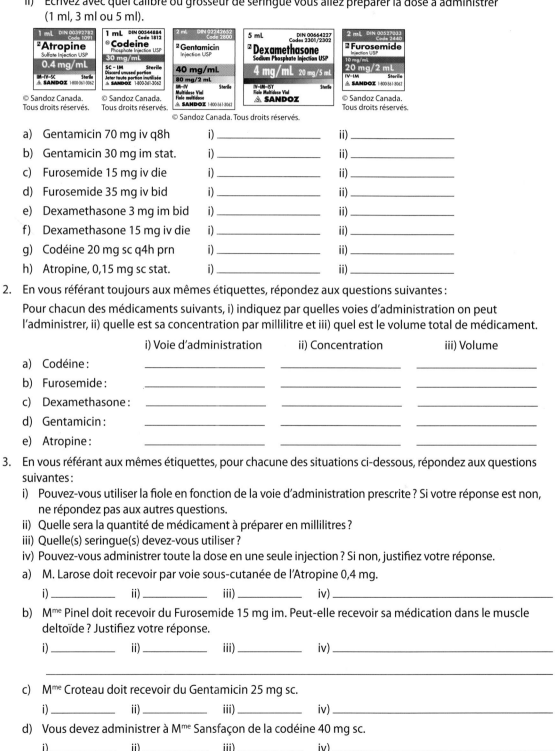

    a) Gentamicin 70 mg iv q8h   i) _____   ii) _____

    b) Gentamicin 30 mg im stat.   i) _____   ii) _____

    c) Furosemide 15 mg iv die   i) _____   ii) _____

    d) Furosemide 35 mg iv bid   i) _____   ii) _____

    e) Dexamethasone 3 mg im bid   i) _____   ii) _____

    f) Dexamethasone 15 mg iv die   i) _____   ii) _____

    g) Codéine 20 mg sc q4h prn   i) _____   ii) _____

    h) Atropine, 0,15 mg sc stat.   i) _____   ii) _____

2. En vous référant toujours aux mêmes étiquettes, répondez aux questions suivantes :

    Pour chacun des médicaments suivants, i) indiquez par quelles voies d'administration on peut l'administrer, ii) quelle est sa concentration par millilitre et iii) quel est le volume total de médicament.

	i) Voie d'administration	ii) Concentration	iii) Volume
a) Codéine :	_____	_____	_____
b) Furosemide :	_____	_____	_____
c) Dexamethasone :	_____	_____	_____
d) Gentamicin :	_____	_____	_____
e) Atropine :	_____	_____	_____

3. En vous référant aux mêmes étiquettes, pour chacune des situations ci-dessous, répondez aux questions suivantes :
    i) Pouvez-vous utiliser la fiole en fonction de la voie d'administration prescrite ? Si votre réponse est non, ne répondez pas aux autres questions.
    ii) Quelle sera la quantité de médicament à préparer en millilitres ?
    iii) Quelle(s) seringue(s) devez-vous utiliser ?
    iv) Pouvez-vous administrer toute la dose en une seule injection ? Si non, justifiez votre réponse.

    a) M. Larose doit recevoir par voie sous-cutanée de l'Atropine 0,4 mg.

        i) _____ ii) _____ iii) _____ iv) _____

    b) Mme Pinel doit recevoir du Furosemide 15 mg im. Peut-elle recevoir sa médication dans le muscle deltoïde ? Justifiez votre réponse.

        i) _____ ii) _____ iii) _____ iv) _____

        _____

    c) Mme Croteau doit recevoir du Gentamicin 25 mg sc.

        i) _____ ii) _____ iii) _____ iv) _____

    d) Vous devez administrer à Mme Sansfaçon de la codéine 40 mg sc.

        i) _____ ii) _____ iii) _____ iv) _____

La présentation de médicaments avec différentes concentrations

Exceptionnellement, dans certains milieux cliniques, il arrive encore qu'on trouve des fioles ou des ampoules présentant des concentrations différentes d'un même médicament. Dans ce cas, il faut redoubler de prudence et procéder obligatoirement à une **double vérification indépendante**.

Lorsque les présentations de médicaments ont des concentrations différentes, on choisit habituellement la fiole ou l'ampoule dont la concentration se rapproche le plus de la concentration prescrite.

Attention!

Notez que Agrément Canada demande d'éviter de conserver deux concentrations différentes d'un même médicament.

EXEMPLE 9.4

Il faut administrer mépéridine (Demerol) 35 mg par voie im, mais on dispose d'ampoules de mépéridine (Demerol) 50 mg/ml et 75 mg/ml.

On utilisera alors l'ampoule de 50 mg/ml, car c'est elle qui se rapproche le plus de la dose à administrer.

ACTIVITÉ 9.4

À partir de l'exemple 9.4 :

a) Effectuez le calcul de la dose à administrer en considérant que vous utiliserez l'ampoule de Demerol 50 mg/ml. _____

b) Quelle grosseur de seringue utiliserez-vous ? _____

ACTIVITÉ 9.5

L'ordonnance vous indique : « Morphine 1,5 mg sc toutes les 3 heures si douleurs. »

© Sandoz Canada. Tous droits réservés.

a) Quelle fiole utiliserez-vous ? _____

b) Quelle sera la dose à administrer ? _____

c) Quelle grosseur de seringue utiliserez-vous ? _____

ACTIVITÉ 9.6

Afin d'intégrer les différentes informations inscrites sur les étiquettes,
répondez aux questions suivantes à l'aide de l'étiquette de Gentamicin :

| 2 mL | DIN 02242652 |
| | Code 2800 |

℞ **Gentamicin**
Injection USP

40 mg/mL
80 mg/2 mL
IM–IV   Sterile
Multidose Vial
Fiole multidose
⚠ **SANDOZ** 1-800-361-3062

© Sandoz Canada. Tous droits réservés.

a) Quel est le nom de la compagnie pharmaceutique qui produit ce médicament ? _____

b) Par quelles voies peut-on administrer ce médicament ? _____

c) Quelle quantité de solution y a-t-il dans cette fiole ? _____

d) Quelle est la concentration de ce médicament ? _____

e) Peut-on utiliser cette fiole plus d'une fois ? _____

f) Si l'ordonnance médicale indique qu'il faut administrer 80 mg de médicament par voie intramusculaire, combien de millilitres préparerez-vous ? _____

g) Quelle seringue utiliserez-vous ? _____

h) Pouvez-vous administrer ce médicament dans le muscle deltoïde, sachant que le client qui doit recevoir ce médicament est un homme de musculature normale ? Justifiez votre réponse.

_____

9.6 Le calcul de dose selon une formule simplifiée

Si vous avez bien intégré la règle des proportions, vous pourrez facilement mémoriser une formule qui s'applique lorsqu'il y a des proportions à calculer. Cela vous permettra de calculer rapidement des doses à administrer. Ainsi, il vous appartient de choisir votre manière d'effectuer les calculs. Si vous avez une quelconque hésitation au sujet de l'adéquation de vos calculs, n'utilisez pas la formule simplifiée ; faites plutôt appel à une méthode de calcul des rapports et des proportions (les produits croisés ou le produit des extrêmes et des moyens). **L'important est d'administrer des médicaments de façon sécuritaire.**

Si l'usage de la calculatrice vous est permis, il faudra porter une attention particulière aux formules utilisées pour les rapports et les proportions ou pour le calcul selon une formule simplifiée. **Si la calculatrice n'est pas permise**, l'étude du chapitre 3 constitue un préalable à celle de cette section, qui concerne principalement la division des fractions ordinaires. Dans l'utilisation de la formule simplifiée, on doit effectuer des divisions de fractions.

La signification des lettres de la formule simplifiée

$$Q = \frac{O}{T}$$

Q est la **quantité** à administrer, soit le volume nécessaire pour administrer la dose prescrite. Cette quantité est exprimée en millilitres ;

O est l'**ordonnance**, qui exprime la dose prescrite (en grammes, en milligrammes ou autres) ;

T est la **teneur** disponible, à savoir la concentration du produit disponible exprimée par un rapport traduisant la quantité de matière (substance médicamenteuse) dans un volume donné. Ce renseignement est toujours indiqué sur l'étiquette du produit. Pour éviter les erreurs, précisez toujours les unités de mesure dans la formule.

Dans l'exemple suivant, le calcul sera présenté avec cette formule.

EXEMPLE 9.5

Pour préparer 0,25 mg de Naloxone, il faut effectuer un calcul.
Ainsi, selon la formule

$Q = \dfrac{O}{T}$, on a :

Calcul : $Q\,(ml) = \dfrac{O}{T} : \dfrac{0,25\text{ mg}}{\dfrac{0,4\text{ mg}}{1\text{ ml}}} = \dfrac{0,25\text{ mg} \times 1\text{ ml}}{0,4\text{ mg}} = 0,625\text{ ml}$

> 1 mL   DIN 02148706
> Code 5750
> ℞ **Naloxone**
> Hydrochloride Injection USP
> **0.4 mg/mL**
> IV–IM–SC   Sterile
> ⚠ **SANDOZ** 1-800-361-3062
>
> © Sandoz Canada. Tous droits réservés.

Vraisemblance : Si 0,4 mg = 1 ml, il faudra moins de 1 ml pour 0,25 mg.

Si votre réponse est supérieure à 1 ml, il est probable que vous avez inversé vos données.

Preuve : Si 0,4 mg de Naloxone = 1 ml,

0,625 ml × 0,4 mg/ml = 0, 25 mg ; donc, le calcul est exact.

Quelle seringue doit-on utiliser ?

Étant donné que la quantité de médicament à administrer est inférieure à 1 ml et qu'elle a une précision au millième de millilitre, on choisira la seringue offrant le plus de précision, c'est-à-dire la seringue de 1 ml. On arrondira donc au centième pour préparer ce médicament, soit 0,63 ml. Voir la quantité sur la seringue présentée ci-dessous.

Les règles à respecter pour le calcul des doses

Quel que soit le choix de la méthode de calcul (règle des proportions ou formule simplifiée), il faut toujours observer les six règles suivantes :

1. On doit s'assurer d'avoir les mêmes unités de mesure. Sinon, il faut convertir les différentes unités avant de procéder au calcul de la formule. Par exemple, pour effectuer un calcul de dose, si le médecin a rédigé son ordonnance en milligrammes et si la concentration du médicament disponible est en grammes, on devra convertir dans une même unité de mesure, soit en grammes ou en milligrammes.

2. On doit bien placer les unités de mesure en fonction du choix des calculs de proportions utilisés.

3. On doit vérifier ses calculs.

4. On doit évaluer la vraisemblance des résultats.

5. On doit faire la preuve.

6. On doit procéder à une double vérification indépendante.

EXEMPLE 9.6

Selon l'ordonnance, il faut administrer 0,15 g d'un médicament offert en concentration de 200 mg/ml. On veut connaître le nombre de millilitres nécessaires pour préparer la dose à administrer.

Comme cela a été énoncé dans l'encadré précédent, on doit d'abord convertir les unités pour obtenir les mêmes unités de mesure.

En convertissant les grammes en milligrammes, on obtient : 0,15 g = 150 mg. On doit donc administrer 150 mg d'un médicament disponible avec une concentration de 200 mg/ml.

Voici les différentes façons d'effectuer le calcul :

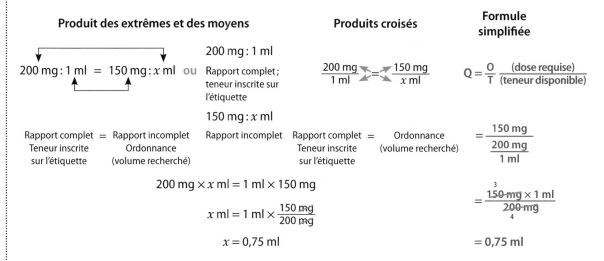

Réponse : Pour administrer 150 mg, il faudra 0,75 ml.

Vraisemblance : Après avoir vérifié les calculs, il faut s'assurer que le résultat obtenu est vraisemblable. S'il y a 200 mg dans 1 ml, il faudra donc un peu moins de 1 ml pour obtenir une dose de 150 mg. Par conséquent, le résultat de 0,75 ml est vraisemblable.

Preuve :

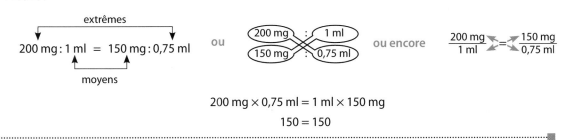

9.7 Le mélange de deux médicaments dans la même seringue

Il arrive parfois qu'il faille mélanger deux médicaments dans la même seringue.

Dans ce cas, vous devez respecter les règles ci-dessous :

1. Il faut tout d'abord vérifier l'ordonnance.

2. Il faut vérifier la compatibilité de ces médicaments à l'aide d'un tableau de compatibilité[1].

3. Il faut effectuer les calculs de chacun des médicaments prescrits.

4. Il faut par la suite procéder au mélange en prélevant, en premier, le médicament dont la dose ne correspond pas au volume total à prélever de la fiole et, en deuxième, le médicament qui correspond au volume total à prélever. Il sera plus facile ainsi de prélever la dose exacte. Il ne faut pas oublier d'injecter de l'air en premier dans la **deuxième** fiole, puis dans la première, avant de prélever les médicaments à moins que les médicaments soient dans des ampoules (à ce moment, il ne faut pas injecter d'air avant de prélever).

---

1. Un tableau de compatibilité est offert dans le site Web de cet ouvrage.

ACTIVITÉ 9.7

Mᵐᵉ Carbonneau doit être amenée à la salle d'opération. L'anesthésiste lui a prescrit : « Midazolam 5 mg et Atropine 0,3 mg im à l'appel de la salle d'opération. »

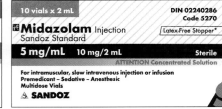

© Sandoz Canada. Tous droits réservés.

a) Effectuez le calcul.

_____

_____

b) Quel médicament prélèverez-vous en premier ? Justifiez votre réponse.

_____

c) Sur la seringue ci-contre, colorez en rouge la dose de Midazolam et en bleu la dose d'Atropine à prélever en respectant l'ordre de préparation du mélange des médicaments dans la seringue.

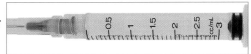

Notions essentielles à retenir

- Les étiquettes des médicaments administrés par voie parentérale sont petites, et leur lecture nécessite en conséquence beaucoup d'attention.

- La concentration des médicaments administrés par voie parentérale est généralement exprimée en mesures du SI, mais elle peut être exprimée en pourcentage, à l'aide d'un rapport ou en unités.

- Il faut prendre la seringue qui offre la plus grande précision selon la quantité à administrer.

- Selon la précision du calcul, si la dose est précise au dixième et que la quantité est supérieure à 0,5 ml, on peut choisir une seringue de 3 ml car elle se manipule mieux et offre une précision au dixième de millilitre.

- Les considérations aidant à déterminer la précision du calcul sont extrêmement importantes. Consultez l'encadré des pages 143 et 144 pour faire une révision complète.

- Afin d'effectuer les calculs de doses, il faut utiliser une méthode de calcul des rapports et des proportions telle que les produits des extrêmes et des moyens ou les produits croisés.

- Une autre façon d'effectuer les calculs consiste à recourir à la formule simplifiée, qui est :

$$Q = \frac{O}{T} = \frac{\text{dose prescrite (ordonnance)}}{\text{teneur disponible}}$$

- Les règles à respecter pour le calcul des doses sont présentées dans l'encadré de la page 148.

- Avant de préparer deux médicaments dans la même seringue, il faut vérifier la compatibilité de ceux-ci, prélever en premier la dose qui ne correspond pas au volume total de la fiole du médicament à prélever et en deuxième la dose qui correspond au volume total de la fiole. Ainsi, il sera plus facile de prélever la dose exacte.

Exercices de révision

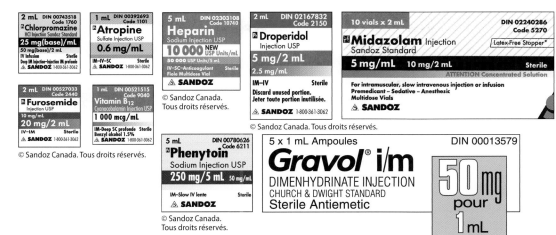

© Sandoz Canada. Tous droits réservés.

© Sandoz Canada. Tous droits réservés.

© Sandoz Canada. Tous droits réservés.

© Sandoz Canada. Tous droits réservés.

Calculez le volume à prélever pour chacune des ordonnances suivantes.

Effectuez le calcul selon une des méthodes de calcul des rapports et des proportions ou à l'aide de la formule simplifiée. Indiquez ensuite, par une flèche sur l'une des deux seringues, la quantité de solution requise selon l'ordonnance.

> Souvenez-vous que pour la préparation de la seringue, il faut choisir celle qui indiquera avec le plus de précision la quantité de médicament requise.

a) M. Baril doit recevoir du Furosemide 12 mg iv.

Calcul :

Réponse : $x =$ _____

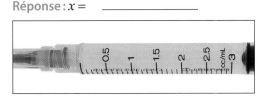

b) M. Bergeron doit recevoir du Droperidol 3 mg sc.

Calcul :

Réponse : $x =$ _____

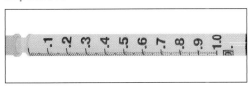
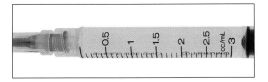

c) Mme Bisson doit recevoir de l'Heparine 4 500 unités sc.

Calcul :

Réponse : $x =$ _____

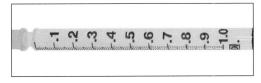
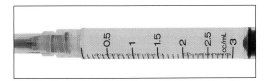

Par quelles voies peut-on administrer ce médicament ? _____

d) Mme Boucher doit recevoir du Furosemide 35 mg iv.

Calcul :

Réponse : $x =$ _____

 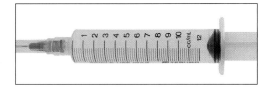

e) Mme Perras doit recevoir de l'Atropine 0,45 mg im.

Calcul :

Réponse : $x =$ _____

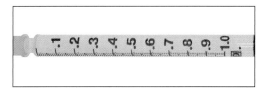 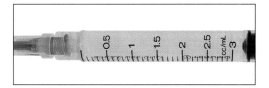

f) L'anesthésiste a prescrit à Mme Bourret de l'Atropine 0,25 mg et du Midazolam 5 mg im à l'appel de la salle d'opération. (Ces deux médicaments sont compatibles dans la même seringue.)

Effectuez le calcul :

Quel médicament prélèverez-vous en premier ? Justifiez votre réponse. _____

_____

Sur la seringue sélectionnée ci-dessous, colorez en rouge la dose de Midazolam et en bleu la dose d'Atropine à prélever en respectant l'ordre de préparation du mélange des médicaments dans la seringue.

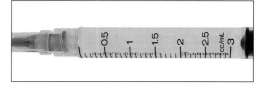 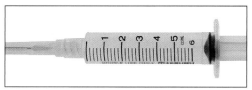

g) Vous devez administrer à Mme Charles de la Chlorpromazine 10 mg im.

Calcul :

Réponse : $x =$ _____

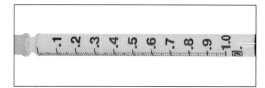 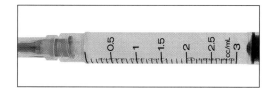

Quelle précaution devrez-vous prendre au moment de l'administration de ce médicament ?

_____

h) M. Lamontagne doit recevoir du Droperidol 4 mg im.

Calcul :

Réponse : $x =$ _____

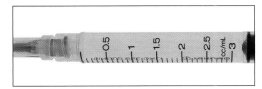 

i) Mme Desbiens doit recevoir du Gravol 35 mg im.

Calcul :

Réponse : $x =$ _____

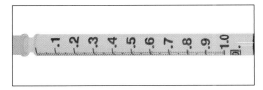 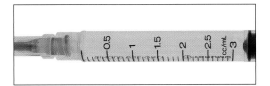

Peut-on administrer ce médicament dans le muscle deltoïde de Mme Desbiens ? _____

j) Mme Fontaine doit recevoir de la Phenytoin 0,12 g iv stat.

Calcul :

Réponse : $x =$ _____

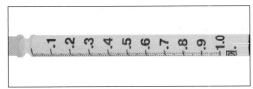 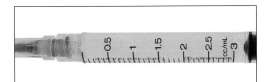

k) Mme Thibodeau, qui a une déficience en vitamine B_{12}, doit recevoir de la Vitamine B_{12} 0,65 mg.

Calcul :

Réponse : $x =$ _____

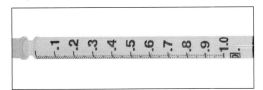 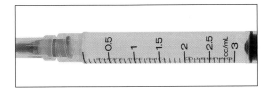

En regardant l'étiquette, quelle précaution faut-il prendre au moment de l'administration par voie intramusculaire ? _____

l) L'anesthésiste a prescrit à M. Laprise de l'Atropine 0,4 mg et du Midazolam 5 mg im à l'appel de la salle d'opération. (Ces deux médicaments sont compatibles dans la même seringue.)

Effectuez le calcul :

Quel médicament prélèverez-vous en premier ? Justifiez votre réponse. _____

_____

Sur la seringue sélectionnée ci-dessous, colorez en rouge la dose de Midazolam et en bleu la dose d'Atropine à prélever en respectant l'ordre de préparation du mélange des médicaments dans la seringue (le médicament prélevé en dernier sera le plus près de l'embout de la seringue).

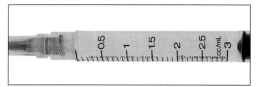 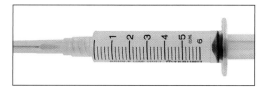

Dans quel muscle administrerez-vous cette injection ? _____

Chapitre **10**
La reconstitution des médicaments en poudre

À la fin de ce chapitre, vous serez en mesure:

- d'effectuer la reconstitution des médicaments en poudre, en cristaux ou sous d'autres formes solides ;
- de bien étiqueter les produits reconstitués ;
- de calculer des doses à partir de la médication reconstituée.

Introduction

Pour des raisons de conservation, de nombreux médicaments existent sous forme de poudre, de cristaux ou sous d'autres formes solides avant d'être reconstitués pour leur administration. Les compagnies pharmaceutiques les présentent habituellement dans des fioles à concentration unique ou, plus rarement, à concentrations multiples. Il faut noter que les médicaments reconstitués sont souvent instables, ce qui leur confère une durée de conservation plus ou moins longue.

La préparation de ces médicaments relève souvent de la responsabilité du département de pharmacie du milieu clinique. Cependant, les infirmières doivent aussi être capables de diluer des médicaments sous forme de cristaux ou de poudre, car dans certains centres ou unités de soins, elles auront à les préparer. L'infirmière doit être apte à suivre le mode d'emploi, à préparer la médication, à repérer la concentration du médicament, à étiqueter adéquatement les fioles reconstituées et, finalement, à tenir compte de la date limite d'utilisation. Les directives de préparation du médicament sont indiquées sur l'étiquette, sur la monographie contenue dans l'emballage ou sur l'étiquette rédigée par le département de pharmacie. Dans ce chapitre, vous apprendrez toutes les étapes de la reconstitution des médicaments, la façon de les étiqueter et, bien entendu, le calcul des doses avant l'administration.

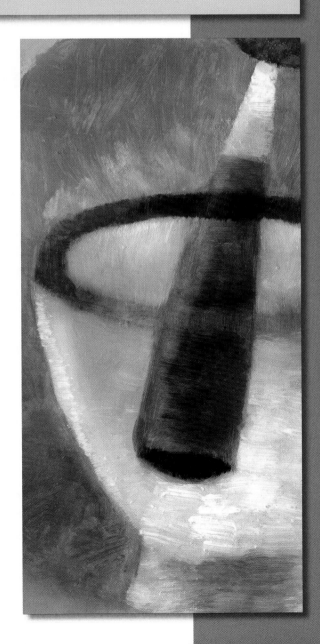

10.1 La reconstitution des produits administrés par voie orale

> Plusieurs antibiotiques destinés à la clientèle pédiatrique se présentent sous cette forme.

Beaucoup de médicaments administrés par voie orale existent sous forme de poudre, de cristaux ou sous d'autres formes. On recommande souvent de dissoudre ces médicaments simplement avec de l'eau du robinet.

Lors de la préparation de ces médicaments, il faut veiller à suivre rigoureusement les recommandations qui sont inscrites sur l'étiquette, sur la monographie accompagnant le médicament ou qui sont faites par le pharmacien ou le département de pharmacie. Il est à noter que la préparation de ces solutions pour la voie orale ne nécessite pas d'asepsie chirurgicale. Il est cependant important de respecter les principes d'asepsie médicale de base.

> Pour obtenir plus d'information concernant les principes d'asepsie médicale et chirurgicale, référez-vous aux cahiers de méthodes de soins qui traitent de ces sujets.

EXEMPLE 10.1

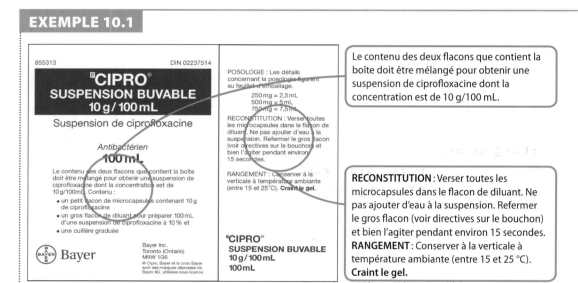

Le contenu des deux flacons que contient la boîte doit être mélangé pour obtenir une suspension de ciprofloxacine dont la concentration est de 10 g/100 mL.

RECONSTITUTION : Verser toutes les microcapsules dans le flacon de diluant. Ne pas ajouter d'eau à la suspension. Refermer le gros flacon (voir directives sur le bouchon) et bien l'agiter pendant environ 15 secondes. **RANGEMENT** : Conserver à la verticale à température ambiante (entre 15 et 25 °C). **Craint le gel.**

Examinons l'étiquette de Cipro en suspension orale. Les recommandations sont les suivantes :

- Une fois reconstitué, chaque 100 ml de préparation de suspension orale présente une concentration de 10 g de ciproflaxacine. Le médicament aura donc une concentration de 10 g/100 ml.

- Dans l'emballage, on trouve deux bouteilles : une bouteille contenant les microcapsules de médicament et une autre contenant le solvant. Le fabricant nous indique la façon de faire sur l'étiquette, comme on peut le voir ci-dessus.

- En plus des instructions de reconstitution, on y lit aussi qu'avant chaque prise de la suspension orale, on doit bien agiter le flacon pendant environ 15 secondes. Il est précisé de ne pas placer le contenant à l'horizontale et de ne pas congeler la préparation.

- Lorsque la solution est reconstituée, elle peut être réfrigérée ou conservée à la température de la pièce (entre 15 °C et 25 °C).

Il est important de retrouver sur une étiquette accolée à la bouteille ou à la fiole l'information essentielle concernant la préparation de la suspension. Ainsi, les intervenants, les infirmières ou les infirmières auxiliaires utiliseront cette préparation de façon sécuritaire. La section suivante vous indique comment procéder.

L'étiquetage du produit

En milieu hospitalier ou en tout autre milieu clinique, il est important de bien identifier un produit lorsqu'on le reconstitue. Cela vise à rendre sécuritaire la préservation du produit dans le cas où la dose n'est pas administrée entièrement et où la fiole est conservée pour un usage ultérieur. Que la préparation soit destinée à la voie orale ou à la voie parentérale, les principaux renseignements requis sont les mêmes. On peut noter l'information directement sur la bouteille, sur la fiole ou bien sur une étiquette que l'on colle sur celles-ci. Peu importe l'option choisie, on doit y indiquer les renseignements essentiels qui sont énumérés dans l'encadré suivant.

La procédure pour identifier un médicament reconstitué

Que ce soit pour la préparation d'un médicament destiné à la voie orale ou à la voie parentérale, on doit y trouver entre autres l'information suivante :

1. si le produit est réservé à un client en particulier, il faut inscrire le nom et le prénom du client, son numéro de dossier et ses numéros de chambre et de lit ;

2. le nom et la concentration du produit reconstitué (mg/ml) ;

3. la voie d'administration, si cela s'applique ;

4. la date de dilution (en inscrivant « D » pour « début ») et la date de péremption (en inscrivant « F » pour « fin ») ;

5. le mode de conservation du produit s'il y a une particularité (par exemple, « Conserver au réfrigérateur ») ;

6. l'infirmière (ou l'infirmière auxiliaire pour les voies orale, sous-cutanée et intramusculaire) qui a préparé le produit doit y écrire son nom (ou ses initiales) et son titre, selon les directives des milieux cliniques.

Notez que cette information affichée sur l'étiquette peut varier selon les milieux de soins.

La figure 10.1 donne un exemple d'étiquette qui présente les informations essentielles qu'on doit trouver sur la fiole d'un médicament reconstitué.

Figure 10.1 • Exemple d'étiquette à coller

Roy, Alexis dossier : 123456

ch. 3412 lit 2

Cipro 1 000 mg/10 ml ;

voie orale, conserver au frigo ;

D : 2010-11-23, 15 : 3 0 ;

F : 2010-11-30, 15 : 30

MF inf. ou Marlène Fortin inf. ou M. Fortin inf.

Apposer l'étiquette écrite par l'infirmière sur l'étiquette de la fiole de façon à ne pas masquer le nom du médicament ou du produit.

ACTIVITÉ 10.1

Bottle contains 3750 mg amoxicillin as trihydrate.
DIRECTIONS FOR DISPENSING: At the time of dispensing, tap bottle to loosen powder, add 45 mL water in two portions, shaking well after each addition, to make 75 mL of the suspension. Each 1 mL contains amoxicillin trihydrate equivalent to 50 mg amoxicillin.
DOSAGE RANGE: Adults - 250 mg to 500 mg every 8 hours.
Usual dosage for children < 20 kg: 20 - 40 mg/kg/day in divided doses every 8 hours, not exceeding the recommended adult dosage.
Product monograph available on request to physicians and pharmacists. Store between 15°C - 30°C.
Le flacon renferme 3 750 mg de trihydrate d'amoxicilline.
ADMINISTRATION : Au moment d'administrer, secouer doucement la fiole afin de rendre la poudre moins compacte, puis, tout en agitant bien, ajouter 45 mL d'eau en deux portions, pour obtenir 75 mL de suspension. Chaque millilitre contient l'équivalent de 50 mg d'amoxicilline trihydratée.
GAMME POSOLOGIQUE : Adultes - 250 mg à 500 mg aux 8 heures.
Enfants < 20 kg: 20 à 40 mg/kg/jour en doses fractionnées aux 6 heures, en n'excédant pas la dose recommandée pour les adultes.
La monographie du produit est fournie sur demande aux médecins et aux pharmaciens. Conserver entre 15 °C et 30 °C.
SHAKE WELL BEFORE USING.
Suspension stable for 7 days at room temperature or 14 days refrigerated. Do not freeze.
BIEN AGITER AVANT L'EMPLOI.
La suspension est stable pendant 7 jours à la température ambiante et pendant 14 jours au réfrigérateur. Mettre à l'abri du gel.

ADMINISTRATION : Au moment d'administrer, secouer doucement la fiole afin de rendre la poudre moins compacte, puis, tout en agitant bien, ajouter 45 mL d'eau en deux portions, pour obtenir 75 mL de suspension. Chaque millilitre contient l'équivalent de 50 mg d'amoxicilline trihydratée.
La monographie du produit est fournie sur demande aux médecins et aux pharmaciens. Conserver entre 15 °C et 30 °C.
BIEN AGITER AVANT L'EMPLOI.
La suspension est stable pendant 7 jours à la température ambiante et pendant 14 jours au réfrigérateur.
Mettre à l'abri du gel.

Reportez-vous aux renseignements fournis avec le Novamoxin et répondez aux questions suivantes :

a) Avec quel solvant faut-il préparer ce médicament ? *eau*

b) Combien de millilitres de solvant faut-il ajouter à la fiole ? *45 ml*

c) Au moment d'ajouter le solvant, quelle est la précaution à prendre ? *en 2 port°, en agitant*

d) Une fois le solvant ajouté, quelle est la quantité totale de médicament dans la bouteille ? *75 ml*

e) Vous préparez l'étiquette à coller sur la bouteille. La médication est destinée à : Drouin, Julie, dossier : 236790, ch. 2034 lit 1. Complétez cette étiquette en y inscrivant votre nom et l'initiale de votre prénom ainsi que votre signature d'étudiante infirmière. Vous conserverez ce médicament au frigo. Écrivez aussi la date et l'heure actuelles.

> *Drouin, Julie dossier 236790*
> *ch. 2034 lit 1*
> *Amoxicillin 250 mg/5ml*
> *voie oral*
> *D: 25 mars 2013*
> *F: 1 avril 2013*
> *Camille Jl et sc inf*

10.2 La reconstitution des produits administrés par voie parentérale

Il existe des préparations de médicaments à concentration unique. Cela signifie qu'il n'y a qu'une préparation recommandée pour diluer le médicament, peu importe la voie d'administration. Ce type de préparation est le plus fréquent. Il existe aussi des préparations à concentrations multiples. Ces préparations utilisent des quantités différentes d'un même solvant selon qu'il s'agit d'une administration intraveineuse, sous-cutanée ou intramusculaire. Cette forme de préparation est moins fréquente, mais l'infirmière doit être capable de la reconnaître et de préparer la médication en fonction de la voie d'administration du médicament prescrite par le médecin.

Dans le cas de la préparation de médicaments par voie parentérale, il est important de respecter une asepsie rigoureuse. Il arrive souvent que ce soient les départements de pharmacie qui reconstituent les médicaments de façon à en assurer la stérilité. Dans ces départements, on trouve des techniciens en pharmacie dont la tâche est d'effectuer ces opérations. Ils préparent ces médicaments dans un endroit dédié, souvent sous une hotte. Les hottes sont spécialement conçues pour préserver cet environnement des micro-organismes et ainsi d'assurer sa stérilité. Cependant, comme nous l'avons dit précédemment, il arrive que dans certains centres ou dans certaines unités de soins, l'infirmière doive effectuer elle-même la reconstitution.

L'infirmière doit veiller à ne pas préparer le médicament trop à l'avance car, dans certains cas, le produit n'est stable que pour un temps très limité (par exemple, de 30 à 60 minutes). Il pourrait être dangereux pour le client de recevoir une dose de médicament dont la durée de stabilité après dilution a été dépassée. Pour ces raisons, il faut suivre les recommandations du département de la pharmacie ou de la compagnie pharmaceutique.

Il est important, avant d'administrer un médicament reconstitué, que le mélange soit parfaitement homogène et limpide. Si ce n'est pas le cas, consultez les recommandations inscrites sur l'étiquette, adressez-vous au département de pharmacie ou jetez le produit et recommencez l'opération.

Les principaux solvants servant à la reconstitution des médicaments pour une administration par voie parentérale

Pour effectuer la reconstitution des médicaments en poudre ou en cristaux, on peut avoir recours à différents solvants, parfois aussi appelés «diluants». On appelle «solvant» toute «substance, généralement liquide, dans laquelle une autre est dissoute de façon homogène[1]». Dans le cas de certains produits pharmaceutiques, le fabricant fournit une fiole de solvant avec le médicament à diluer. Si ce solvant n'est pas offert avec le médicament, il faut utiliser celui qui est recommandé sur l'étiquette. L'infirmière peut trouver ce solvant généralement au commun, sur les chariots de médicaments ou, selon les milieux, à un endroit réservé à la préparation des médicaments dans les unités de soins.

> Dans le but d'uniformiser le texte, le terme «solvant» sera utilisé.

Attention!

Il faut utiliser le solvant recommandé par le fabricant. Le solvant à employer est toujours indiqué sur la monographie ou sur l'étiquette accompagnant le produit. Si le type de solvant n'y est pas, il faut éviter de jouer aux devinettes. En effet, il n'est pas sécuritaire d'utiliser un autre solvant que celui recommandé. Un mauvais solvant pourrait inactiver le produit ou le faire «précipiter», c'est-à-dire former des cristaux ou rendre le médicament solide, ce qui serait dangereux pour le client. En cas de doute, on doit communiquer avec le département de pharmacie, ou consulter un pharmacien pour connaître les recommandations professionnelles.

---

1. GARNIER DELAMARE, «Solvant», 2009, p. 810.

Les principaux solvants sont les suivants :

L'eau stérile pour injection

Ce solvant est souvent utilisé. L'eau stérile, qui ne contient pas d'agent de conservation, se présente sous forme de **fiole monodose**, souvent appelée « unidose » en milieu hospitalier. On doit la jeter immédiatement après avoir prélevé le liquide servant à la préparation du médicament.

L'eau bactériostatique pour injection

Ce type d'eau peut aussi être utilisé. Le terme « bactériostatique » fait référence à « l'action de certaines substances qui suspendent la division bactérienne, entraînent le vieillissement de la bactérie et sa mort si la dose est suffisante* ». Cette eau bactériostatique est souvent recommandée par les compagnies pharmaceutiques pour la reconstitution de leur produit. La dilution avec ce produit permet parfois l'extension de la durée de conservation du médicament, pourvu que celui-ci soit stable. Pour obtenir plus d'information à ce sujet, l'infirmière peut s'adresser au département de pharmacie.

Le chlorure de sodium pour injection

Ce produit, qui est également souvent utilisé, consiste en une eau salée à 0,9 % de NaCl (communément appelé « NaCl » ou « solution physiologique »). On appelle ce solvant « solution physiologique » car cette solution est isotonique au sérum sanguin et ne crée pas d'effet sur la pression osmotique dans les tissus de l'organisme (*voir le chapitre 12, p. 192*). Certains médicaments se dissolvent mieux dans la solution physiologique que dans l'eau. Il existe du chlorure de sodium sans agent bactériostatique et avec agent bactériostatique. Il faut bien lire l'information sur le contenant du produit avant de l'utiliser.

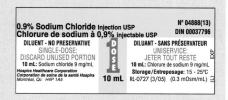

Enfin, on doit veiller à ne pas confondre les différents solvants.

---

* GARNIER DELAMARE, « Bactériostatique », 2009, p. 95.

La reconstitution des médicaments en poudre à concentration unique

Le terme « concentration unique » signifie que même si la médication peut être injectée par différentes voies telles que la voie intramusculaire ou la voie intraveineuse, la préparation demeure la même. L'étiquette de la figure 10.2 est un exemple de reconstitution de médicament en poudre à concentration unique.

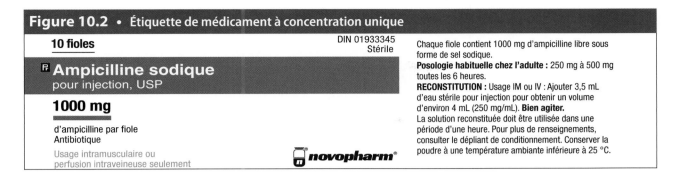

Figure 10.2 • Étiquette de médicament à concentration unique

10 fioles

DIN 01933345
Stérile

Ampicilline sodique
pour injection, USP

1000 mg

d'ampicilline par fiole
Antibiotique

Usage intramusculaire ou
perfusion intraveineuse seulement

novopharm®

Chaque fiole contient 1000 mg d'ampicilline libre sous forme de sel sodique.
Posologie habituelle chez l'adulte : 250 mg à 500 mg toutes les 6 heures.
RECONSTITUTION : Usage IM ou IV : Ajouter 3,5 mL d'eau stérile pour injection pour obtenir un volume d'environ 4 mL (250 mg/mL). **Bien agiter.** La solution reconstituée doit être utilisée dans une période d'une heure. Pour plus de renseignements, consulter le dépliant de conditionnement. Conserver la poudre à une température ambiante inférieure à 25 °C.

Le mode de reconstitution de ce produit se trouve à droite de l'étiquette[2]. Remarquez l'indication : « Ajouter 3,5 ml d'eau stérile pour injection ». Afin d'effectuer les opérations demandées sur le mode d'emploi d'une étiquette, il faut s'assurer d'avoir le bon solvant et d'utiliser du matériel stérile, tel que des seringues, des aiguilles et des tampons pour la désinfection des bouchons. Il faut se rappeler que lorsqu'on reconstitue un produit pour une utilisation par voie parentérale, il est **obligatoire d'appliquer des mesures d'asepsie chirurgicale rigoureuses.** Aussi, dans l'exemple de

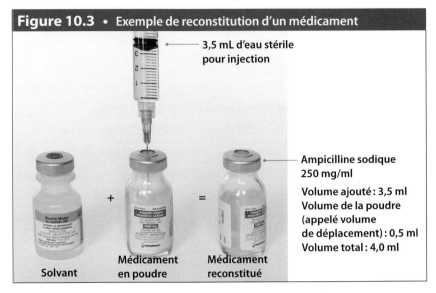

Figure 10.3 • Exemple de reconstitution d'un médicament

3,5 mL d'eau stérile pour injection

Ampicilline sodique 250 mg/ml

**Volume ajouté : 3,5 ml
Volume de la poudre (appelé volume de déplacement) : 0,5 ml
Volume total : 4,0 ml**

Solvant

Médicament en poudre

Médicament reconstitué

l'étiquette d'ampicilline sodique de la figure 10.2, on lit que la solution reconstituée doit être utilisée dans l'heure suivant sa préparation.

La figure 10.3 vous permettra de mieux comprendre comment se fait la reconstitution d'un médicament en poudre.

Après avoir dilué le produit (Ampicillin) avec 3,5 ml d'eau stérile, on obtient la concentration du médicament spécifiée par la compagnie pharmaceutique, soit 250 mg/ml. Le volume de la fiole est de 4 ml. La fiole qui contient 1 000 mg d'ampicilline sodique sous forme de sel sodique donnera donc un médicament reconstitué de 1 000 mg par 4 ml. La différence entre la quantité de liquide (eau stérile) ajouté et la quantité totale du médicament reconstitué s'appelle **volume de déplacement**. Dans ce cas-ci, le volume de déplacement est de 0,5 ml.

Ce volume de déplacement peut varier selon les médicaments. Il arrive que le volume occupé par la poudre soit peu important et que la compagnie pharmaceutique n'en tienne pas compte dans le volume total du médicament reconstitué. Par exemple, en regardant l'étiquette de Solu-Medrol de l'activité 10.2, à la page suivante, on peut voir qu'il est demandé de diluer la poudre avec 8 ml d'eau bactériostatique, et que le volume total après reconstitution demeure 8 ml.

---

2. Notez que plusieurs fabricants présentent l'information en français seulement sur l'emballage du médicament, ou sur la monographie à l'intérieur de la boîte, et pas sur la fiole ou l'ampoule directement.

ACTIVITÉ 10.2

Le méthylprednisolone (Solu-Medrol) se présente dans une fiole contenant le médicament en poudre. Examinez son étiquette ci-dessous et répondez aux questions suivantes :

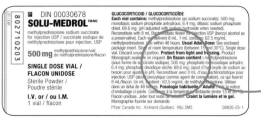

© Pfizer Inc.

Un flacon contient : méthylprednisolone (sous forme de succinate sodique), 500 mg ; phosphate monosodique anhydre, 6,4 mg ; phosphate disodique séché, 69,6 mg ; (ajout d'hydroxyde de sodium au besoin pour ajuster le pH). Reconstituer avec 8 ml d'eau bactériostatique pour injection, USP (alcool benzylique comme agent de conservation), ce qui fournit 8 ml/flacon. Un ml contient : 62,5 mg/ml de méthylprednisolone. Utiliser dans un délai de 48 heures. **Posologie habituelle – Adulte :** Voir la notice d'emballage ci-jointe. Conserver à la température ambiante (entre 15 et 30 °C). Flacon unidose. Jeter tout reste de solution. **Craint la lumière et le gel.** Monographie fournie sur demande.

a) Quel solvant faut-il utiliser pour reconstituer ce médicament ? _____

b) Combien de millilitres de solvant faut-il ajouter à la fiole de Solu-Medrol ? _____

c) Quelle est la concentration en méthylprednisolone par millilitre ? _____

d) Pour observer une ordonnance de 250 mg, quelle quantité de médicament faut-il administrer ? _____

e) Pour observer une ordonnance de 500 mg, quelle quantité de médicament faut-il administrer ? _____

f) Pendant combien de temps cette solution peut-elle rester stable ? _____

g) On lit sur le mode de préparation que cette fiole est unidose. Qu'est-ce que ce terme signifie ?

_____

ACTIVITÉ 10.3

Lisez l'étiquette de cloxacilline sodique ci-dessous et répondez aux questions suivantes :

RECONSTITUTION : Ajouter 9,6 ml d'eau stérile pour injection pour obtenir environ 10 ml (100 mg/ml) de solution réservée à la voie intraveineuse. **Bien agiter.** Pour plus de renseignements, consulter le dépliant de conditionnement. Conserver la poudre sèche à une température ambiante inférieure à 25 °C.

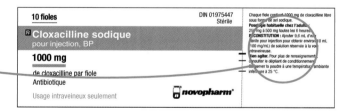

a) Quelle quantité de solvant faut-il ajouter pour obtenir une concentration de 100 mg/ml ? _____

b) Quel est le diluant recommandé ? _____

c) Quel sera le volume de déplacement ? _____

d) Si l'ordonnance indique qu'il faut administrer 650 mg de cloxacilline, quelle quantité de médicament faut-il prélever ? _____

La reconstitution des médicaments en poudre à concentrations multiples

Il existe des médicaments en poudre qui, selon la quantité de solvant ajoutée, auront des concentrations différentes pour une administration par voie intraveineuse, par voie intramusculaire ou par voie sous-cutanée. C'est pourquoi on les appelle des médicaments en poudre à concentrations multiples. Il faut alors choisir la reconstitution appropriée à la voie d'administration prescrite.

Ainsi, la compagnie pharmaceutique peut, selon la voie d'administration, recommander différents volumes de liquide pour la dilution du médicament. Comme on peut le voir sur l'étiquette de cloxacilline sodique dans l'activité 10.4, pour administrer ce médicament par voie intraveineuse, il faut ajouter une plus grande quantité de diluant, soit 4,8 ml, alors que pour l'administrer par voie intramusculaire, il faut ajouter seulement 1,7 ml. Il est très important d'utiliser le bon volume de solvant selon la voie d'administration demandée.

L'étiquette de Cloxacilline sodique indique qu'en ce qui concerne la reconstitution pour la voie intramusculaire, la concentration du médicament reconstitué est de 250 mg/ml et la quantité totale de la fiole est de 2 ml. Par ailleurs, pour la voie intraveineuse, une fois la reconstitution faite, on obtient une concentration de 100 mg/ml et une quantité totale de médicament de 5 ml.

Lorsque vous utilisez des médicaments à concentrations multiples, vous devez ajouter à la main, sur l'étiquette de la fiole, les renseignements comme il a été expliqué à la figure 10.1, à la page 157. Ici, il est encore plus important de bien préciser la voie d'administration ainsi que la concentration.

ACTIVITÉ 10.4

Lisez l'étiquette de cloxacilline sodique et répondez aux questions suivantes :

RECONSTITUTION : Usage IM : Ajouter 1,7 ml d'eau stérile pour injection pour obtenir un volume d'environ 2 ml (250 mg/ml). Usage IV : Ajouter 4,8 ml d'eau stérile pour injection pour obtenir un volume d'environ 5 ml (100 mg/ml). **Bien agiter.** Pour plus de renseignements, consulter le dépliant de conditionnement.

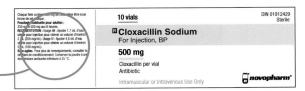

a) Quelle quantité de solvant faut-il ajouter pour préparer une injection intramusculaire ? _____

b) Quel est le solvant recommandé pour une injection intramusculaire ? _____

c) Dans cette préparation pour une injection intramusculaire, quelle est la concentration de cloxacilline sodique par millilitre ? _____

d) Si l'ordonnance indique qu'il faut administrer 350 mg de cloxacilline sodique par voie intramusculaire, quelle quantité de médicament faut-il administrer ? _____

e) Quelle quantité de solvant faut-il ajouter pour une utilisation par voie intraveineuse ? _____

f) Pour une utilisation par voie intraveineuse, lorsque la reconstitution est faite, quelle est la concentration de cloxacilline sodique par millilitre ? _____

ACTIVITÉ 10.5

M. Raynald Deschênes de la chambre 1234, lit 1, doit recevoir Céfazoline 500 mg iv à toutes les 8 heures. Lisez l'étiquette de Céfazoline et répondez aux questions suivantes :

Pour l'administration intramusculaire, ajouter de l'eau stérile pour injection ou du chlorure de sodium injectable : 3,8 ml pour une solution à 125 mg/ml ou 2,0 ml pour une solution à 225 mg/ml.
Pour l'administration intraveineuse directe (bolus[3]), diluer une seconde fois la solution reconstituée jusqu'à un minimum de 10 ml en utilisant de l'eau stérile pour injection. **Bien agiter.**
Pour la perfusion intraveineuse intermittente, diluer une seconde fois dans 50 à 100 ml de l'une des solutions intraveineuses recommandées. Utiliser la solution reconstituée dans les 24 h si gardée à une température ambiante inférieure à 25 °C, ou pendant 72 h si gardée au réfrigérateur (2 °C à 8 °C). Garder à l'abri de la lumière. Pour la posologie et les renseignements thérapeutiques, consulter le dépliant de conditionnement. Monographie du produit fournie sur demande. Conserver la poudre entre 15 °C et 25 °C, à l'abri de la lumière.

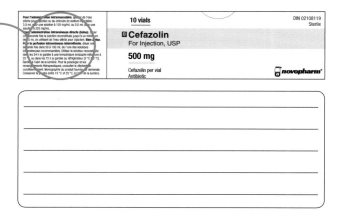

a) Quelle quantité de solvant faut-il ajouter dans la fiole pour préparer une injection intramusculaire de solution à 225 mg/ml ? _____

b) En vous référant à l'énoncé a), indiquez sur l'étiquette l'information que vous aurez à écrire sur la fiole.

c) Quelle quantité de solvant faut-il ajouter dans la fiole pour une solution à 125 mg/ml pour une injection intramusculaire ? _____

d) Quel type de solvant faut-il utiliser ?
_____

e) Quelle quantité de solvant faut-il ajouter dans la fiole pour préparer une injection intraveineuse en bolus ? _____

f) Si l'ordonnance indique qu'il faut administrer 500 mg par voie intramusculaire de Céfazoline, quelle reconstitution de médicament faut-il choisir ?

Justifiez votre réponse. _____
_____

g) Pendant combien de temps ce médicament peut-il rester stable à la température ambiante ?

Notions essentielles à retenir

- La préparation de solutions par voie orale ne nécessite pas d'asepsie chirurgicale, car l'absorption par la bouche ne requiert pas de principes de stérilité. Il est cependant nécessaire de connaître les principes de base de l'asepsie médicale.

- Au cours de la reconstitution d'un produit pour une utilisation par voie parentérale, il est **obligatoire d'appliquer des mesures d'asepsie chirurgicale rigoureuses**.

- Lorsqu'on prépare des solutions avec des médicaments en poudre, il faut bien suivre le mode d'emploi. Si l'information n'est pas fournie sur l'étiquette, il faut lire la monographie qui se trouve dans l'emballage ou vérifier avec le département de pharmacie.

- Selon les milieux cliniques, lorsque toute la quantité d'un produit reconstitué n'est pas entièrement utilisée et qu'il est noté qu'on peut la conserver pour une autre utilisation, il est important d'identifier la fiole afin de s'assurer de la préservation du médicament comme il est recommandé par le fabricant et de s'assurer que l'infirmière qui aura à l'utiliser le fera en toute sécurité.

- Une fois que le produit est reconstitué, il faut attendre que le médicament soit complètement dissous avant de l'utiliser.

---

3. Injection intravasculaire très rapide et brève d'un médicament ou d'un produit de contraste. Ce terme est abordé dans le chapitre 14.

Exercices de révision ━━━━━━━━━━━━━━━━━━━━━━━━━━━━━ ■

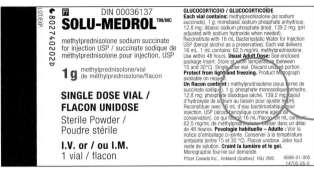

© Pfizer Inc.

Un flacon contient : méthylprednisolone (sous forme de succinate sodique), 1 g ; phosphate monosodique anhydre, 12,8 mg ; phosphate disodique séché, 139,2 mg ; (ajout d'hydroxyde de sodium au besoin pour ajuster le pH). Reconstituer avec 16 mL d'eau bactériostatique pour injection, USP (alcool benzylique comme agent de conservation), ce qui fournit 16 mL/flacon. Un mL contient : 62,5 mg/mL de méthylprednisolone. Utiliser dans un délai de 48 heures. **Posologie habituelle – Adulte :** Voir la notice d'emballage ci-jointe. Conserver à la température ambiante (entre 15 et 30 °C). Flacon unidose. Jeter tout reste de solution. **Craint la lumière et le gel.** Monographie fournie sur demande.

RECONSTITUTION : Usage IM ou IV : Ajouter 3,5 ml d'eau stérile pour injection pour obtenir un volume d'environ 4 ml (250 mg/ml). **Bien agiter.** La solution reconstituée doit être utilisée dans une période d'une heure.

1. Lisez l'étiquette appropriée et répondez aux questions suivantes :

   a) Quelle quantité de solvant faut-il ajouter pour obtenir une fiole de 1 g de méthylprednisolone (Solu-Medrol) ? _____

   b) Quel solvant faut-il utiliser ? _____

   c) Quel sera le volume total de cette fiole ? _____

   d) Quelle est la concentration de cette préparation en méthylprednisolone par millilitre ? _____

   e) Cette solution peut-elle être utilisée pour une injection intramusculaire ? _____

   f) Combien de millilitres faut-il prélever pour administrer 125 mg de méthylprednisolone ? _____

   g) Pour préparer l'ampicilline pour une injection intramusculaire, quelle quantité de solvant faut-il ajouter ? _____

   h) Quel type de solvant faut-il utiliser ? _____

   i) Quel est le volume de déplacement ? _____

   j) Combien de millilitres faut-il prélever pour administrer 125 mg d'ampicilline im ? _____

   k) Combien de millilitres faut-il prélever pour administrer 325 mg d'ampicilline im ? _____

2. Lisez l'étiquette de pénicilline G sodique et répondez aux questions suivantes :

10 fioles	DIN 0193 S
℞ Pénicilline G sodique	
pour injection, USP	
10 million UI	
de pénicilline par fiole	
Antibiotique	
Usage intraveineux seulement	**novoph**

Chaque fiole contient 10 millions UI de pénicilline G sodique tamponnée avec du citrate de sodium et de l'acide citrique.
Posologie habituelle chez l'adulte : 1,2 millions UI toutes les 4 à 6 heures.
RECONSTITUTION : Ajouter 6,0 ml d'eau stérile pour injection pour obtenir environ 10 ml, (1 million UI/mL) de solution réservée à la voie intraveineuse. **Bien agiter.**
Pour plus de renseignements, consulter le dépliant de conditionnement. La monographie du produit est fournie sur demande. Conserver la poudre à une température ambiante inférieure à 25 °C. Entreposer les solutions reconstituées 24 h à une température ambiante inférieure à 25 °C ou pendant 7 jours au réfrigérateur.

RECONSTITUTION : Ajouter 6,0 ml d'eau stérile pour injection pour obtenir environ 10 ml (1 million UI/ml) de solution réservée à la voie intraveineuse. **Bien agiter.** Pour plus de renseignements, consulter le dépliant de conditionnement. La monographie du produit est fournie sur demande. Conserver la poudre à une température ambiante inférieure à 25 °C. Entreposer les solutions reconstituées 24 heures à la température ambiante inférieure à 25 °C ou pendant 7 jours au réfrigérateur.

a) Quelle quantité de solvant faut-il ajouter pour obtenir une fiole de pénicilline G en concentration de 1 000 000 d'unités/ml ? _____

b) Vous avez à administrer 2 500 000 unités de pénicilline G. Combien de millilitres préparez-vous ?

_____

c) Complétez l'étiquette à apposer sur la fiole au moment de la reconstitution.

d) Pendant combien de temps la pénicilline peut-elle être conservée à la température ambiante ?

_____

e) Pendant combien de temps peut-elle être conservée au réfrigérateur ? _____

f) Quel est le volume de déplacement ? _____

3. Lisez l'étiquette de cloxacilline sodique et répondez aux questions suivantes :

10 fioles	DIN 01912410 Stérile
℞ Cloxacilline sodique	
pour injection, BP	
2000 mg	
de cloxacilline par fiole	
Antibiotique	
Usage intraveineux seulement	**novopharm®**

Chaque fiole contient 2000 mg de cloxacilline libre sous forme de sel sodique.
Posologie habituelle chez l'adulte : 250 mg à 500 mg toutes les 6 heures.
RECONSTITUTION : Ajouter 6,8 ml d'eau stérile pour injection pour obtenir environ 8 ml (250 mg/mL) de solution réservée à la voie intraveineuse. **Bien agiter.**
Pour plus de renseignements, consulter le dépliant de conditionnement. Conserver la poudre à une température ambiante inférieure à 25 °C.

RECONSTITUTION : Ajouter 6,8 ml d'eau stérile pour injection pour obtenir 8 ml (250 mg/ml) de solution réservée à la voie intraveineuse. **Bien agiter.** Pour plus de renseignements, consulter le dépliant de conditionnement. Conserver la poudre à une température ambiante inférieure à 25 °C.

a) Quelle quantité d'eau stérile faut-il ajouter dans la fiole de cloxacilline pour diluer le médicament ?

_____

b) Quel sera alors le volume total de la fiole ? _____

c) Cette solution peut-elle être utilisée pour une injection im ? _____

d) Quelle sera la concentration de cette préparation ? _____

e) Combien de millilitres faut-il prélever pour administrer une dose de 650 mg ? _____

f) Quel est le volume de déplacement ? _____

Chapitre **11**

Le calcul des doses en fonction de la masse corporelle et de la surface corporelle

À la fin de ce chapitre, vous serez en mesure :

- de calculer le dosage d'un médicament selon la masse corporelle ;
- de calculer le dosage selon la posologie recommandée par le fabricant ;
- de comparer l'ordonnance médicale avec la posologie recommandée par le fabricant en fonction de la masse corporelle ;
- de calculer la surface corporelle à l'aide d'une formule ;
- de calculer la surface corporelle à l'aide du nomogramme de West ;
- de calculer le dosage d'un médicament selon la surface corporelle lorsque cela est requis ;
- de comparer l'ordonnance médicale avec la posologie recommandée par le fabricant en fonction de la surface corporelle.

Introduction

Dans ce chapitre, nous traiterons de masse corporelle et de surface corporelle, utilisées pour déterminer la posologie de plusieurs médicaments.

L'ordonnance médicale peut en effet être prescrite en fonction de la masse corporelle ou en fonction de la surface corporelle, qui met en relation la masse et la taille du client. En pédiatrie, notamment, on peut observer d'importantes variations de masse et de taille pour un âge équivalent. C'est pourquoi, souvent, le médecin ne rédigera pas ses ordonnances en fonction de l'âge de l'enfant, mais plutôt en fonction de sa masse corporelle ou de sa surface corporelle. Si l'on procédait en fonction de doses standardisées selon l'âge, les enfants plus délicats recevraient des doses trop élevées, et donc potentiellement dangereuses, alors que les enfants plus grands et plus costauds ne recevraient pas une dose suffisante pour produire l'effet thérapeutique désiré.

Chez l'adulte, le médecin peut aussi considérer la masse corporelle et la surface corporelle lors de la rédaction de l'ordonnance. Par exemple, si un médicament se distribue davantage dans le tissu adipeux qu'ailleurs, il est très important de considérer la masse corporelle ou la surface corporelle de l'individu au moment de l'ajustement de certains médicaments.

11.1 Le dosage selon la masse corporelle

Pour être en mesure de calculer le dosage d'un médicament selon la masse corporelle, il faut s'assurer de connaître celle-ci en kilogrammes. Une fois cette information connue, on peut effectuer les opérations nécessaires au calcul des doses.

La conversion des livres en kilogrammes

Avant de calculer le dosage, il est important de connaître avec précision la masse corporelle du client. Il arrive encore souvent que la masse du client soit exprimée en livres, on doit la convertir en kilogrammes. Ainsi, il faut savoir que :

> Un kilogramme (kg) équivaut à 2,2 livres (lb). Pour convertir des livres en kilogrammes, il suffit donc de diviser le nombre de livres par 2,2.

EXEMPLE 11.1

a) On veut convertir 33 lb en kilogrammes.
On divise 33 lb par $\frac{2,2 \text{ lb}}{\text{kg}}$: $33 \text{ lb} \div \frac{2,2 \text{ lb}}{\text{kg}} = 15 \text{ kg}$
Comme il s'agit d'une division, le résultat sera plus petit en kilos qu'en livres. On arrondit généralement le résultat au dixième, sauf si des précisions différentes sont demandées.

b) On veut convertir 58 lb en kilos.
On divise 58 lb par $\frac{2,2 \text{ lb}}{\text{kg}}$: $58 \text{ lb} \div \frac{2,2 \text{ lb}}{\text{kg}} = 26,36$, soit 26,4 kg

ACTIVITÉ 11.1

Convertissez les poids suivants en kilogrammes. Arrondissez au dixième.

a) 24,5 lb = _____ kg

b) 42 lb = _____ kg

c) 77 lb = _____ kg

d) 11 lb = _____ kg

e) 46 lb = _____ kg

f) $7\frac{1}{2}$ lb = _____ kg

Le calcul des doses

Ici, le terme « milligrammes » (mg) est utilisé, mais il pourrait aussi s'agir d'autres unités de mesure, telles que des grammes, des microgrammes ou des unités. La méthode de calcul reste la même.

Occasionnellement, l'infirmière peut recevoir une ordonnance médicale rédigée selon la masse corporelle. En effet, si le médecin ne connaît pas la masse réelle du client au moment de rédiger l'ordonnance, il peut prescrire le médicament en fonction de la masse corporelle, c'est-à-dire en **mg/kg** (quantité de médicament par kilogramme). Par exemple : « Administrer Tylenol 10 mg/kg si T° supérieure à 38,5 °C. » Si l'étiquette du Tylenol indique une concentration de 160 mg/5 ml, l'infirmière devra calculer la dose en fonction de la masse corporelle du client et, par la suite, s'assurer de l'adéquation de son calcul par la **double vérification indépendante**.

Les étapes à respecter lors du calcul des doses selon la masse corporelle

1. Il faut s'assurer d'avoir la masse corporelle du client en kilogrammes.

2. Ensuite, il suffit de multiplier la masse de la personne par la dose exprimée en mg/kg dans l'ordonnance médicale : on aura alors un résultat exprimé en milligrammes (mg) à administrer.

3. Finalement, on effectue le calcul de la dose à administrer en utilisant la méthode des rapports et des proportions pour transformer les milligrammes en comprimés ou en millilitres selon la présentation du médicament.

L'infirmière doit aussi veiller à ce que cette dose corresponde au schéma posologique recommandé par le fabricant. L'expression « schéma posologique » est expliquée dans l'encadré de la page suivante.

EXEMPLE 11.2

Reprenons l'exemple de l'ordonnance cité précédemment : « Administrer Tylenol 10 mg/kg si T° supérieure à 38,5 °C. »

L'étiquette du Tylenol indique une concentration de 160 mg/5 ml.

On sait que l'enfant pèse 64 livres.

On peut donc effectuer le calcul en suivant les étapes qui ont été décrites :

1. Transformer la masse en kilogrammes (en arrondissant au dixième) :

$$64 \text{ lb} \div \frac{2,2 \text{ lb}}{kg} = 29,1 \text{ kg}$$

2. Calculer le nombre de milligrammes à administrer :

$$29,1 \text{ kg} \times 10 \text{ mg/kg} = 291 \text{ mg}$$

3. Effectuer le calcul en utilisant la méthode des rapports et des proportions pour connaître la dose à administrer :

$$160 \text{ mg} = 5 \text{ ml} : 291 \text{ mg} = x \text{ ml}$$

Réponse : 9,1 ml

> Les calculs des rapports et des proportions sont expliqués au chapitre 4. Y retourner au besoin.

ACTIVITÉ 11.2

Avec une étiquette de Tylenol indiquant une concentration de 160 mg/5 ml, l'ordonnance est la suivante : « Tylenol 15 mg/kg stat. »

L'enfant pèse 48 livres.

a) Quel sera le nombre de milligrammes à administrer ? (Arrondissez à l'unité.) _____

b) Combien de millilitres devrez-vous administrer ? _____

La posologie recommandée

Selon des considérations pharmacologiques, les médicaments peuvent être administrés en fonction de la masse corporelle du client. La posologie peut alors être exprimée selon un dosage quotidien (**mg/kg/jour**), comme il est expliqué dans l'encadré de la page suivante. Par la suite, cette posologie quotidienne est fractionnée, c'est-à-dire divisée en plusieurs **doses simples**, qui seront administrées à divers moments de la journée, par exemple q6h, tid, qid, selon la fréquence d'administration prescrite et recommandée par le fabricant.

Les termes utilisés pour exprimer la posologie d'un médicament

Le terme « posologie » fait référence à l'étude de doses d'une médication en fonction de certaines considérations concernant le client, telles que sa masse corporelle, sa taille, son âge, son sexe et son état de santé. La posologie recommandée par les fabricants ne précise pas toujours une dose unique à administrer. Elle peut aussi être exprimée sous forme d'intervalles de doses. Ces intervalles sont appelés « **schémas posologiques** », « **gammes posologiques** » ou « **intervalles thérapeutiques** ». Dans ce volume, nous utilisons le terme « schéma posologique ».

Le **schéma posologique** correspond à une dose minimale et à une dose maximale. Les compagnies pharmaceutiques produisent un schéma posologique pour préciser la dose minimale et la dose maximale qui assurent l'efficacité optimale (ou la dose thérapeutique) du médicament.

Le schéma posologique peut être quotidien, c'est-à-dire exprimé pour une période de 24 heures (**mg/kg/jour**), ou être fractionné en doses selon des intervalles sur une période de 24 heures. On appelle alors ces doses **doses simples** ou **doses fractionnées** (par exemple, x mg toutes les 6 h, x mg toutes les 8 h, x mg tid). Ainsi, lorsque l'ordonnance indique d'administrer un médicament toutes les 6 heures, on divise la période quotidienne de 24 heures en des intervalles de 6 heures, et on obtient 4 doses fractionnées à administrer.

Évidemment, c'est le médecin qui prescrit le dosage du médicament et, normalement, c'est le pharmacien du département de pharmacie qui valide les doses. Toutefois, l'infirmière doit vérifier la posologie prescrite pour s'assurer que celle-ci est conforme à l'ordonnance et aux recommandations pharmaceutiques. Pour obtenir l'information sur les schémas posologiques recommandés, on peut aussi consulter la **monographie** du médicament qui accompagne le produit (*voir l'encadré à la page suivante*).

Dans le cas des posologies déterminées selon la masse corporelle, pour l'administration de médicaments par voie orale, on trouve souvent l'information directement sur l'étiquette de la bouteille ou sur la boîte d'emballage du médicament. Cependant, pour les médicaments qui s'administrent par voie intraveineuse, sous-cutanée ou intramusculaire, la posologie recommandée n'est pas nécessairement indiquée sur l'étiquette, puisque les fioles des médicaments parentéraux sont plus petites. Cette information se trouve plutôt dans la monographie du médicament contenue à l'intérieur de l'emballage du produit.

Les monographies sont rarement disponibles dans les unités de soins. Il arrive fréquemment que l'information à connaître soit indiquée sur la feuille d'administration des médicaments ou sur le profil pharmacologique délivré par le département de pharmacie. Si vous n'avez pas l'information, vous pouvez aussi la trouver dans les guides de médicaments, le Compendium des produits et spécialités pharmaceutiques (CPS), ou alors vous pouvez vous référer au pharmacien.

Attention !

Si vous avez un doute quant à l'ordonnance, faites-la vérifier par une autre infirmière ou consultez le pharmacien du centre hospitalier pour obtenir plus de renseignements. Si le doute persiste, parlez-en au médecin avant d'administrer le médicament, car l'infirmière ou l'infirmière auxiliaire est responsable de la médication qu'elle administre.

Dans les activités de ce chapitre, l'information qui se trouve habituellement sur les monographies a été abrégée en fonction des calculs que vous aurez à effectuer.

Les dépliants et les monographies

La monographie est l'étude complète du médicament. Elle est présentée sur un feuillet explicatif à l'intérieur de l'emballage du produit. Ces feuillets sont très explicites. Ils fournissent des indications sur la molécule active du médicament et expliquent les précautions à prendre, telles que les contre-indications, les interactions médicamenteuses et les effets secondaires. Dans une monographie, on traite aussi de la présentation du produit, de la posologie et du mode d'administration.

11.2 L'ordonnance médicale rédigée en fonction de la masse corporelle comparée avec la posologie recommandée par le fabricant

Le médecin peut rédiger l'ordonnance médicale sous forme de milligrammes de médicament à administrer et en doses fractionnées (par exemple, « Administrer 500 mg q8h »). Cependant, l'infirmière doit s'assurer que la dose prescrite est sécuritaire et thérapeutique. Pour ce faire, elle doit vérifier que celle-ci correspond à la posologie recommandée par le fabricant.

Voici les vérifications à effectuer pour vérifier l'adéquation de l'ordonnance :

1. S'assurer de connaître la masse corporelle du client en kilogrammes (avec une précision au dixième de kilogramme).

2. Calculer la dose recommandée par le fabricant. Cette dose est exprimée selon un schéma posologique en fonction de la masse corporelle. Habituellement, dans les monographies, cette dose est présentée sous forme de schéma posologique quotidien avec des doses quotidiennes minimales et maximales.

3. Fractionner ces doses quotidiennes minimales et maximales en intervalles de 24 heures, selon les recommandations du fabricant. Ces doses sont alors appelées doses fractionnées ou doses simples.

4. a) S'assurer que la dose prescrite se situe à l'intérieur du schéma posologique recommandé. Si elle se situe à l'extérieur du schéma posologique (parce qu'elle est trop faible ou trop élevée), l'infirmière doit faire valider l'ordonnance par le médecin.

   b) Veiller à ce que le nombre de doses prescrites par jour corresponde au nombre de doses recommandées selon le schéma posologique. Sinon, l'infirmière doit faire valider l'ordonnance par le médecin.

Attention !

Le schéma posologique en mg/kg/jour et le nombre de doses à administrer quotidiennement sont indiqués sur l'étiquette du fabricant. À l'aide de ces renseignements, vous pouvez facilement calculer le dosage et déterminer si la dose prescrite correspond à la posologie recommandée.

EXEMPLE 11.3

Reportez-vous à l'étiquette de Novamoxin 125 mg/5 ml.

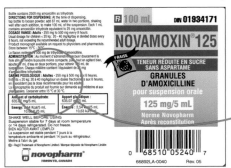

GAMME POSOLOGIQUE – Adultes - 250 mg à 500 mg aux 8 heures. Enfant < 20 kg : 20 à 40 mg/kg/ jour en doses fractionnées aux 8 heures, en n'excédant pas la dose recommandée pour les adultes.
La monographie du produit est fournie sur demande aux médecins et pharmaciens. Conserver entre 15 °C et 30 °C.

L'ordonnance indique d'administrer Novamoxin 125 mg toutes les 8 h à un garçon pesant 35 livres. Est-ce que la dose prescrite correspond au schéma posologique recommandé ? Pour le savoir, on procède de la façon suivante :

1. On doit transformer les livres en kilogrammes : $35\ \cancel{lb} \div \dfrac{2,2\ \cancel{lb}}{kg} = 15,9$ kg.

2. On consulte le schéma posologique :

   Schéma posologique minimal quotidien recommandé :

   $15,9\ \cancel{kg} \times 20\ mg/\cancel{kg} = 318$ mg

   Schéma posologique maximal quotidien recommandé :

   $15,9\ \cancel{kg} \times 40\ mg/\cancel{kg} = 636$ mg

3. On fractionne ces résultats en fonction du nombre de doses prescrites :

   318 mg ÷ 3 doses = 106 mg par dose

   636 mg ÷ 3 doses = 212 mg par dose

4. a) Ainsi, chaque dose fractionnée pourra varier de 106 mg à 212 mg pour un enfant ayant une masse corporelle de 35 lb ou 15,9 kg.

   L'ordonnance médicale étant de 125 mg par dose, elle se situe donc à l'intérieur du schéma posologique et est sécuritaire et thérapeutique pour cet enfant.

   b) Le nombre de doses prescrit correspond aussi au nombre de doses recommandé par le fabricant.

ACTIVITÉ 11.3

En vous reportant à l'étiquette de Novamoxin, répondez aux questions suivantes :

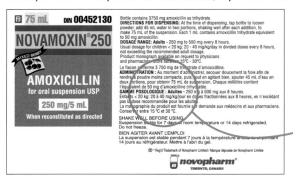

GAMME POSOLOGIQUE – Adultes -
250 mg à 500 mg aux 8 heures.
Enfant < 20 kg : 20 à 40 mg/kg/jour en doses fractionnées aux 8 heures, en n'excédant pas la dose recommandée pour les adultes.
La monographie du produit est fournie sur demande aux médecins et pharmaciens. Conserver entre 15 °C et 30 °C.

a) Quelle est la posologie quotidienne recommandée pour un enfant dont la masse corporelle est inférieure à 20 kg ? Le dosage quotidien varie de _____ à _____ mg/kg/jour.

b) Quel est le schéma posologique quotidien recommandé pour un enfant pesant 33 lb ?

Déterminez sa masse en kilos : _____ Le dosage quotidien varie de _____

à _____ mg/jour.

c) En combien de doses la posologie quotidienne doit-elle être fractionnée ? _____

d) Si vous administrez cette dose toutes les 8 heures, pour respecter le schéma posologique de cet enfant, quel sera le nombre de milligrammes à administrer pour chacune des doses ?

Dose minimale : _____ Dose maximale : _____

e) Une ordonnance de 400 mg q8h correspond-elle au schéma posologique recommandé pour un enfant pesant 12 kg ? _____

Justifiez votre réponse. _____

f) Une ordonnance de 150 mg q8h correspond-elle au schéma posologique recommandé pour un enfant pesant 15 kg ? _____

Justifiez votre réponse. _____

ACTIVITÉ 11.4

En vous reportant à l'étiquette de céfoxitine, répondez aux questions suivantes :

CÉFOXITINE

2 g par fiole

POSOLOGIE : Nourrissons et enfants (de 1 mois à 12 ans) :
La dose quotidienne recommandée pour les enfants de moins de 50 kg est de 50 à 100 mg/kg, im ou iv, divisée en 4 ou 6 doses égales, ou jusqu'à 180 mg/kg/jour pour les infections graves (y compris les infections du SNC).
Quand le poids est de 50 kg ou plus, utiliser la posologie habituelle chez l'adulte :
Schéma thérapeutique—Adultes

Type d'infection	Dose quotidienne (g)	Fréquence et voie d'administration
Infections moyennement graves à graves	3 à 6	1 à 2 g aux 8 heures im ou iv

DIN 02128195
Sterile / Stérile

℞ Cefoxitin
For Injection, USP

2 g
Cefoxitin per vial
Antibiotic / Antibiotique

IM or IV Use Only
Usage IM ou IV seulement

a) Quel est le schéma posologique quotidien minimal recommandé de ce médicament en mg/kg/jour pour un enfant pesant 48 lb ? _____

b) Si le médicament est administré q6h, combien de milligrammes par dose faudra-t-il lui administrer pour observer le schéma posologique ? Arrondissez au nombre entier.

Dose minimale : _____ Dose maximale : _____

c) Quel est le schéma posologique quotidien recommandé pour un nourrisson ? _____

d) Combien de doses fractionnées faut-il administrer quotidiennement à un nourrisson ? _____

e) Une dose quotidienne de 950 mg pour un nourrisson de deux mois souffrant d'une infection moyenne des voies respiratoires et ayant une masse corporelle de 5,4 kg correspond-elle à la posologie recommandée ? _____

f) Calculez la dose fractionnée maximale pour ce nourrisson dont la masse corporelle est de 5,4 kg.

_____

L'ordonnance au besoin

Le médecin peut rédiger des ordonnances au besoin (prn) et en fonction de la masse corporelle. C'est le cas particulièrement pour des ordonnances de médicaments analgésiques ou antipyrétiques. Il faut lire attentivement l'ordonnance et bien vérifier les schémas posologiques recommandés.

EXEMPLE 11.4

Selon l'ordonnance médicale suivante :
« Pour Matteo Roy, ch. 3212, administrer Tylenol 160 mg/5 ml à 15 mg/kg pour une première dose si T° rectale supérieure à 38,5 °C et par la suite administrer Tylenol 160 mg/5 ml à 10 mg/kg toutes les 4 heures si T° rectale supérieure à 38,5 °C. »

On peut lire sur cette étiquette de Tylenol que la posologie recommandée par la compagnie pharmaceutique est de 10 à 15 mg/kg.

La masse corporelle de Matteo est de 18 lb.

On doit calculer la dose à administrer.

TYLENOL
POSOLOGIE : Enfants : 10 à 15 mg/kg au besoin aux 4 à 6 heures sans dépasser 75 mg/kg/24 heures. Ne jamais dépasser la dose maximale pour adultes fixée à 4000 mg d'acétaminophène.
Recommandations posologiques chez l'enfant

Poids (kg)	Tranche d'âge	Dose unitaire (mg)
2,5-5,4	0-3 mois	40
5,5-7,9	4-11 mois	80
8-10,9	12-23 mois	120
11-15,9	2-3 ans	160
16-21,9	4-5 ans	240
22-26,9	6-8 ans	320
27-31,9	9-10 ans	400
32-43,9	11-12 ans	480

Ainsi :

1. Il faut convertir la masse en kilos :
    $18 \text{ lb} \div \dfrac{2,2 \text{ lb}}{\text{kg}} = 8,2 \text{ kg}$.

2. On multiplie le nombre de milligrammes par kilo ou mg/kg requis selon l'ordonnance médicale :

    $15 \text{ mg} \times 8,2 \text{ kg} = 123 \text{ mg}$ pour la première dose et

    $10 \text{ mg} \times 8,2 \text{ kg} = 82 \text{ mg}$ pour les doses suivantes.

    La présentation du Tylenol étant de 160 mg/5 ml, on fait le calcul en fonction des proportions :

Pour calculer la dose à 15mg/kg : (15 mg × 8,2 kg (masse de l'enfant) = 123 mg)

Produit des extrêmes et des moyens	**Produits croisés**	**Formule simplifiée** $(Q = \frac{O}{T})$

$160 \text{ mg} : 5 \text{ ml} = 123 \text{ mg} : x \text{ ml}$ ou

$160 \text{ mg} : 5 \text{ ml}$
$123 \text{ mg} : x \text{ ml}$

$\dfrac{160 \text{ mg}}{5 \text{ ml}} = \dfrac{123 \text{ mg}}{x \text{ ml}}$

$Q = \dfrac{123 \text{ mg}}{\dfrac{160 \text{ mg}}{5 \text{ ml}}}$

$160 \text{ mg} \times x \text{ ml} = 5 \text{ ml} \times 123 \text{ mg}$

$Q = \dfrac{123 \text{ mg}}{\underset{32}{\cancel{160} \text{ mg}}} \times \cancel{5} \text{ ml}$

$x \text{ ml} = \dfrac{5 \text{ ml} \times 123 \cancel{\text{ mg}}}{160 \cancel{\text{ mg}}}$

$x = 3,84 \text{ ml ou } 3,8 \text{ ml}$

$Q = \dfrac{123}{32} = 3,84 \text{ ml}$

Donc 3,8 ml pour administration de la première dose, avec une seringue de 5 ml graduée au dixième de millilitre.

Pour calculer la dose à 10 mg/kg : 10 mg × 8,2 kg = 82 mg

Produit des extrêmes et des moyens

160 mg : 5 ml = 82 mg : x ml **ou**

160 mg : 5 ml
82 mg : x ml

160 mg × x ml = 5 ml × 82 mg

$$x \text{ ml} = \frac{5 \text{ ml} \times 82 \text{ mg}}{160 \text{ mg}}$$

$$x = 2{,}56 \text{ ml ou } 2{,}6 \text{ ml}$$

Produits croisés

$$\frac{160 \text{ mg}}{5 \text{ ml}} = \frac{82 \text{ mg}}{x \text{ ml}}$$

Formule simplifiée

$$\left(Q = \frac{O}{T}\right)$$

$$Q = \frac{82 \text{ mg}}{\dfrac{160 \text{ mg}}{5 \text{ ml}}}$$

$$Q = \frac{82 \text{ mg}}{160 \text{ mg}} \times 5 \text{ ml}$$

$$Q = 2{,}56 \text{ ml ou } 2{,}6 \text{ ml}$$

Donc 2,6 ml pour administration des doses suivantes, avec une seringue de 3 ml ou 5 ml graduée au dixième de millilitre.

La dose initiale

On appelle parfois la première dose « **dose initiale** », « **dose d'attaque** » ou « **dose de début du traitement** ». Cette première dose est souvent plus importante que les doses suivantes parce qu'elle permet d'atteindre plus rapidement une concentration sanguine, ou sérique, et donc d'obtenir plus vite un effet thérapeutique. Cependant, une telle dose ne doit pas être répétée car elle dépasserait la dose quotidienne recommandée et pourrait alors s'avérer dangereuse pour les clients.

EXEMPLE 11.5

Supposons que Matteo continue à présenter un état fiévreux et qu'il doive recevoir des doses toutes les quatre heures, comme l'ordonnance médicale le précise. Est-ce que cet enfant recevra plus que la dose maximale recommandée ?

S'il doit recevoir toutes les doses possibles, il recevra un total de 6 doses en 24 heures. Selon l'ordonnance : la première dose sera de 123 mg ; les doses suivantes seront de 82 mg chacune, donc 5 doses de 82 mg = 410 mg.

Ainsi, 123 mg + 410 mg = 533 mg.

Par conséquent, 533 mg sera la dose totale que Matteo recevra en 24 heures.

Dans les jours suivant les 24 premières heures, il recevra un maximum de 6 doses de 82 mg, donc un total de 492 mg.

Comme l'étiquette précise qu'on ne doit pas dépasser 75 mg/kg/24 h, la dose maximale pour cet enfant, selon sa masse corporelle, sera :

$$75 \text{ mg} \times 8{,}2 \text{ kg} = 615 \text{ mg en 24 heures.}$$

Résultat : on ne dépassera pas la dose maximale que Matteo peut recevoir.

Attention !

On se souvient des principes de pharmacocinétique et de demi-vie (*voir le chapitre 8*). Dans l'exemple précédent, l'acétaminophène étant métabolisé dans le foie, un surdosage pourrait entraîner des problèmes hépatiques[1].

---

1. Voir Martine MAILLÉ, « L'acétaminophène. Pas si inoffensif que cela ! », *Perspective infirmière*, vol. 7, n° 2 (mars-avril 2010), p. 46.

ACTIVITÉ 11.5

Reportez-vous à l'étiquette de Tylenol 160 mg/5 ml et supposez que l'ordonnance s'adresse à un enfant de 2 ans pesant 24 livres. L'ordonnance médicale est la suivante : « Tylenol 120 mg toutes les 4 heures pour les 24 prochaines heures. » Répondez aux questions suivantes :

TYLENOL
POSOLOGIE : Enfants : 10 à 15 mg/kg au besoin aux 4 à 6 heures sans dépasser 75 mg/kg/24 heures. Ne jamais dépasser la dose maximale pour adultes fixée à 4000 mg d'acétaminophène.
Recommandations posologiques chez l'enfant

Poids (kg)	Tranche d'âge	Dose unitaire (mg)
2,5-5,4	0-3 mois	40
5,5-7,9	4-11 mois	80
8-10,9	12-23 mois	120
11-15,9	2-3 ans	160
16-21,9	4-5 ans	240
22-26,9	6-8 ans	320
27-31,9	9-10 ans	400
32-43,9	11-12 ans	480

a) Quel est la posologie recommandée en milligrammes par kilo ou mg/kg ?

_____

b) Quel est la dose maximale quotidienne recommandée pour cet enfant, sachant qu'il pèse 24 livres ?

Dose : _____

c) Quel sera le schéma posologique pour chaque dose fractionnée, sachant que l'ordonnance indique une administration toutes les 4 heures ?

Dose fractionnée minimale : _____

Dose fractionnée maximale : _____

d) Est-ce que l'ordonnance est adéquate :

i)   en fonction de la dose prescrite ? _____

ii) selon le nombre de doses prescrites pour 24 heures ? _____

ACTIVITÉ 11.6

Reportez-vous à l'étiquette de phénytoïne et répondez aux questions suivantes :

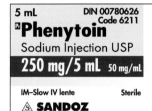

PHÉNYTOÏNE
POSOLOGIE : Enfants : La dose initiale est de 5 mg/kg/jour en 2 ou 3 doses fractionnées égales. Individualiser la posologie par la suite. La dose d'entretien habituelle oscille entre 4 et 8 mg/kg/jour.

© Sandoz Canada Inc. Tous droits réservés.

a) Quelle est la dose quotidienne initiale (ou dose de début du traitement) pour un enfant pesant 10 kg ?

_____

b) Combien de doses initiales fractionnées recommande-t-on sur une période de 24 heures ?

_____

c) Quel sera le schéma posologique minimal quotidien recommandé pour un dosage d'entretien pour cet enfant ? _____

d) Le médecin a prescrit à cet enfant 125 mg q8h. Cette ordonnance correspond-elle au schéma posologique recommandé ?

_____

Parfois, le fabricant recommande une dose unique comme posologie quotidienne tel que présenté à l'activité 11.7. On remarque qu'il n'y a pas de schéma ou intervalle posologique, mais une dose unique qui peut être fractionnée selon le nombre de doses recommandées quotidiennement.

ACTIVITÉ 11.7

Reportez-vous à l'étiquette de Novo-Cloxin et répondez aux questions suivantes :

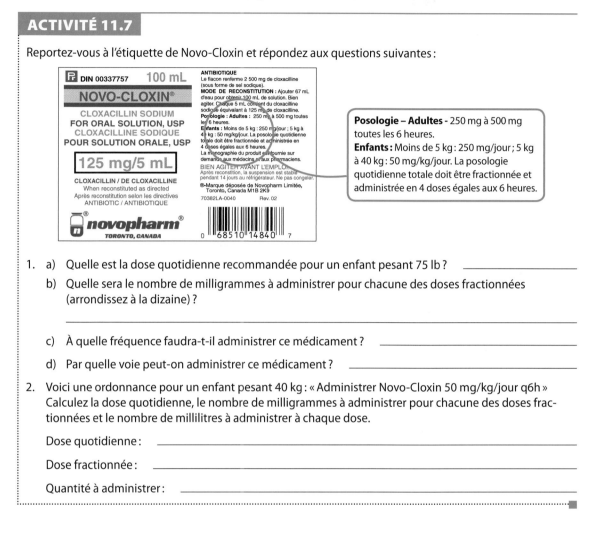

1. a)   Quelle est la dose quotidienne recommandée pour un enfant pesant 75 lb ? _____

    b)   Quelle sera le nombre de milligrammes à administrer pour chacune des doses fractionnées (arrondissez à la dizaine) ?

    _____

    c)   À quelle fréquence faudra-t-il administrer ce médicament ? _____

    d)   Par quelle voie peut-on administrer ce médicament ? _____

2. Voici une ordonnance pour un enfant pesant 40 kg : « Administrer Novo-Cloxin 50 mg/kg/jour q6h » Calculez la dose quotidienne, le nombre de milligrammes à administrer pour chacune des doses fractionnées et le nombre de millilitres à administrer à chaque dose.

    Dose quotidienne : _____

    Dose fractionnée : _____

    Quantité à administrer : _____

11.3 Le dosage selon la surface corporelle

Une autre façon de déterminer la posologie d'un médicament consiste à doser la médication selon la surface corporelle d'une personne. La **surface corporelle** est exprimée en **mètres carrés (m^2)**. On la calcule à partir de la masse corporelle et de la taille de la personne.

La conversion de la taille en centimètres

Pour calculer la surface corporelle, il faut connaître la masse corporelle du client en kilogrammes (kg) et sa taille en centimètres (cm).

La taille du client est souvent connue en pieds (pi) et en pouces (po). Si vous ne possédez que ces données, il faudra les convertir en centimètres. Ainsi, pour convertir les pouces en centimètres, on utilisera les proportions ou on multipliera par la conversion **1 po = 2,5 cm**.

> Voir la page 168 pour la conversion des livres en kilogrammes.

EXEMPLE 11.6

On veut convertir 5 pieds et 4 pouces en centimètres. Pour cela, il faut faire les opérations suivantes :

1. Transformer les pieds en pouces : 5 pi = 12 po/pi × 5 pi
    $$= 60 \text{ pouces} + 4 \text{ pouces}$$
    $$= 64 \text{ pouces}$$

2. Transformer les pouces en centimètres : 64 po × 2,5 cm/po = 160 cm ou 1,60 m.

ACTIVITÉ 11.8

Convertissez les tailles suivantes en centimètres. Arrondissez à l'unité lorsque cela est requis.

a) 2 pi 9 po _____

b) 3 pi 4 po _____

c) 5 pi 8 po _____

d) 4 pi 11 po _____

e) 5 pi 7 po _____

f) 3 pi 10 po _____

Le calcul de la surface corporelle

Pour calculer la surface corporelle, on utilise la formule suivante :

$$\text{Surface corporelle (m}^2) = \sqrt{\frac{m \text{ (kg)} \times t \text{ (cm)}}{3\,600}}$$

$$\text{où} \quad m = \text{masse en kg}$$
$$t = \text{taille en cm}$$

EXEMPLE 11.7

a) On veut connaître la surface corporelle d'un homme qui pèse 134 kg et qui mesure 188 cm. On arrondit au centième.

$$\text{Surface corporelle} = \sqrt{\frac{134 \text{ (kg)} \times 188 \text{ (cm)}}{3\,600}}$$

$$= \sqrt{6,997} \qquad \text{On utilise la fonction } \sqrt{\ } \text{ de la calculatrice.}$$

$$= 2,6453 \approx 2,65 \text{ m}^2 \qquad \text{On arrondit au centième seulement à la fin des calculs.}$$

b) On veut connaître la surface corporelle d'une fillette ayant une masse corporelle de 19,1 kg et une taille de 95 cm. On arrondit au centième.

$$\text{Surface corporelle} = \sqrt{\frac{19,1 \text{ (kg)} \times 95 \text{ (cm)}}{3\,600}}$$

$$= \sqrt{0,504}$$

$$= 0,7099 \approx 0,71 \text{ m}^2$$

ACTIVITÉ 11.9

Calculez la surface corporelle des personnes décrites ci-dessous. Arrondissez au centième.

a) Un enfant pèse 65 lb et mesure 3 pi 1 po. _____

b) Une femme pèse 130 lb et mesure 5 pi 2 po. _____

c) Une femme pèse 89 kg et mesure 154 cm. _____

d) Un homme pèse 98 kg et mesure 178 cm. _____

e) Un enfant mesure 63,5 cm et pèse 35,9 kg. _____

f) Un enfant mesure 35 cm et pèse 9,7 kg. _____

Le calcul de la surface corporelle à l'aide d'un nomogramme

On peut aussi déterminer la surface corporelle d'une personne en comparant sa masse corporelle et sa taille avec des moyennes ou normes, à l'aide d'un graphique appelé « **nomogramme de West** ». Ce nomogramme, qui est d'utilisation facile et rapide, permet d'éliminer les opérations mathématiques.

Il faut d'abord considérer la situation d'un enfant ou d'un adulte dont la taille et la masse corporelle correspondent approximativement à la moyenne pour son âge. Cette comparaison se trouve dans la deuxième colonne du nomogramme de West (*voir la figure 11.2*).

À l'aide de ce nomogramme, on peut facilement calculer la surface corporelle en mètres carrés (m²). Pour ce faire, on utilise l'échelle de gauche (en centimètres et en pouces) pour la taille, et l'échelle de droite (en livres et en kilogrammes) pour la masse. On trace une ligne droite entre la taille et la masse. Le point où cette ligne croise la troisième colonne de ce nomogramme représente donc la **surface corporelle (SC)** approximative de la personne. Par exemple, la ligne qui a été tracée sur l'illustration indique la surface corporelle (0,60 m²) d'un enfant qui pèse 13,7 kg et qui mesure 90 cm.

En regardant le nomogramme, on remarque rapidement que la graduation des quatre échelles du nomogramme n'est pas constante. En effet, l'écart entre les degrés et les nombres qui y correspondent varie de haut en bas dans chaque échelle. Pour trouver la surface corporelle, il faut d'abord lire les chiffres de chacune des colonnes concernées et par la suite déterminer ce que les degrés intermédiaires mesurent.

Examinons l'échelle de masse, à droite dans le nomogramme. On note que l'écart entre 1 kg et 2 kg est très grand, alors qu'au haut de l'échelle l'écart entre 70 kg et 80 kg est minime. Entre 10 kg et 20 kg, chaque degré correspond à 1 kg. De la même façon, au

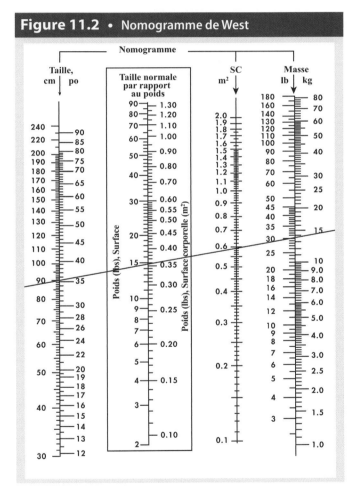

Figure 11.2 • Nomogramme de West

L'abréviation SC (pour surface corporelle) n'est pas reconnue. Toutefois, comme le nomogramme utilise cette appellation, il est important de comprendre sa signification.

bas de l'échelle de surface corporelle représentée par SC, celle qui est immédiatement à gauche de l'échelle de masse, on compte neuf degrés entre 0,1 et 0,2, alors qu'au sommet de l'échelle il n'y a qu'un seul degré entre 1,9 et 2,0. Il est donc important d'examiner les graduations très attentivement pour déterminer à quoi correspondent les différents degrés et les nombres qui y sont associés.

ACTIVITÉ 11.10

À l'aide du nomogramme de la figure 11.2, à la page précédente, trouvez la surface corporelle des personnes suivantes.

a) Un enfant d'âge préscolaire mesure 100 cm et pèse 25 kg. _____

b) Un enfant mesure 120 cm et pèse 40 kg. _____

c) Un trottineur mesure 65 cm et pèse 13 kg. _____

d) Un adulte mesure 150 cm et pèse 55 kg. _____

e) Un nourrisson mesure 92 cm et pèse 12 kg. _____

Attention !

Si vous effectuez les calculs à l'aide de la formule, vous observerez que la surface corporelle varie de quelques centièmes ou dixièmes de mètre carré par rapport au résultat obtenu à l'aide du nomogramme de West. Le calcul de la surface corporelle à l'aide de la formule est plus exact, mais pour une vérification rapide de l'ordonnance médicale, on peut recourir au nomogramme de West, qui est fiable.

Le calcul du dosage selon la surface corporelle

Certains médicaments sont dosés en **milligrammes par mètre carré** ou en **unités par mètre carré**. Lorsqu'on connaît la surface corporelle, on peut calculer la dose en effectuant une simple multiplication.

EXEMPLE 11.8

a) La posologie recommandée est de 10 mg /m². L'enfant a une surface corporelle de 0,54 m².

$0,54 \, \cancel{m^2} \times 10 \, mg/\cancel{m^2} = 5,4 \, mg$

Ainsi, 5,4 mg est la dose recommandée pour cet enfant.

b) La posologie recommandée varie d'une dose minimale de 25 mg/m² à une dose maximale de 50 mg/m². L'adulte a une surface corporelle de 1,84 m².

$1,84 \, \cancel{m^2} \times 25 \, mg/\cancel{m^2} = 46 \, mg$

$1,84 \, \cancel{m^2} \times 50 \, mg/\cancel{m^2} = 92 \, mg$

Le schéma posologique se situe donc entre 46 mg et 92 mg.

ACTIVITÉ 11.11

Calculez la dose appropriée en fonction du schéma posologique recommandé. Arrondissez au nombre entier.

a) Un homme a une surface corporelle de 1,83 m². La posologie recommandée est de 125 à 250 mg/m². _____ _____

b) La posologie recommandée pour un adulte ayant une surface corporelle de 1,54 m² est de 10 à 15 unités/m². _____ _____

c) La surface corporelle d'un enfant est de 0,4 m². La posologie recommandée est de 50 mg/m². _____ _____

d) La posologie recommandée pour un enfant est de 25 à 50 mg/m². La surface corporelle de l'enfant est de 0,63 m². _____ _____

e) La posologie recommandée pour un adulte est de 100 à 200 mg/m². Calculez le dosage pour une personne ayant une surface corporelle de 1,8 m². _____ _____

La vérification du dosage prescrit à l'aide de l'information fournie

Pour certains médicaments, vous aurez à vérifier le dosage prescrit en vous référant à l'information fournie par le fabricant, ou encore au protocole d'administration du médicament.

EXEMPLE 11.9

Consultez l'étiquette de vinblastine de l'activité 11.12, à la page suivante. Ce médicament est un agent anti-néoplasique puissant dont l'administration se fait suivant des doses croissantes. Il faut bien lire l'information sur le feuillet afin d'administrer adéquatement la médication selon les recommandations du fabricant.

Si on doit calculer la troisième dose à administrer à un adulte dont la surface corporelle est de 1,43 m², il faut :

– Se référer à l'étiquette pour déterminer le nombre de milligrammes recommandé pour la troisième dose. Selon l'étiquette, on doit administrer 7,4 mg/m².

– Multiplier la surface corporelle par la dose recommandée. On aura ainsi :

1,43 m² × 7,4 mg/m² = 10,58 mg. Si on arrondit à l'unité, la troisième dose sera de 11 mg.

– En utilisant la méthode des rapports et des proportions, on détermine la quantité de millilitres à administrer. La concentration étant de 10 mg/10 ml, on préparera 11 ml.

EXEMPLE 11.10

Examinez l'étiquette de vinblastine de l'activité 11.12. Un enfant dont la surface corporelle est de 0,34 m² reçoit sa première dose de vinblastine.

Recommandation pour la première dose chez un enfant, selon l'étiquette = 2,5 mg/m².

Donc, 0,34 m² × 2,5 mg/m² = 0,9 mg. On a arrondi au dixième.

La concentration étant de 10 mg/10 ml ou 1 mg/ml, on préparera donc 0,9 ml.

ACTIVITÉ 11.12

Calculez les dosages de vinblastine suivants. Arrondissez au dixième. Vous pouvez vous servir du nomogramme de West pour calculer la surface corporelle lorsque cela est requis.

VINBLASTINE

Mise en garde : La vinblastine est un médicament puissant qui ne doit être utilisé que par des médecins expérimentés dans l'emploi des chimiothérapies anticancéreuses. Effectuer des numérations globulaires 1 ou 2 fois/semaine.

Avertissement : L'extravasion de vinblastine dans les tissus avoisinants pendant son administration peut causer une irritation considérable. Arrêter immédiatement l'injection et injecter le reste dans une autre veine.

Posologie :

	Adultes (mg/m²)	Enfants (mg/m²)
1re dose	3,7 mg/m²	2,5 mg/m²
2e dose	5,5 mg/m²	3,75 mg/m²
3e dose	7,4 mg/m²	5,0 mg/m²
4e dose	9,25 mg/m²	6,25 mg/m²
5e dose	11,1 mg/m²	7,5 mg/m²

Suivre cette progression posologique jusqu'à une dose maximale n'excédant pas 18,5 mg/m² chez l'adulte et 12,5 mg/m² chez l'enfant.

   i)   Trouvez le nombre de milligrammes à administrer.

   ii)   Calculez le nombre de millilitres à préparer.

   iii)   Indiquez le calibre de la seringue que vous utiliserez.

a)   Calculez la première dose de vinblastine pour un enfant dont la surface corporelle est de 0,42 m².

   i) _____ mg   ii) _____ ml   iii)   seringue : _____

b)   Calculez la deuxième dose pour un enfant dont la surface corporelle est de 1,02 m².

   i) _____ mg   ii) _____ ml   iii)   seringue : _____

c)   Calculez la cinquième dose pour un enfant dont la masse est de 23 kg et la taille, de 1,2 m. SC : _____

   i) _____ mg   ii) _____ ml   iii)   seringue : _____

d)   Calculez la deuxième dose pour un enfant dont la masse est de 22 lb et qui mesure 82 cm. SC : _____

   i) _____ mg   ii) _____ ml   iii)   seringue : _____

e)   Calculez la deuxième dose pour un adulte dont la masse est de 195 lb et qui mesure 1,92 m. SC : _____

   i) _____ mg   ii) _____ ml   iii)   seringue : _____

Notions essentielles à retenir

Pédiatrie

- Les doses des médicaments sont fréquemment prescrites selon la masse corporelle ou la surface corporelle du client, et ce, principalement en pédiatrie.

Dosage selon la masse corporelle

- Le schéma posologique quotidien est exprimé en mg/kg/jour et, généralement, la dose quotidienne est fractionnée en plusieurs doses appelées « doses simples » ou « doses fractionnées ».

- Il faut convertir les livres en kilogrammes pour calculer un dosage selon la masse corporelle. Pour ce faire, on divise le nombre de livres par 2,2.

- Le calcul du dosage s'effectue en deux étapes : on détermine d'abord la dose quotidienne selon la masse ; on divise ensuite la dose quotidienne par le nombre de doses à administrer en 24 heures.

- Pour s'assurer de l'adéquation d'une ordonnance médicale, on calcule le schéma posologique quotidien recommandé sur la monographie du médicament, tout en considérant le nombre de doses fractionnées recommandées. Par la suite, on peut comparer l'ordonnance aux recommandations du fabricant.

- Pour déterminer la posologie, il faut considérer des facteurs comme l'âge, le sexe, la masse corporelle et l'état de santé du client.

Dosage selon la surface corporelle

- La méthode du dosage en fonction de la surface corporelle permet d'établir une relation entre la taille et le stade de développement physiologique du client. Pour calculer ce dosage, on doit avoir la masse en kilogrammes et la taille en centimètres.

- On calcule la surface corporelle à l'aide de la formule :

$$\text{Surface corporelle (m}^2) = \sqrt{\frac{m\,(kg) \times t\,(cm)}{3\,600}}$$

- Pour déterminer la surface corporelle d'une personne selon sa taille et sa masse corporelle, on se sert d'une formule ou d'un graphique appelé « nomogramme de West ».

- Il faut lire le nomogramme de West attentivement, parce que les degrés et les nombres correspondants sont répartis inégalement sur les échelles.

- Si la posologie est indiquée en milligrammes par mètre carré (mg/m²), il suffit de multiplier ce nombre par la surface corporelle pour calculer le dosage.

Exercices de révision

1. En vous reportant à l'étiquette de Novamoxin 125 mg/5 ml, répondez aux questions suivantes :

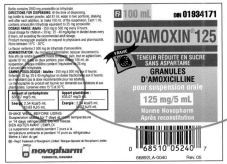

GAMME POSOLOGIQUE : Adultes – 250 mg à 500 mg aux 8 heures. Enfants < 20 kg : 20 à 40 mg/kg/jour en doses fractionnées aux 8 heures, en n'excédant pas la dose recommandée pour les adultes.

a) Quelle est la posologie quotidienne recommandée pour un enfant dont la masse corporelle est inférieure à 20 kg ? _____

b) Quelle dose quotidienne devrait être administrée à un enfant pesant 33 lb ?

Dose minimale quotidienne : _____   Dose maximale quotidienne : _____

c) En combien de doses le dosage quotidien doit-il être fractionné ? _____

d) Si vous administrez cette dose toutes les 8 heures, combien de milligrammes auront chacune des doses ?

Dose minimale : _____   Dose maximale : _____

e) Une ordonnance de 400 mg q8h correspond-elle au schéma posologique recommandé pour un enfant pesant 15 kg ? Justifiez votre réponse. _____

2. À la lumière de l'information fournie sur les étiquettes, déterminez si les doses correspondent au schéma posologique recommandé. Si tel n'est pas le cas, calculez la posologie usuelle. Arrondissez la masse corporelle au dixième, et la dose du médicament à l'unité.

| 2 mL | DIN 02242652 Code 2800 | **POSOLOGIE** |

Gentamicin Injection USP

40 mg/mL
80 mg/2 mL
IM–IV   Sterile
Multidose Vial
Fiole multidose
⚠ **SANDOZ** 1-800-361-3062

POSOLOGIE

Nouveau-nés (une semaine et moins) : 5 mg/kg par jour en deux doses égales toutes les 12 heures. Nourrisson (plus d'une semaine) : 0,5 mg/kg par jour en trois doses égales toutes les 8 heures.
Enfants : 6 à 7,5 mg/kg par jour en trois doses égales toutes les 8 heures. Pour connaître le mode d'administration, voir la monographie ci-incluse

© Sandoz Canada Inc. Tous droits réservés.

DIN 00225851

DALACIN®/MD C
Flavoured Granules
Granulés aromatisés

CLINDAMYCIN PALMITATE
HYDROCHLORIDE FOR ORAL
SOLUTION USP
CHLORHYDRATE DE PALMITATE DE
CLINDAMYCINE POUR SOLUTION
ORALE, USP

clindamycin/5 mL
75 mg de clindamycine/5 mL
when reconstituted as directed
une fois reconstitué selon les
instructions

100 mL
when reconstituted / une fois
reconstitué

Pfizer

ORAL ANTIBIOTIC / ANTIBIOTIQUE ORAL
Dosage Range: Children (over 1 month of age): 8 to 25 mg/kg/day in 3 to 4 divided doses.
For Prevention of Endocarditis:
Usual Adult Dose: 300 mg orally, 1 hour before procedure; then 150 mg, 6 hours after initial dose.
Children: 10 mg/kg (not to exceed adult dose) orally, 1 hour before procedure; then 5 mg/kg,
6 hours after initial dose. Reconstitute with a total of 75 mL demineralized or distilled water:
add approximately half of the required water and shake well, then add the remaining water and shake
well; the resulting solution will contain 15 mg clindamycin/mL. The reconstituted solution
is stable at room temperature for 14 days.
SHAKE WELL BEFORE USING. DO NOT REFRIGERATE.
Each bottle contains: clindamycin palmitate hydrochloride equivalent to 1500 mg of clindamycin
base. Product Monograph available on request.
Gamme posologique – Enfant (de plus d'un mois) : 8 à 25 mg/kg/jour fractionnés en 3 ou 4 doses.
Pour prévenir l'endocardite
Posologie habituelle – Adulte : 300 mg par voie orale 1 heure avant l'intervention, et 150 mg
6 heures après la dose initiale.
Enfant : 10 mg/kg (ne pas dépasser la dose pour adulte) par voie orale 1 heure avant l'intervention,
et 5 mg/kg 6 heures après la dose initiale.
Reconstituer avec un total de 75 mL d'eau déminéralisée ou distillée : ajouter environ la moitié
de l'eau requise et agiter vigoureusement; ajouter le reste de l'eau et bien agiter. La solution ainsi
obtenue contient 15 mg de clindamycine/mL. La solution reconstituée reste stable à la température
ambiante pendant 14 jours.
BIEN AGITER AVANT L'EMPLOI. NE PAS RÉFRIGÉRER.
Un flacon contient : chlorhydrate de palmitate de clindamycine équivalant à 1 500 mg de
clindamycine base. Monographie fournie sur demande.
®/M.D. de Pfizer Enterprises SARL
Pfizer Canada Inc., Licensee/licencié
Kirkland (Québec) H9J 2M5
http://www.pfizer.ca; 1-800-463-6001
01805-05-3   805 129 001

LOT
EXP.

Gamme posologique – Enfant (de plus d'un mois) : 8 à 25 mg/kg/jour fractionnés en 3 ou 4 doses. Pour prévenir l'endocardite
Posologie habituelle – Adulte : 300 mg par voie orale 1 heure avant l'intervention, et 150 mg 6 heures après la dose initiale.
Enfant : 10 mg/kg (ne pas dépasser la dose pour adulte) par voie orale 1 heure avant l'intervention, et 5 mg/kg 6 heures après la dose initiale.

© Pfizer Inc.

a) Reportez-vous à l'étiquette de gentamicine et déterminez si la dose de 50 mg q8h iv pour un enfant pesant 24 kg est conforme à la posologie usuelle. Si la réponse est non, précisez quelle serait la dose fractionnée recommandée q8h.   Oui _____   Non _____

Si non _____

b) Il faut administrer de la gentamicine à un nouveau-né pesant 3,5 kg par voie intraveineuse. La dose prescrite est de 25 mg q12h. Cette dose correspond-elle à la posologie recommandée ? Si la réponse est non, précisez quelle serait la dose recommandée q12h.   Oui _____   Non _____

Si non _____

c) On a prescrit 300 mg de Dalacin C q8h à un enfant qui pèse 17 kg. Déterminez si cette ordonnance correspond au schéma posologique recommandé.   Oui _____   Non _____
Justifiez en fonction des doses minimale et maximale fractionnées.

Dose minimale fractionnée _____   Dose maximale fractionnée _____

d) Combien de millilitres de Dalacin C administrerez-vous pour observer la dose fractionnée minimale ? _____

3. À l'aide des renseignements fournis sur les étiquettes, répondez aux questions.

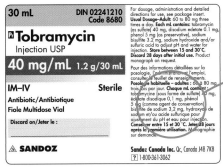

Posologie habituelle – adultes : 60 à 80 mg trois fois par jour. **Chaque mL contient :** tobramycine (sous forme de sulfate) 40 mg, édétate disodique 0,1 mg, phénol 5 mg (comme agent de conservation), bisulfite de sodium et/ou acide sulfurique pour ajustement du pH et eau pour injection.

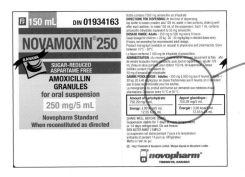

GAMME POSOLOGIQUE : Adultes – 250 mg à 500 mg aux 8 heures. Enfants < 20 kg : 20 à 40 mg/kg/jour en doses fractionnées aux 8 heures, en n'excédant pas la dose recommandée pour les adultes.

TYLENOL

POSOLOGIE : Enfants : 10 à 15 mg/kg au besoin aux 4 à 6 heures sans dépasser 75 mg/kg/24 heures. Ne jamais dépasser la dose maximale pour adultes fixée à 4000 mg d'acétaminophène. Recommandations posologiques chez l'enfant

Poids (kg)	Tranche d'âge	Dose unitaire (mg)
2,5-5,4	0-3 mois	40
5,5-7,9	4-11 mois	80
8-10,9	12-23 mois	120
11-15,9	2-3 ans	160
16-21,9	4-5 ans	240
22-26,9	6-8 ans	320
27-31,9	9-10 ans	400
32-43,9	11-12 ans	480

a) Le médecin a prescrit 175 mg d'amoxicilline q8h à un trottineur pesant 37 lb. Ce dosage correspond-il à la posologie recommandée ? _____

b) Quelle est la posologie recommandée si l'on administre de l'amoxicilline à un adulte ?

_____

c) Le médecin a prescrit d'administrer Tobramycin 50 mg iv toutes les 4 heures à un adulte.

   i) Cette ordonnance respecte-t-elle le nombre de doses fractionnées recommandé ? _____
   Justifiez votre réponse. _____

ii) Selon les recommandations du fabricant, quelle serait la dose minimale quotidienne et la dose maximale quotidienne recommandées pour un adulte ?

Dose minimale quotidienne : _____ mg

Dose maximale quotidienne : _____ mg

iii) Par quelles voies peut-on administrer ce médicament ? _____

d) Combien de millilitres de Tylenol administrerez-vous à un nourrisson pesant 7,5 kg ? Le médecin vous a demandé de lui administrer la dose maximale recommandée. Arrondissez au dixième.

_____

e) Pour un nourrisson pesant 4,3 kg, quelle serait la dose minimale de Tylenol à administrer ? Combien de millilitres faudrait-il préparer ? Arrondissez au centième. _____ mg _____ ml

4. À l'aide de la formule de la surface corporelle, calculez la surface corporelle des personnes suivantes. Arrondissez au centième.

a) Une femme pèse 83 kg et mesure 155 cm. _____

b) Un enfant pèse 13 kg et mesure 60 cm. _____

c) Un homme pèse 92 kg et mesure 176 cm. _____

d) Un enfant mesure 108 cm et pèse 26 kg. _____

e) Un adulte pèse 65 kg et mesure 154 cm. _____

f) Un adulte pèse 88 kg et mesure 170 cm. _____

g) Un nourrisson pèse 12,8 kg et mesure 56 cm. _____

5. À l'aide du nomogramme de West, calculez la surface corporelle des personnes suivantes :

a) Un enfant pèse 8 kg et mesure 54 cm. _____

b) Un homme pèse 75 kg et mesure 190 cm. _____

c) Une femme pèse 65 kg et mesure 154 cm. _____

d) Un adolescent pèse 58 kg et mesure 170 cm. _____

e) Un nourrisson pèse 12,8 kg et mesure 56 cm. _____

6. Calculez les dosages suivants :

a) On a prescrit 75 mg d'un médicament à un enfant dont la surface corporelle est de 0,31 m^2. Le schéma posologique du médicament se situe entre 200 et 300 mg/m^2. Le dosage est-il approprié ? _____

Sinon, quel dosage serait approprié ? _____

b) Calculez le dosage d'un médicament pour un enfant dont la surface corporelle est de 0,50 m^2 si la posologie recommandée est de 20 mg/m^2. _____

c) Calculez le dosage d'un médicament pour un enfant dont la surface corporelle est de 0,43 m^2 si la posologie recommandée est de 5 à 10 mg/m^2. Arrondissez au dixième. De _____ mg à _____ mg

d) Calculez le dosage d'un médicament pour un enfant dont la surface corporelle est de 0,81 m^2. La posologie recommandée est de 40 mg/m^2. Arrondissez au dixième. _____

7. Lisez l'information sur l'étiquette pour résoudre les problèmes suivants. Arrondissez au dixième.

a) Un client subit un traitement de chimiothérapie : il reçoit de la doxorubicine tous les 21 jours. Quelle est la dose maximale recommandée sachant que sa surface corporelle est de 1,61 m² ?

b) Un autre client ayant une surface corporelle de 1,50 m² reçoit le même traitement de chimiothérapie pendant trois jours consécutifs toutes les quatre semaines. Quelle devrait être la dose quotidienne de doxorubicine ?

c) Le médecin a prescrit pour M. Gravel, dont la masse est de 68 kg et la taille est de 1,76 m, doxorubicine 40 mg pendant 3 jours toutes les 4 semaines.

   i) Effectuez le calcul selon le schéma posologique recommandé sur l'étiquette. _____

   ii) Est-ce que cette ordonnance est adéquate ? _____

Section 4

Conditions particulières d'administration de médicaments

Chapitre **12**

La thérapie intraveineuse

À la fin de ce chapitre, vous serez en mesure :

- de distinguer les différents types de solutions intraveineuses ;
- d'expliquer la composition d'un système de perfusion intraveineuse primaire ;
- de décrire les différentes parties et fonctions des dispositifs de perfusion ;
- de reconnaître les différents calibres des perfuseurs à réglage manuel : les macrogouttes et les microgouttes ;
- d'expliquer sommairement la perfusion secondaire ;
- de calculer le débit horaire ou le débit minute d'une perfusion à l'aide de la formule ;
- de calculer la durée d'une perfusion ;
- d'expliquer sommairement le fonctionnement des pompes volumétriques utilisées dans la thérapie intraveineuse ;
- d'effectuer les calculs de débit des solutés afin de programmer adéquatement les pompes volumétriques selon les indications.

Introduction

L'administration parentérale d'un soluté, appelée aussi « thérapie intraveineuse », fait partie intégrante du travail quotidien de l'infirmière et représente une responsabilité importante pour elle. Comme la solution intraveineuse circule rapidement par le flux sanguin, une administration trop rapide peut causer des effets systémiques importants. La vigilance est de mise au cours de la préparation du système de perfusion et de son installation chez le client, et il va sans dire que la surveillance doit être soutenue.

De nos jours, il existe de nombreuses solutions intraveineuses sur le marché, et autant de produits qui y sont associés, tels que des médicaments, des électrolytes, des nutriments, des produits dérivés du sang ou des agents de chimiothérapie. Les fabricants ont élaboré de nombreux types de dispositifs pour assurer la surveillance manuelle de l'administration des solutions intraveineuses et tout autant d'appareils électroniques afin d'améliorer la précision de leur administration.

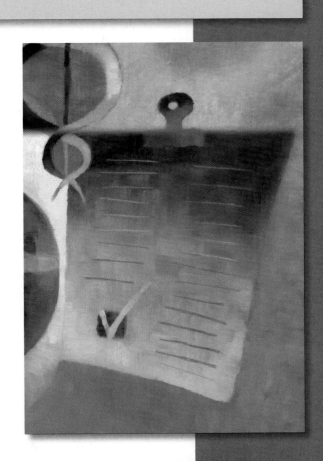

En plus de vous initier aux systèmes de perfusion intraveineuse, ce chapitre vous présente les différents calculs liés à la surveillance des perfusions, qu'ils soient effectués manuellement ou à l'aide d'appareils électroniques.

12.1 Les systèmes de perfusion

Lorsqu'il est question de thérapie intraveineuse, l'infirmière utilise souvent le terme perfusion. Ce terme est associé au processus d'administration d'une quantité importante de solution par voie intraveineuse. Comme c'est l'infirmière ou l'infirmière auxiliaire qui installe ces perfusions, il est important de connaître le matériel utilisé lorsqu'on entreprend l'étude de la thérapie intraveineuse.

L'infirmière comme l'infirmière auxiliaire peuvent installer une perfusion intraveineuse sans additif et en effectuer la surveillance. Cependant, il faut préciser que dans la thérapie intraveineuse, la tâche d'installer et de surveiller une perfusion contenant un additif, que ce soit un médicament ou des produits sanguins et leurs dérivés, est réservée à l'infirmière.

Attention!

Pour administrer une solution intraveineuse appelée aussi « soluté » ou « perfusion », on doit suivre les mêmes règles que celles qui s'appliquent à l'administration de tout autre médicament, c'est-à-dire vérifier l'ordonnance et les cinq à sept « bons » principes.

Le système de perfusion comprend une solution intraveineuse ou soluté et un dispositif de perfusion nommé tubulure.

La solution intraveineuse

Les solutions intraveineuses servent principalement :

- à hydrater les clients qui ne peuvent être hydratés par voie orale ;
- à administrer des médicaments en continu, directement dans les solutés, ou de façon intermittente en utilisant d'autres dispositifs d'administration ;
- à remplacer les électrolytes perdus ;
- à administrer des produits sanguins ;
- à administrer des traitements de chimiothérapie ;
- à alimenter des clients par voie parentérale (hyperalimentation).

Les solutions intraveineuses sont présentées dans des sacs appelés communément « solutés ». Tous les sacs de solutés sont munis d'étiquettes semblables à celle qu'on trouve sur les fioles de médicament (*voir la figure 12.1*). Leurs formats varient entre 25 ml, 50 ml, 100 ml, 250 ml, 500 ml et 1 000 ml. Les formats de 500 ml et de 1 000 ml sont les plus courants. Les plus petits formats, généralement de 25 ml à 250 ml, sont utilisés pour l'administration de médicaments, par exemple des antibiotiques, de la chimiothérapie, des anti-inflammatoires, des médicaments pour le cœur. L'administration des médicaments intraveineux est présentée en détail dans le chapitre 13.

Il existe deux catégories principales de solutions intraveineuses couramment administrées en grand volume, soit les glucosés (dextroses), qui hydratent et fournissent un léger apport énergétique, et les solutions salines (chlorure de sodium), qui remplacent les pertes de sodium (Na^+) et de chlorure (Cl^-). La combinaison d'un glucosé et d'une solution saline s'appelle un soluté mixte (*voir le tableau 12.1*).

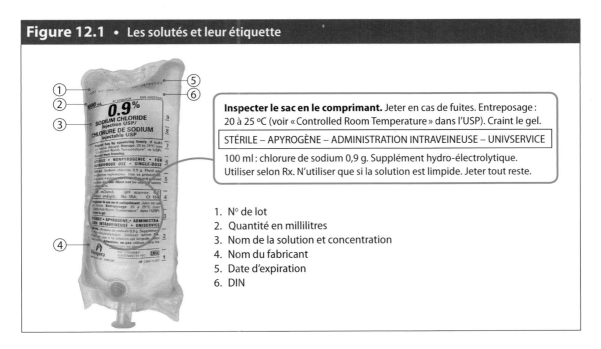

Figure 12.1 • Les solutés et leur étiquette

Inspecter le sac en le comprimant. Jeter en cas de fuites. Entreposage : 20 à 25 °C (voir «Controlled Room Temperature» dans l'USP). Craint le gel.

STÉRILE – APYROGÈNE – ADMINISTRATION INTRAVEINEUSE – UNIVSERVICE

100 ml : chlorure de sodium 0,9 g. Supplément hydro-électrolytique. Utiliser selon Rx. N'utiliser que si la solution est limpide. Jeter tout reste.

1. N° de lot
2. Quantité en millilitres
3. Nom de la solution et concentration
4. Nom du fabricant
5. Date d'expiration
6. DIN

Tableau 12.1 • Les solutions intraveineuses fréquemment utilisées

Solutions (ou solutés)	Concentrations dans le plasma	Autres appellations
Solutions glucosées		
– Dextrose à 5 % dans l'eau*	– Isotonique	– Glucosé 5 %, dextrose 5 % (dans de l'eau), D5 %
– Dextrose à 10 % dans l'eau	– Hypertonique	– Glucosé 10 %, dextrose 10 % (dans de l'eau), D10 %
Solutions salines		
– Chlorure de sodium à 0,9 %†	– Isotonique	– Salin pleine force**, salin normal, sérum physiologique, NaCl 0,9 %, salin 0,9 %
– Chlorure de sodium à 0,45 %	– Hypotonique	– Salin 1/2 force, demi-salin, salin 0,45 %, NaCl 0,45 %
Dextrose et solutions mixtes		
– Dextrose à 5 % et chlorure de sodium à 0,9 %	– Hypertonique	– Mixte, mixte pleine force, mixte 0,9 %, glucosé 5 % avec salin 0,9 %
– Dextrose à 5 % et chlorure de sodium à 0,45 %	– Hypertonique	– Mixte 0,45 %, mixte 1/2 force, glucosé 5 % avec salin 0,45 % D5 % 1/2S
Solutions d'électrolytes		
– Soluté Lactate Ringer‡	– Isotonique	– LR, Lactate Ringer
– Dextrose à 5 % dans un soluté de Lactate Ringer	– Hypertonique	– Lactate Ringer dans glucosé 5 %

* Le dextrose est métabolisé rapidement, laissant l'eau libre de circuler dans tous les compartiments liquidiens (HEITZ et HOME, 2001).

** La concentration maximale de sodium est de 0,9 %, d'où l'appellation « pleine force ». On rencontre parfois les expressions « salin 1F », ou « salin ½ F » pour le chlorure de sodium à 0,45 %, mais il est préférable d'éviter celles-ci.

† Bien que la solution soit isotonique puisque la concentration totale d'électrolytes est égale à la concentration plasmatique, elle contient 154 mmol de sodium et de chlorure, entraînant une plus grande concentration d'électrolytes que l'on retrouve dans le plasma, et peut donc causer une surcharge liquidienne (METHENY, 2000).

‡ Contient du sodium, du potassium, du calcium, du chlorure et du lactate.

Ce n'est pas l'infirmière qui décide du type de soluté à installer. Elle doit se référer à l'ordonnance médicale prescrite par le médecin, comme dans le cas des médicaments. En effet, chez certaines clientèles, les solutions intraveineuses peuvent avoir un impact sur la condition clinique. Par exemple, un soluté hypertonique peut créer une surcharge liquidienne et conduire à une dégradation de la condition cardiaque et respiratoire.

Les solutés isotoniques, hypotoniques et hypertoniques

On parle de soluté isotonique, hypotonique et hypertonique lorsque l'on compare les solutés avec la pression osmotique dans les tissus de l'organisme. Le terme « pression osmotique » peut être défini comme étant la force exercée par l'eau pour passer d'une solution plus riche en molécules dissoutes à une solution moins riche en molécules dissoutes.

- Un soluté est isotonique lorsqu'il a la même pression osmotique que le sang. Ce type de soluté laisse l'eau libre circuler dans tous les espaces interstitiels et intracellulaires du sang. Par conséquent, ces solutés créent une moins grande surcharge circulatoire dans le flux sanguin.

- Un soluté est hypotonique lorsque sa pression osmotique est inférieure à celle du sang.

- On rencontre aussi des solutés hypertoniques, qui ont une pression osmotique supérieure à celle du sang. Étant donné que cette osmolarité est élevée, ces solutés peuvent plus facilement créer une surcharge liquidienne.

ACTIVITÉ 12.1

Donnez la signification des abréviations de solutés suivantes et spécifiez si ces solutions sont isotoniques, hypotoniques ou hypertoniques.

a) D5 % _____ _____

b) D5 % 1/2S _____ _____

c) Mixte 0,9 % _____ _____

d) Mixte 1/2 force _____ _____

e) NaCl 0,9 % _____ _____

f) Salin 0,45 % _____ _____

g) LR _____ _____

h) D10 % _____ _____

ACTIVITÉ 12.2

Indiquez combien il y a de grammes de glucose dans :

a) 100 ml de dextrose 10 % _____

b) 1 L de dextrose 5 % _____

c) 500 ml de D5 % _____

d) 1 000 ml de mixte 1/2S _____

> Au besoin, révisez les notions du chapitre 6 pour vous rappeler comment interpréter le pourcentage d'une solution.

Les dispositifs de perfusion

Les **dispositifs de perfusion** sont couramment appelés tubulures. La tubulure est le dispositif qui relie le sac de solution à perfuser (soluté) à un cathéter intraveineux inséré dans une veine. Quel que soit le type de cathéter, soit le cathéter court (installé par l'infirmière ou l'infirmière auxiliaire) ou le cathéter long nommé cathéter central (installé par un médecin), le dispositif de perfusion qui relie le soluté au cathéter est le même.

Examinez la figure 12.2 qui présente un système de perfusion typique qu'on appelle aussi une perfusion ou un soluté **principal ou primaire**. Cette figure montre un système de perfusion (soluté et tubulure) accroché à une tige à soluté, appelée aussi « potence ».

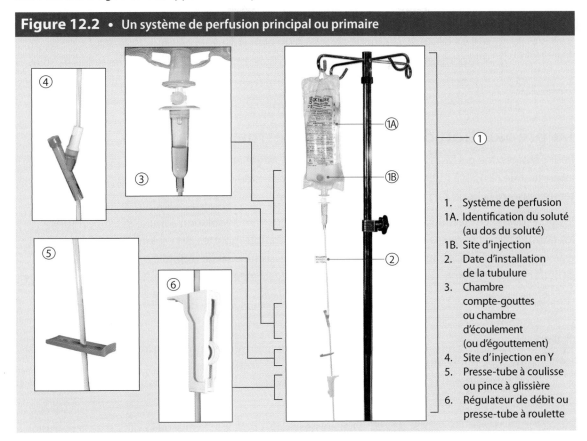

Figure 12.2 • Un système de perfusion principal ou primaire

1. Système de perfusion
1A. Identification du soluté (au dos du soluté)
1B. Site d'injection
2. Date d'installation de la tubulure
3. Chambre compte-gouttes ou chambre d'écoulement (ou d'égouttement)
4. Site d'injection en Y
5. Presse-tube à coulisse ou pince à glissière
6. Régulateur de débit ou presse-tube à roulette

Il est important de reconnaître par leur nom les différentes parties d'un système de perfusion afin d'utiliser les termes justes. Ainsi, on trouve sur le système de perfusion :

- une chambre compte-gouttes ayant à son extrémité une fiche perforante qui permet de relier le soluté et le dispositif de perfusion ;
- différents sites d'injection, à savoir un premier site qui fait partie intégrante du soluté et deux sites sur la tubulure, nommé « Y » distal et proximal ;
- un régulateur de débit ou presse-tube à roulette ;
- une pince à glissière.

Pour éviter les erreurs, on trouve également les éléments suivants dans plusieurs milieux :

- une étiquette d'identification du soluté au nom du client accolée au dos du soluté (*voir les pages 196 et 221*) ;
- à côté des millilitres, sur le sac de soluté, on acolle souvent une réglette ou règle qui permet de vérifier si l'écoulement du soluté respecte le débit prescrit (voir figure 12.6 p. 201) et qui identifie aussi le nom du client, son numéro de chambre, le nom du soluté, son débit, et si des médicaments ont été ajoutés dans le sac de soluté ;
- une étiquette apposée sur la tubulure pour indiquer la date et l'heure d'installation du dispositif de perfusion (valide pour environ 72 heures).

Lorsqu'on prend un sac de soluté on doit vérifier :

- avant l'ouverture : regarder si c'est bien la bonne sorte de soluté et sa date d'expiration;
- après l'ouverture : vérifier la limpidité, et si l'extérieur du sac n'est pas mouillé (percé).

> Le dispositif de type macrogouttes peut être calibré à 10 gtt/ml, 15 gtt/ml ou 20 gtt/ml.

Si un de ces facteurs est présent, il faut prendre un autre sac de soluté. Selon les dispositifs, il existe deux calibres de perfusion dans la chambre compte-gouttes :

- le perfuseur de type macrogouttes. Ce type est le plus fréquent dans les unités de soins ;
- le perfuseur de type microgouttes. Il permet un écoulement plus précis et moins rapide des solutés. C'est pourquoi il est employé fréquemment dans les unités de soins spécialisés.

La préparation du système de perfusion primaire

Pour préparer une perfusion, il faut sélectionner le **bon soluté** et la **bonne tubulure**[1]. Par la suite, il est important de remplir à moitié la chambre compte-gouttes de solution (*voir la figure 12.3*), ou de la remplir jusqu'à la **ligne de repère** si celle-ci est indiquée.

Il faut respecter ce niveau, car on établit et contrôle la quantité de solution administrée en comptant les gouttes de soluté qui s'échappent dans la chambre compte-gouttes. Si la chambre est trop pleine, il devient impossible de compter les gouttes. Par contre, si elle n'est pas remplie à moitié, de l'air peut pénétrer dans la tubulure durant la perfusion et, conséquemment, dans la veine et le système circulatoire.

Attention !

Il ne faut pas laisser de bulles d'air dans la tubulure. Selon une étude américaine, en effet, des bulles d'air introduites dans la microcirculation sanguine peuvent créer, entre autres, des micro-embolies et des problèmes d'ischémie tissulaire.

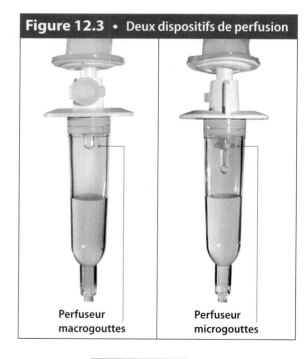

Figure 12.3 • Deux dispositifs de perfusion

Perfuseur macrogouttes

Perfuseur microgouttes

On ajuste le débit de la perfusion ou la vitesse de la perfusion en comptant le nombre de gouttes de solution qui s'échappent du soluté dans la chambre compte-gouttes. Le régulateur de débit (ou presse-tube à roulette) de la figure 12.2 permet d'ajuster et de contrôler le débit de façon précise. Il existe un deuxième type de pince sur la tubulure, c'est-à-dire la pince à glissière (ou presse-tube à coulisse), qui permet d'arrêter temporairement la perfusion sans modifier l'ajustement du régulateur de débit. Cette pince à glissière, qu'on peut déplacer facilement, ne doit pas servir à ajuster le débit du soluté car elle n'est pas aussi précise que le régulateur de débit.

Dans la figure 12.2, on trouve aussi les sites d'injection en Y, d'où l'expression « injecter dans le Y » qu'on entend souvent dans les milieux de soins. Faits de caoutchouc, ceux-ci sont situés normalement près de l'insertion du cathéter intraveineux, qu'on appelle Y proximal (non montré sur la figure) et un Y distal près de la chambre compte-gouttes. Un site d'injection est aussi présent sur les sacs de solution.

---

1. Ce volume n'explique pas la méthode de soins. Il présente plutôt les principes à respecter dans le but d'assurer une meilleure sécurité dans l'administration et le calcul des médicaments. En ce qui concerne la méthode de soins, vous pouvez vous référer à un ouvrage de référence. Vous trouverez une liste d'ouvrages dans la section des références bibliographiques à la fin du volume.

Ces sites permettent d'injecter des médicaments directement dans la tubulure ou dans le sac. Ils permettent aussi d'ajouter des systèmes de perfusion secondaire contenant des solutions médicamenteuses compatibles avec la solution principale.

Si la perfusion n'est pas activée par une pompe volumétrique, la solution à perfuser s'écoule simplement par gravité et est ajustée manuellement avec le régulateur de débit, qui permet un écoulement plus ou moins rapide de la solution. Pour permettre l'écoulement, il doit exister une pression suffisante. Le sac de solution doit donc être suspendu à une hauteur d'environ 75 cm au-dessus du point d'insertion du cathéter.

Attention !

Plus le sac est élevé, plus la pression est grande et plus la solution intraveineuse à perfuser s'écoulera rapidement. Ainsi, il est important de se rappeler que lorsque l'infirmière ou l'infirmière auxiliaire modifie la hauteur du sac de soluté, elle doit toujours réajuster le débit, c'est-à-dire le nombre de gouttes s'écoulant dans la chambre compte-gouttes, afin de s'assurer que la perfusion ne s'écoulera pas trop lentement ou trop rapidement et que le débit prescrit sera respecté.

La surveillance de la perfusion

Le soluté, la tubulure, le débit du soluté et le **site d'insertion** du soluté doivent être surveillés régulièrement. L'encadré suivant présente les éléments importants à respecter pendant la surveillance de la perfusion.

Les éléments de surveillance d'une perfusion

- On surveille la tolérance du client à la perfusion, on vérifie la sorte et la quantité de soluté à perfuser (en s'assurant qu'elles sont conformes à l'ordonnance médicale), sa date de péremption, la quantité restante et la limpidité du produit, s'il y a lieu.

- On vérifie la tubulure afin de s'assurer qu'elle n'est ni coudée ni débranchée du site d'insertion au cathéter ; on s'assure que la chambre compte-gouttes est remplie comme il se doit.

- On surveille aussi le débit, car celui-ci peut varier selon la position du bras ou de la main du client, d'où l'expression « **soluté positionnel** ». Par exemple, si le soluté est installé sur la main, le client en bougeant ou en élevant sa main peut faire varier la vitesse d'écoulement du soluté. De même, s'il est installé au pli du coude, le client en pliant son bras fera diminuer grandement le débit du soluté.

- Il arrive aussi qu'il y ait infiltration du soluté dans les tissus environnant le site d'insertion du cathéter. On dit alors que le **soluté est infiltré**. À ce moment, celui-ci ne perfuse plus dans la circulation sanguine comme il se doit, mais dans les tissus sous-cutanés environnants. Cela peut causer des problèmes si la solution infiltrée est irritante. À ce moment, ces tissus deviennent œdématiés, blanchâtres et froids. Le soluté doit alors être enlevé et réinstallé dans une autre veine.

Ainsi, pour une administration sécuritaire de la perfusion, l'infirmière doit faire une vérification officielle au début de son quart de travail, au moins toutes les heures et avant la fin de son quart de travail.

Ce volume ne tient pas compte des particularités des solutions intraveineuses telles que les produits sanguins, la chimiothérapie et les médicaments. Pour connaître leurs particularités d'administration et leur surveillance, référez-vous aux procédures des milieux ou à la documentation scientifique qui en traite.

Dans la section suivante, il est question des calculs en lien avec la surveillance de la médication intraveineuse et des calculs des produits transfusionnels qui se font de la même façon que pour une perfusion primaire régulière.

Figure 12.4 • Un système de perfusion secondaire

1. Minisac
1A. Étiquette d'identification du médicament
2. Chambre compte-gouttes
3. Régulateur de débit ou presse-tube à roulette
4. Raccord sans aiguille (raccord clive)
5. Étiquette d'identification du soluté

Le système de perfusion secondaire

On appelle «perfusion secondaire» les autres systèmes de perfusion liés au système de perfusion primaire. Les solutés secondaires servent principalement à administrer des médicaments, habituellement de façon intermittente, par exemple toutes les six ou huit heures. Ces dispositifs sont illustrés dans la figure 12.4, à la page suivante.

Attention !

L'installation d'une perfusion secondaire avec une médication et la surveillance sont réservées exclusivement à l'infirmière. L'infirmière auxiliaire ne peut préparer, installer ou enregistrer la médication intraveineuse; elle ne peut non plus en assurer la responsabilité de la surveillance.

Les solutés secondaires sont plus petits, d'où le terme «minisac» ou *piggy bag*. Ces solutés sont aussi appelés dans le langage courant «solutés en dérivé» ou «solutés en tandem». On y ajoute des tubulures spéciales appelées **dispositifs pour médication secondaire**. Ces dispositifs ressemblent à une tubulure ordinaire, mais ils ne présentent pas de site d'injection. De plus, cette tubulure est moins longue. Lorsqu'on veut que le soluté secondaire s'écoule, on doit le placer plus haut que le soluté primaire d'environ 15 cm à 20 cm. On doit ouvrir complètement son presse-tube à roulette et placer le soluté primaire plus bas avec une rallonge ou une tige conçue à cet effet. À ce moment, le soluté secondaire fonctionne et le soluté primaire s'arrête. Habituellement, on ajuste le débit du soluté secondaire au débit prescrit avec le presse-tube du soluté primaire.

Lorsque le médicament s'est entièrement écoulé, on rince la tubulure et l'on ferme le soluté secondaire avec son presse-tube à roulette. On replace ensuite le soluté primaire au même niveau que le soluté secondaire tout en le réajustant au débit prescrit. Le chapitre 13 traite de la médication intraveineuse.

ACTIVITÉ 12.3

Répondez aux questions suivantes :

a) Mme Gendron est admise dans votre unité de soins avec une perfusion de D5 % 1 000 ml qui perfuse à 80 ml/h. Sur la tige à soluté, il y a un petit soluté fixé au D5 % pour l'administration de l'antibiotique qu'elle doit recevoir toutes les 6 heures. Actuellement, il ne fonctionne pas et il est au même niveau que le D5 %.

i) Donner le nom complet de la solution que reçoit Mme Gendron au moment de son admission.

_____

ii) Comment nomme-t-on le système en fonction ? _____

b) Quel est le niveau de solution nécessaire dans la chambre compte-gouttes afin de pouvoir calculer facilement les gouttes et d'empêcher l'air de pénétrer dans la tubulure ? _____

c) Comment se nomme le dispositif utilisé pour régler le débit d'une perfusion ? _____

d) À quoi sert la pince à glissière ? _____

e) De quelle hauteur le perfuseur principal doit-il être plus élevé que le site d'insertion du cathéter pour assurer un bon écoulement par gravité ? _____

f) Quand doit-on surveiller le site et le débit du soluté ? _____

g) Comment appelle-t-on le soluté qu'on installe pour administrer les antibiotiques ? _____

h) À quelle hauteur le soluté pour les antibiotiques doit-il être installé lorsqu'on veut administrer à Mme Gendron ses antibiotiques ? _____

12.2 L'administration des solutés

Il est essentiel de maîtriser plusieurs éléments de la thérapie intraveineuse pour administrer les solutés de façon sécuritaire, notamment les notions de débit minute et de débit horaire, le calcul des débits et la surveillance de la vitesse d'écoulement.

La vitesse d'administration des solutés

Dans le but d'administrer de façon précise la solution prescrite, l'infirmière doit ajuster la vitesse d'écoulement de la perfusion au débit prescrit par le médecin. Pour y arriver, elle doit calculer les gouttes par minute.

> L'infirmière auxiliaire peut elle aussi ajuster la vitesse d'écoulement de la perfusion si aucun médicament n'a été ajouté à la perfusion.

Comme vous le verrez plus loin, une fois qu'on connaît le nombre de gouttes dont il faut surveiller l'écoulement, il est facile d'ajuster la vitesse d'une perfusion. La plupart des calculs de débit nécessitent de **convertir des millilitres par heure (ml/h) en millilitres par minute (ml/min) et, par la suite, en gouttes par minute (gtt/min)**. L'infirmière ou l'infirmière auxiliaire a la responsabilité de s'assurer de l'exactitude de ses calculs et doit procéder à une double vérification indépendante, au besoin.

Le débit

Dans la thérapie intraveineuse, le terme « débit » fait référence à la vitesse à laquelle la solution s'écoule. Or, ce terme peut prêter à confusion, car le nombre de millilitres par minute (ml/min) est un débit et le nombre de millilitres par heure (ml/h) est aussi un débit. Comme on emploie beaucoup ces deux termes et qu'ils n'ont pas la même signification, il est préférable de prendre l'habitude d'utiliser l'expression **débit minute**, lorsque vous parlez de millilitres par minute (ml/min), et l'expression **débit horaire**, lorsque vous parlez de millilitres par heure (ml/h). Le médecin prescrit souvent la vitesse d'écoulement en **débit horaire** (ml/h), c'est-à-dire en quantité de solution à administrer en un temps donné mesuré en heures, par exemple, 80 ml à perfuser en une heure, d'où le terme « 80 ml/h ». Il peut aussi rédiger son ordonnance en **débit minute** (ml/min), par exemple, 50 ml à perfuser en 20 min ou 20 ml à perfuser en 5 min. Plus rarement, le médecin peut prescrire les médicaments intraveineux en milligrammes. Dans ce cas, c'est habituellement le département de pharmacie qui précise le débit minute (ml/min).

Le calibre des perfuseurs

Comme nous l'avons vu précédemment, les dispositifs de perfusion comportent une chambre compte-gouttes d'où s'écoulent les gouttes du soluté. On ajustera le débit de la chambre compte-gouttes à l'aide du régulateur de débit manuel placé sur la tubulure.

Pour effectuer les calculs de débit (vitesse d'écoulement du soluté), un paramètre important à vérifier est la grosseur de la goutte de soluté qui s'échappe dans la chambre compte-gouttes. On appelle cette grosseur de goutte le **calibre de perfusion** ou le **facteur d'écoulement**. Il faut se souvenir que les chambres compte-gouttes des perfuseurs n'ont pas toutes la même grosseur ou calibre de gouttes, bien qu'elles soient toutes calibrées en **gouttes par millilitre (gtt/ml)**. Cette mesure est essentielle pour calculer et ajuster avec précision le débit de la perfusion en gouttes par minute (gtt/min) selon l'ordonnance médicale.

Chaque centre hospitalier utilise au moins deux types de dispositifs de perfusion avec des calibres de compte-gouttes différents (*voir la figure 12.3, à la page 194*). Le dispositif le plus fréquent est le **perfuseur macrogouttes**, qui sert normalement à l'administration nécessitant un débit horaire supérieur à 60 ml/h. Le second dispositif est le **perfuseur microgouttes** (ou **microperfuseur**), utilisé dans les perfusions qui exigent plus de précision ou un débit moins rapide. Selon les modèles fournis par les fabricants, il faut 10 ou 15 gouttes (identifiées par l'abréviation « gtt ») pour obtenir 1 ml de solution intraveineuse d'un perfuseur macrogouttes. Pour ce qui est du perfuseur microgouttes, il faut 60 petites gouttes, ou microgouttes (identifiées par l'abréviation « mcgtt »), pour obtenir 1 ml de solution intraveineuse. Le perfuseur microgouttes est toujours calibré à 60 mcgtt/ml, quelle que soit la compagnie qui le fabrique.

Le fabricant indique généralement le calibre du perfuseur sur son emballage. Il est essentiel de bien identifier le calibre des perfuseurs avant d'effectuer les calculs de débit (*voir le tableau 12.2*).

Tableau 12.2 • Les calibres de perfuseurs selon les fabricants

Fabricant	Calibre du perfuseur Macrogouttes (gtt)	Calibre du perfuseur Microgouttes (mcgtt)
Hospira	15 gtt/ml	60 mcgtt/ml
Baxter	10 gtt/ml	60 mcgtt/ml
Travenol	10 gtt/ml	60 mcgtt/ml
Marcopharma (tubulure pour transfusion)	10 gtt/ml	

ACTIVITÉ 12.4

Identifiez le calibre des perfuseurs en gouttes par millilitre (gtt/ml) sur ces emballages :

a) _____

b) _____

Le calcul du débit des perfusions

On utilise une formule mathématique pour calculer le nombre de gouttes à administrer en fonction du débit prescrit, appelé débit de perfusion. Pour utiliser la formule, on déterminera le débit horaire (ml/h), qu'on transformera par la suite en débit minute (ml/60 min).

> **Attention !**
>
> En sachant que 60 min = 1 h, cette durée de 60 minutes devient une constante. Dans les calculs de débit horaire, on utilise cette valeur constante (ml/60 min).

Vous devez connaître trois données essentielles pour calculer la vitesse d'administration ou le **débit de la perfusion** en gouttes par minute lorsqu'on utilise un dispositif à réglage manuel :

1. la quantité de solution à administrer en millilitres ;
2. la durée de la perfusion en minutes lorsqu'on doit calculer manuellement des gouttes par minute (si on a une ordonnance en débit horaire, il faut transformer ce débit en débit par 60 minutes, c'est-à-dire en nombre de millilitres par 60 minutes) ;
3. le calibre du perfuseur (ou facteur d'écoulement) inscrit sur l'emballage du dispositif de perfusion.

Ces trois données permettent de déterminer le **débit** en **gouttes par minute** (gtt/min) nécessaire pour administrer la quantité adéquate de soluté. Le débit de perfusion en gouttes par minute se calcule selon la formule suivante :

$$\text{Débit de perfusion en gtt/min} = \frac{\text{Quantité à adminitrer (en ml)} \times \text{Calibre du perfuseur (en gtt/ml)}}{\text{Temps (en minutes)} = 60 \text{ minutes}}$$

$$= \frac{\text{gtt}}{\text{min}}$$

Qu'on peut aussi exprimer ainsi :

$$\text{Débit de perfusion en gtt/min} = \text{Débit minute} \times \text{Calibre du perfuseur}$$

$$= \frac{\text{Quantité à administrer en ml}}{\text{Durée de la perfusion en min}} \times \frac{\text{Quantité de gtt}}{1 \text{ ml}}$$

$$= \frac{\text{Nombre de ml}}{\text{Nombre de min}} \times \frac{\text{Nombre de gtt}}{1 \text{ ml}}$$

$$= \frac{\text{gtt}}{\text{min}}$$

EXEMPLE 12.1

Le médecin a prescrit une perfusion à un débit horaire de 80 ml/h.

On veut calculer le débit en gouttes par minute d'un dispositif de perfusion calibré à 15 gtt/ml.

On reprend la formule : Débit × Calibre du perfuseur

Débit de perfusion :

$$\text{Débit minute} \times \text{Calibre du perfuseur} = \frac{\text{Quantité à administrer en ml}}{\text{Durée en min}} \times \frac{\text{Nombre de gtt}}{1 \text{ ml}}$$

$$= \frac{\overset{20}{\cancel{80}} \text{ ml}}{\underset{1}{\cancel{60}} \text{ min}} \times \frac{\overset{1}{\cancel{15}} \text{ gtt}}{1 \text{ ml}} = \frac{20 \text{ gtt}}{1 \text{ min}}$$

$$= \frac{20 \text{ gtt}}{\text{min}}$$

> Faites attention à bien placer la formule en y inscrivant les unités de mesure. De cette façon, on est certain de ne pas faire d'erreur. En plaçant les données, on voit que le résultat sera des gouttes par minute (gtt/min).

ACTIVITÉ 12.5

Calculez le nombre de gouttes par minute (gtt/min) pour les ordonnances de perfusions suivantes et arrondissez vos réponses à l'unité. Le médecin a prescrit :

a) « Dextrose 5 %, 1 000 ml, à perfuser à 120 ml/h. » Le calibre du perfuseur est de 15 gtt/ml. _____

b) « Mixte 0,45 %, 1 000 ml, à 70 ml/h. » Le calibre du perfuseur est de 15 gtt/ml. _____

c) « Mixte 0,9 %, 500 ml, à un débit de à 80 ml/h. » Le calibre du perfuseur est de 10 gtt/ml. _____

d) « Lactate Ringer 500 ml, à un débit de à 30 ml/h. » Le calibre du perfuseur est de 60 mcgtt/ml. ____

e) « NaCl 0,45 %, 1 000 ml, à 125 ml/h. » Le calibre du perfuseur est de 10 gtt/ml. _____

f) « Mixte 0,45 %, 1 000 ml, à 150 ml/h. » Le calibre du perfuseur est de 15 gtt/ml. _____

La surveillance de l'écoulement

Pour assurer le respect du débit prescrit et éviter de faire une erreur, on doit compter attentivement le nombre de gouttes qui s'écoulent dans la chambre compte-gouttes du perfuseur (*voir la figure 12.5*).

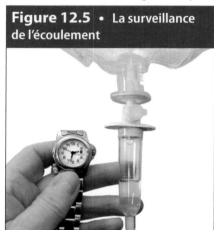

Figure 12.5 • La surveillance de l'écoulement

La surveillance du nombre de gouttes qui s'échappe du soluté durant une minute est longue et constitue une source d'erreur possible. Afin de bien suivre l'opération, on calcule le nombre de gouttes s'écoulant sur une période de 15 secondes. Sachant qu'il y a 4×15 secondes dans une minute, on aura :

Nombre de gtt/min ÷ 4 = Nombre de gtt/15 s

Reprenons maintenant la formule et faisons le calcul pour une période de 15 secondes.

Débit de perfusion en gtt/min	=	Débit minute	×	Calibre du perfuseur
	=	$\dfrac{ml}{min}$	×	$\dfrac{x \text{ gtt}}{1 \text{ ml}}$ = x gtt/min

Puis on divisera par 4 pour connaître le nombre de gouttes par 15 secondes.

EXEMPLE 12.2

Le médecin a prescrit une perfusion à un débit horaire de 100 ml/h.

On veut calculer le débit minute et, par la suite, le nombre de gouttes par 15 secondes d'un perfuseur calibré à 15 gtt/ml.

On reprend la formule :

Débit de perfusion en gtt/min = Débit minute × Calibre du perfuseur

$$= \frac{\text{Quantité à administrer en ml}}{\text{Durée en min}} \times \frac{\text{Nombre de gtt}}{1 \text{ ml}}$$

$$= \frac{\overset{25}{\cancel{100}} \text{ ml}}{\underset{4 \quad 1}{\cancel{60}} \text{ min}} \times \frac{\overset{1}{\cancel{15}} \text{gtt}}{1 \text{ ml}} = 25 \text{ gtt/min}$$

Pour calculer sur une période de 15 secondes, on divise par 4. Donc, on a 6,25 gtt/15 s.

Comme on ne peut compter des dixièmes de goutte, on arrondit le nombre de gouttes selon les règles mathématiques. Ainsi, dans l'exemple ci-dessus, le perfuseur devrait s'écouler à 6 gtt/15 s.

Attention !

Lorsqu'on s'aperçoit qu'une perfusion ne s'écoule pas à la vitesse prescrite, il ne faut jamais essayer de rattraper le temps perdu en augmentant le débit du soluté au-delà de celui prescrit sur l'ordonnance. Cela pourrait être dangereux pour la sécurité du client. Par exemple, pour un client souffrant d'une insuffisance cardiaque, le simple fait d'augmenter même légèrement le débit d'un soluté peut lui causer une surcharge cardiaque et conduire à des conséquences respiratoires et cardiaques graves. C'est pourquoi la surveillance étroite de la vitesse d'écoulement du soluté est la pratique la plus sécuritaire pour respecter les débits prescrits.

Pour s'assurer du suivi de l'écoulement du soluté en fonction du débit horaire prescrit, une bonne pratique consiste à suivre les heures prévues de l'écoulement du soluté. Pour ce faire, il suffit de coller une réglette (ou bande horaire) sur le soluté où on retrouve la graduation des millilitres (*voir la figure 12.6*) et d'y indiquer les heures prévues en fonction du débit prescrit.

Vous trouverez dans votre complice Web Odilon une activité de surveillance de débit avec la réglette, pour vous familiariser avec son utilisation.

Figure 12.6 • Une réglette (bande horaire)

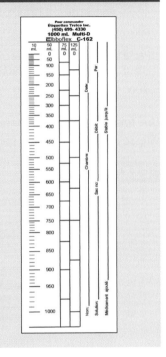

Les solutés en TVO ou GVO

On trouve parfois une ordonnance telle que la suivante : « Administrer D5 %, 500 ml en TVO ou GVO. » Le terme « TVO » signifie « tenir la veine ouverte » et le terme « GVO » signifie « garder la veine ouverte ». On ajustera donc la perfusion à un faible débit de 30 ml/h (pouvant varier, selon les milieux, de 20 ml/h à 40 ml/h) simplement pour s'assurer de maintenir la perméabilité du système et permettre rapidement un accès intraveineux. Si l'on utilise une pompe volumétrique, le débit horaire peut être encore moins rapide.

ACTIVITÉ 12.6

Pour chacun des énoncés suivants, calculez le nombre de gouttes par minute et, par la suite, le nombre de gouttes par 15 secondes pour les ordonnances de perfusions.

Le médecin a prescrit :

a) « Dextrose 5 %, 1 000 ml, à perfuser à 80 ml/h. » Le calibre du perfuseur est de 15 gtt/ml.

b) « Dextrose 5 %, 500 ml, à un débit de 40 ml/h. » Le calibre du perfuseur est de 15 gtt/ml.

c) « NaCl 0,9 %, 1 000 ml, à 90 ml/h. » Le calibre du perfuseur est de 15 gtt/ml.

d) « Dextrose 5 %, 500 ml, à un débit de 30 ml/h. » Le calibre du perfuseur est de 60 mcgtt/ml.

e) « NaCl 0,45 %, 1 000 ml, à 100 ml/h. » Le calibre du perfuseur est de 10 gtt/ml.

_____   _____

f) « Dextrose 5 %, 500 ml, à perfuser en GVO. » Le calibre du perfuseur est de 60 mcgtt/ml.

_____   _____

Le débit horaire

Si l'ordonnance du dosage est prescrite pour une période excédant une heure, on doit établir le débit horaire. On divise alors le nombre de millilitres à administrer par le nombre d'heures. Par la suite, il suffit de transformer ce débit horaire (ml/h) en débit minute (ml/60 min).

EXEMPLE 12.3

Comme le client a perdu beaucoup de liquide en raison d'une gastroentérite, le médecin a prescrit d'administrer 600 ml de soluté Lactate Ringer en 3 heures. On aura donc :

600 ml/3 h   =   600   ÷   3   =   200 ml/h ou 200 ml/60 min

Par la suite, le médecin prescrit d'administrer 3 000 ml de D5 % par 24 heures afin d'aider à réhydrater son client. On aura donc le débit horaire :

3 000 ml/24 h   =   3 000   ÷   24   =   125 ml/h ou 125 ml/60 min

Une fois le débit horaire connu, il est facile de calculer le nombre de gouttes requis afin d'ajuster la vitesse d'écoulement de la perfusion et de répondre de façon précise à l'ordonnance médicale.

EXEMPLE 12.4

a) L'ordonnance indique qu'il faut administrer 300 ml de D5 % en 8 heures. Le calibre du perfuseur est de 60 mcgtt/ml.

On détermine d'abord le débit horaire (avec la constante 60 min) : 300 ÷ 8 = 37,5, soit 38 ml/h ou 38 ml/60 min.

Par la suite, on détermine le débit de perfusion en gouttes par minute :

$$\text{Débit de perfusion} \quad = \quad \text{Débit minute} \quad \times \quad \text{Calibre du perfuseur}$$

$$= \quad \frac{\text{Quantité à administrer en ml}}{\text{Durée en min}} \quad \times \quad \frac{\text{Nombre de gtt}}{1\ ml}$$

$$= \quad \frac{38\ ml}{60\ min} \quad \times \quad \frac{60\ mcgtt}{1\ ml} \quad = \quad 38\ mcgtt/min$$

On divise par 4 pour calculer le nombre de gouttes par 15 secondes.

On obtient 9,5, soit 10 mcgtt/15 s.

b) On veut connaître le nombre de gouttes par minute et le nombre de gouttes par 15 secondes d'une perfusion de 600 ml qu'il faut passer en 5 heures si le perfuseur a un calibre de 15 gtt/ml.

On détermine d'abord le débit horaire :

600 ml   ÷   5 h   =   120 ml/h   ou   120 ml/60 min

Par la suite, **on applique la formule** et l'on simplifie :

$$\text{Débit de perfusion en gtt/min} \quad = \quad \text{Débit minute} \quad \times \quad \text{Calibre du perfuseur}$$

$$= \quad \frac{\text{Quantité à administrer en ml}}{\text{Durée en min}} \quad \times \quad \frac{\text{Nombre de gtt}}{1\ ml}$$

$$= \quad \frac{\overset{2}{120}\ ml}{\underset{1}{60}\ min} \quad \times \quad \frac{15\ gtt}{1\ ml} \quad = \quad 30\ gtt/min$$

Puis on divise par 4 pour calculer le nombre de gouttes en 15 secondes, soit 7,5 ou 8 gtt/15 s.

ACTIVITÉ 12.7

Calculez le débit des perfusions suivantes : i) en débit horaire , ii) en gouttes par minute, iii) en gouttes par 15 secondes.

a) Vous devez administrer 1 500 ml en 10 heures et vous disposez d'un perfuseur dont le calibre est de 15 gtt/ml.

   i) _____   ii) _____   iii) _____

b) Vous devez administrer 300 ml en 2 heures. Le calibre du perfuseur est de 10 gtt/ml.

   i) _____   ii) _____   iii) _____

c) Le culot sanguin doit être administré en 4 heures et la quantité de sang dans le sac de soluté est de 300 ml. Le perfuseur est calibré à 10 gtt/ml.

   i) _____   ii) _____   iii) _____

d) Pour réhydrater un enfant, vous devez administrer 150 ml en 90 minutes. Le perfuseur est calibré à 60 mcgtt/ml.

   i) _____   ii) _____   iii) _____

e) Le médecin prescrit d'administrer 400 ml en 8 heures. Le perfuseur est calibré à 15 gtt/ml.

   i) _____   ii) _____   iii) _____

Le calcul du débit de perfusion en gouttes par minute à l'aide du facteur de division

On peut déterminer le nombre de gouttes par minute (débit minute) d'une perfusion à l'aide d'une formule simplifiée, donc plus rapide.

> Formule simplifiée : Débit de perfusion en gtt/min = ml/h ÷ Facteur de division

On utilise alors un **facteur de division**. Cette formule simplifiée, qui découle de la formule précédente, peut être utilisée **seulement si la quantité à administrer est un débit horaire (ml/h) exprimé en débit minute (ml/60 min)**. Comme vous avez pu le constater dans tous les calculs précédents, le débit de perfusion est toujours exprimé pour une durée en minutes dont la constante est « 60 minutes » pour un débit horaire (ml/h). Nous démontrons ci-dessous comment on obtient un **facteur de division** pour en arriver à une formule simplifiée.

EXEMPLE 12.5

Le médecin a prescrit une perfusion à un débit horaire de 80 ml/h. Le perfuseur est calibré à 15 gtt/ml. On doit déterminer le débit de perfusion en gouttes par minute de cette ordonnance.

Débit de perfusion en gouttes par minute $=$ Débit minute $\times$ Calibre du perfuseur

$$= \frac{80\ \cancel{ml}}{\underset{4}{60\ min}} \times \frac{\overset{1}{\cancel{15}}\ gtt}{1\ \cancel{ml}} = 20\ gtt/min$$

> Ce chiffre 4 devient le facteur de division.

Dans cet exemple, on constate qu'en ramenant toute durée horaire à 60 minutes on peut diviser la durée en minutes (60) par le calibre du perfuseur, 15, ce qui donne le nombre 4. Ce nombre est appelé le **facteur de division**. Ainsi, quelle que soit la quantité de solution à administrer par heure, lorsqu'on utilise un perfuseur calibré à 15 gtt/ml, on divise toujours la quantité à administrer par le facteur de division, qui est ici 4. Cela nous donne le nombre de gouttes à administrer en une minute (*voir le tableau 12.3*).

Tableau 12.3 • Le facteur de division selon les calibres des perfuseurs

Nombre de min/h ÷	Calibre du perfuseur =	Facteur de division
60	10 gtt/ml	6
60	15 gtt/ml	4
60	60 mcgtt/ml	1

EXEMPLE 12.6

a) On a prescrit une perfusion à un débit horaire de 100 ml/h. Le perfuseur est calibré à 10 gtt/ml. Pour connaître le débit minute de perfusion, on trouve d'abord le facteur de division :

$60 \div 10 = 6$ Le facteur de division est 6.

Ensuite, on calcule le débit minute : 100 ml/h ÷ 6 = 16,6 gtt/min

On arrondit à 17 gtt/min.

Ou : $\dfrac{100 \text{ ml}}{\underset{6}{60} \text{ min}} \times \dfrac{10 \text{ gtt}}{1 \text{ ml}} = 16,6$ gtt/min

> Ce chiffre 6 devient le facteur de division.

b) On a prescrit une perfusion à un débit horaire de 50 ml/h. Le perfuseur est calibré à 60 mcgtt/ml. Pour connaître le nombre de gouttes par minute à administrer par perfusion, on trouve le facteur de division :

$60 \div 60 = 1$ Le facteur de division est 1, donc le débit horaire est égal au nombre de gouttes par minute à administrer.

On calcule le débit minute : 50 ml/h ÷ 1 = 50 mcgtt/min

Ou : $= \dfrac{50 \text{ ml}}{\underset{1}{60} \text{ min}} \times \dfrac{\overset{1}{60} \text{ mcgtt}}{1 \text{ ml}} = 50$ mcgtt/min

> Ce chiffre 1 devient le facteur de division.

L'activité qui suit s'adresse aux étudiantes qui manient aisément la formule de débit horaire et qui veulent utiliser une méthode de calcul rapide. Il n'est aucunement nécessaire de calculer le débit avec le facteur de division. Il est tout aussi sécuritaire de procéder à vos calculs avec la formule plus longue si cela est plus facile pour vous.

ACTIVITÉ 12.8

À l'aide du facteur de division, calculez le débit de perfusion en gouttes par minute (gtt/min) des perfusions suivantes :

a) Vous devez administrer une perfusion de dextrose 5 % à un débit horaire de 90 ml/h. Le calibre du perfuseur est de 15 gtt/ml. _____

b) Vous devez administrer une perfusion de dextrose 5 % à un débit horaire de 120 ml/h. Le calibre du perfuseur est de 15 gtt/ml. _____

c) Vous devez administrer un produit sanguin à un débit horaire de 100 ml/h. Le calibre du perfuseur est de 10 gtt/ml. _____

d) Le médecin prescrit à un enfant du Lactate Ringer 500 ml à un débit horaire de 40 ml/h. Le calibre du perfuseur est de 60 mcgtt/ml. _____

e) Vous devez administrer une perfusion de dextrose à un débit horaire de 80 ml/h. Le calibre du perfuseur est de 10 gtt/ml. _____

Le calcul de la durée de la perfusion

La durée de la perfusion représente le temps nécessaire pour qu'un volume donné de solution s'écoule dans une veine. La durée s'exprime en **minutes** ou en **heures**, selon le type de solution et les besoins du client.

Pour calculer la durée de la perfusion, il faut connaître trois éléments :

1. la quantité de solution à administrer par perfusion ;
2. le débit de perfusion ;
3. le calibre du perfuseur.

Le calcul lorsqu'on connaît le débit de perfusion en gtt/min

Les éléments de la formule ci-dessous sont les mêmes que ceux de la formule utilisée pour calculer le débit de perfusion, ou vitesse d'écoulement, sauf que le débit (gtt/min) de la perfusion devient le dénominateur.

$$\text{Durée de perfusion (min)} = \frac{\text{Quantité à administrer (ml)} \times \text{Calibre du perfuseur (gtt/ml)}}{\text{Débit de perfusion en gtt/min}}$$

EXEMPLE 12.7

On procède à une perfusion de 450 ml à un débit minute de 25 gtt/min en utilisant un perfuseur de 15 gtt/ml.

$$\text{Durée de perfusion (min)} = \text{Quantité à administrer} \times \text{Calibre du perfuseur} \div \text{Débit minute}$$

$$\frac{\overset{90}{\cancel{450}} \text{ ml}}{270 \text{ min}} \qquad \frac{\overset{3}{\cancel{15}} \text{ gtt}}{\text{ml}} \qquad \frac{1 \text{ min}}{\underset{\cancel{5}1}{25} \text{ gtt}}$$

On transforme les minutes en heures :

270 min ÷ 60 min/h = 4,5 heures

Puis, pour convertir la décimale en minutes, on multiplie 0,5 h par 60 min = 30 min. On a donc : 4 h 30 min pour la durée de la perfusion.

> N'oubliez pas : diviser une fraction revient à la multiplier par l'inverse (*voir le chapitre 3*).

ACTIVITÉ 12.9

Calculez la durée des perfusions suivantes à l'aide de la formule :

a) Vous devez administrer 500 ml de dextrose 10 % à l'aide d'un perfuseur de 15 gtt/ml, à un débit minute de 33 gtt/min. _____

b) Vous devez administrer 1 000 ml de dextrose 5 % à l'aide d'un perfuseur de 10 gtt/ml, à un débit minute de 30 gtt/min. _____

c) Vous devez administrer 100 ml de médicament à un débit minute de 15 gtt/min, en utilisant un perfuseur de 15 gtt/ml. _____

d) Vous devez administrer une transfusion sanguine de 250 ml à un débit minute de 20 gtt/min, en utilisant un perfuseur de 10 gtt/ml. _____

Le calcul de la durée de la perfusion lorsqu'on connaît le débit horaire (ml/h)

Lorsqu'on connaît le débit horaire (ml/h), on divise la quantité totale de volume à perfuser par le débit horaire prescrit.

EXEMPLE 12.8

Un médecin a rédigé l'ordonnance suivante : « Administrer une perfusion de 500 ml de mixte 0,45 % à un débit horaire de 75 ml/h pour un client diabétique. » Pour calculer la durée de la perfusion, on divise la quantité totale à administrer par le nombre de millilitres par heure :

$$\text{Durée de la perfusion} \quad = \quad 500 \text{ ml} \quad \div \quad 75 \text{ ml/h} \quad = \quad 500 \text{ ml} \quad \times \quad \frac{1 \text{ h}}{75 \text{ ml}} \quad = \quad 6,66 \text{ h}$$

Ici, 6 correspond à 6 heures, et 0,66 correspond à la fraction d'une heure, c'est-à-dire à 66 centièmes d'heure.

Pour convertir la portion décimale de l'heure en minutes, on multiplie par 60.

On calcule les minutes en multipliant 0,66 par 60 : $0{,}66 \times 60 = 39{,}6$ min

On arrondit à la minute : $39{,}6 \approx 40$ min

Durée de la perfusion : 6 heures 40 minutes

Si cette perfusion est installée à 9 : 15, à quelle heure devrait-elle se terminer ?

Heure de début + durée de la perfusion = heure de fin de perfusion

9 : 15 + 6 : 40 = 15 : 55

La perfusion devrait se terminer à 15 : 55.

ACTIVITÉ 12.10

Calculez la durée des perfusions suivantes :

a) Le chirurgien vous a prescrit d'administrer une perfusion de 500 ml de Lactate Ringer à un débit horaire de 150 ml/h pour votre client qui a subi une chirurgie abdominale. _____

b) Le pédiatre a prescrit d'administrer une perfusion de 150 ml de mixte 1/2 salin à un enfant déshydraté à un débit horaire de 50 ml/h.

_____

c) Le médecin a prescrit d'administrer 1 L d'une solution de mixte 0,45 % à un débit horaire de 120 ml/h.

_____

d) On a prescrit une perfusion de 250 ml à un débit horaire de 30 ml/h. La perfusion commence à midi. Calculez la durée de cette perfusion et déterminez l'heure à laquelle elle prendra fin.

Durée de la perfusion : _____ Fin de la perfusion : _____

e) On a prescrit une perfusion de 500 ml à un débit horaire de 80 ml/h. La perfusion commence à 13 : 00. Calculez la durée de cette perfusion et déterminez l'heure à laquelle elle prendra fin.

Durée de la perfusion : _____ Fin de la perfusion : _____

12.3 Les perfuseurs de précision utilisés dans la thérapie intraveineuse

Il existe des dispositifs qui garantissent une administration très précise des médicaments par voie intraveineuse. Vous les retrouverez tous dans la plupart des milieux cliniques de soins généraux.

Le cathéter pour une perfusion intermittente

Ce cathéter intraveineux est souvent appelé dans les milieux cliniques « civ ». Il est réservé aux clients qui doivent recevoir des médicaments par voie intraveineuse régulièrement mais de façon intermittente, et qui n'ont pas besoin de l'apport liquidien fourni par la perfusion (*voir la figure 12.7*). On fait appel aussi à ce dispositif pour injecter des médicaments directement dans la veine ou avec un système de perfusion. De plus, afin de maintenir la perméabilité du cathéter, on doit l'irriguer avant et après l'administration du médicament selon la méthode de soins des milieux.

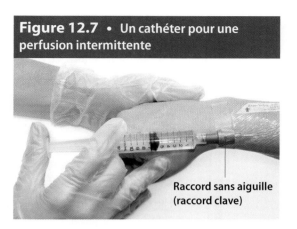

Figure 12.7 • Un cathéter pour une perfusion intermittente

Raccord sans aiguille (raccord clave)

Le perfuseur de précision de type volumétrique

Les infirmières peuvent administrer des solutions avec un perfuseur de **précision de type volumétrique** comme celui qui est illustré dans la figure 12.8. Ces perfuseurs sont souvent désignés par leur marque de commerce, tels que **Buretrol** ou **Soluset**. Selon le fabricant, leur capacité varie de 100 ml à 150 ml, et chaque degré de l'échelle de graduation correspond à 1 ml, de sorte qu'il est possible de mesurer de petites quantités avec exactitude. Ces perfuseurs, qui sont plus précis que les perfuseurs de type macrogouttes, sont tous calibrés pour perfuser des microgouttes. Ils sont souvent installés soit comme dispositif primaire ou en dérivé du système de perfusion principal, et leur usage est courant dans les services de soins pédiatriques et de soins intensifs. Afin d'utiliser adéquatement un perfuseur de précision, vous pouvez vous référer à un volume de procédés de soins.

> **Pédiatrie**

Les appareils de perfusion électroniques

Afin d'administrer de façon très précise les perfusions, les fabricants conçoivent des appareils électroniques pour administrer les médicaments selon le débit prescrit et programmé par l'infirmière. On utilise de plus en plus les appareils de perfusion électroniques comme les **pompes volumétriques**, les régulateurs de débit, le pousse-seringue ou autre. Des guides d'utilisation de ces appareils sont fournis par les fabricants. Dans ce volume, nous traiterons seulement de la pompe volumétrique.

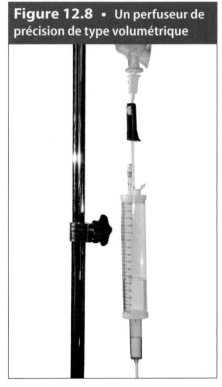

Figure 12.8 • Un perfuseur de précision de type volumétrique

La pompe volumétrique

On utilise toujours une pompe volumétrique pour administrer des perfusions ou des médicaments dont le dosage doit être administré avec précision. En respectant l'ordonnance médicale, le débit de la perfusion est déterminé en débit horaire (ml/h) (*voir la figure 12.9*).

La pompe volumétrique permet d'administrer un grand volume de perfusion ou de plus petites quantités comme dans le cas des médicaments en minisacs. L'infirmière doit programmer la pompe. Pour ce faire, elle doit y entrer des données. Il lui est donc demandé de programmer le **débit de la perfusion (en ml/h)** et le **volume à perfuser** (par exemple, 1 000 ml pour une perfusion en continu ou 50 ml si le médicament est dans un minisac). Ainsi, en vue de vérifier le débit de la perfusion, on fera le calcul des perfusions selon le **débit horaire (ml/h)** afin de pouvoir programmer adéquatement la pompe volumétrique.

Certains modèles de pompes volumétriques offrent une plus grande précision. La précision peut être aussi grande qu'au dixième ou au centième de millilitre. On trouve ce type de pompe principalement dans les milieux spécialisés. Comme ce volume est orienté vers les soins généraux, les exemples et les activités qu'il contient demanderont des précisions au millilitre. Peu importe le niveau de précision de l'appareil, le principe de programmation est le même. Vous devrez bien lire la précision que la pompe fournit afin de la programmer adéquatement. De plus, certaines pompes peuvent être programmées en mg/min, en mg/h, en mcg/min, en mcg/h, etc. Ce volume ne traite pas de cet aspect. Vous pouvez vous référer aux méthodes de soins de votre milieu clinique au besoin.

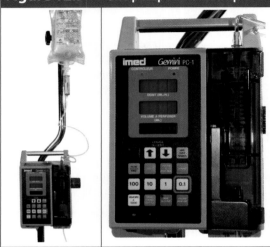

Figure 12.9 • Une pompe volumétrique

Le rôle de la pompe volumétrique n'est ni d'ajuster, ni de surveiller la perfusion et son site d'insertion, mais bien de perfuser selon le débit programmé par l'infirmière. La pompe volumétrique pousse la perfusion dans une veine en exerçant une pression positive et ne fonctionne pas par gravité. La hauteur du sac de solution n'a donc aucune importance. Un signal sonore émis par la pompe avertit le personnel infirmier lorsque le sac de solution est vide ou qu'il y a obstruction dans l'écoulement de la solution.

Attention !

La pompe volumétrique continue à pousser la solution intraveineuse même s'il y a infiltration de la solution dans les tissus sous-cutanés environnant le site d'insertion du cathéter. L'infirmière doit donc s'assurer en tout temps de la perméabilité du site d'insertion du cathéter pour vérifier que le médicament perfuse toujours dans la veine.

ACTIVITÉ 12.11

Vous devez administrer les perfusions suivantes à l'aide d'une pompe volumétrique.

i) Calculez le débit horaire à programmer.

ii) Indiquez le volume à perfuser.

DEBIT (ML/H.)

VOLUME A PERFUSER (ML)

a) Dextrose 5 % 1 000 ml à perfuser en 12 heures.   i) 84 ml/h   ii) 1000

b) 240 ml de soluté à perfuser en 2 heures 30 minutes.   i) 96 ml/h   ii) 240

c) 30 ml de médicament à perfuser en 45 minutes.   i) 40 ml/h   ii) 30

d) 12 ml de médicament à perfuser en 20 minutes.   i) 36 ml/h   ii) 12

e) 350 ml de soluté à perfuser en 2 heures 30 minutes.   i) 140 ml/h   ii) 350

f) 500 ml de soluté à perfuser en 4 heures.   i) 125 ml/h   ii) 500

Notions essentielles à retenir

- En ce qui concerne la thérapie intraveineuse, il existe plusieurs sortes de solutions, qu'on appelle « solutés ».

- Le dispositif de perfusion a une chambre compte-gouttes et le calibre des perfuseurs est soit des macrogouttes ou des microgouttes.

- La formule utilisée pour calculer le débit de perfusion en gouttes par minute (gtt/min) est :

$$\text{Débit de perfusion en gtt/min} = \text{Débit minute} \times \text{Calibre du perfuseur}$$

$$= \frac{\text{Quantité à administrer en ml}}{\text{Durée de la perfusion en min}} \times \frac{\text{gtt}}{1\ ml}$$

$$= \frac{\text{Nombre de ml}}{\text{Nombre de min}} \times \frac{\text{Nombre de gtt}}{1\ ml}$$

$$= \frac{\text{gtt}}{\text{min}}$$

- Si l'administration des perfusions se fait par gravité : plus le sac de solution est élevé, plus la solution s'écoule rapidement.

- Le médecin prescrit les débits des perfusions en millilitres par heure (ml/h) ou en millilitres par minute (ml/min).

- L'infirmière mesure la vitesse d'écoulement de la perfusion en gouttes par minute (gtt/min) et divise par 4 pour compter le nombre de gouttes qui s'écoulent dans une durée de 15 secondes.

- Le sac de solution secondaire doit être suspendu plus haut que le sac principal afin de permettre l'écoulement du médicament qu'il contient en premier.

- Les pompes volumétriques sont des appareils électroniques qui exercent une pression positive constante sur la tubulure pour que la solution pénètre dans la veine, généralement en fonction du **débit horaire** programmé par l'infirmière.

- Les pompes volumétriques sont utilisées pour assurer, avec une très grande précision, le débit et la quantité de solution à perfuser.

Exercices de révision

1. Donnez la signification des abréviations de solutés suivantes et spécifiez si ces solutions sont isotoniques, hypotoniques ou hypertoniques.

   a) D5 % 1/2S _____ _____

   b) D10 % _____ _____

   c) Mixte 1/2 salin _____ _____

   d) Salin 0,45 % _____ _____

   e) NaCl 1F _____ _____

   f) D5 % _____ _____

2. Indiquez combien il y a de grammes de glucose dans :

    a) 500 ml de dextrose 5 % _____

    b) 1 L de dextrose 5 % _____

    c) 50 ml de D10 % _____

3. Répondez brièvement aux questions suivantes :

Mme Charles est admise dans l'unité de soins avec une perfusion de mixte 0,45 %, 1 000 ml installée à la main gauche et qui perfuse à 90 ml/h avec un système de perfusion manuel.

    a) À quel type de solution l'abréviation « mixte » correspond-elle ? _____

    b) Comment appelle-t-on ce système de perfusion ? _____

    c) À quelle hauteur doit être le soluté pour qu'un bon écoulement soit assuré ? _____

    d) De quels éléments devez-vous tenir compte lorsque vous effectuez la surveillance de la perfusion ?

        1. _____

        2. _____

        3. _____

        4. _____

        5. _____

    e) Vous remarquez que la main gauche de Mme Charles est œdématiée, blanchâtre et froide.

        i) Comment appelle-t-on cet état ? _____

        ii) Que devez-vous faire ? _____

4. Identifiez les parties du système de perfusion primaire suivant :

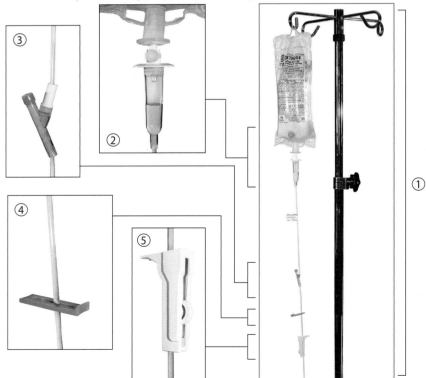

1. _____

2. _____

3. _____

4. _____

5. _____

5. Écrivez la formule à utiliser pour connaître le débit de perfusion en gouttes par minute (gtt/min) d'une perfusion prescrite en millilitres par heure :

6. Calculez i) le débit horaire, ii) le débit de perfusion en gouttes par minute (gtt/min) et iii) le nombre de gouttes par 15 secondes pour les ordonnances suivantes :

a) Vous devez administrer 1 500 ml de D5 % à perfuser en 24 heures. Le calibre du perfuseur est de 15 gtt/ml.

i) _____ ii) _____ iii) _____

b) Vous devez administrer 500 ml de mixte 0,45 % à perfuser en 4 heures. Le calibre du perfuseur est de 10 gtt/ml.

i) _____ ii) _____ iii) _____

c) Vous devez administrer 90 ml de médicament par minisac à perfuser en 1 h 30. Le calibre du perfuseur est de 15 gtt/ml.

i) _____ ii) _____ iii) _____

d) Vous devez transfuser un culot globulaire de 250 ml à perfuser en 3 heures. Le calibre du perfuseur est de 10 gtt/ml.

i) _____ ii) _____ iii) _____

e) Vous devez administrer 2 000 ml de D5 % à perfuser en 12 heures. Le calibre du perfuseur est de 15 gtt/ml.

i) _____ ii) _____ iii) _____

f) Vous devez administrer 150 ml de D10 % à perfuser en 1 h 30. Le calibre du perfuseur est de 10 gtt/ml.

i) _____ ii) _____ iii) _____

g) Vous devez administrer un médicament de 30 ml de D10 % à perfuser en 30 minutes. Le calibre du perfuseur est de 15 gtt/ml.

i) _____ ii) _____ iii) _____

7. Calculez la durée des perfusions suivantes. Vous devez administrer :

a) 500 ml de glucose 5 % à un débit minute de 50 gtt/min en utilisant un perfuseur calibré à 15 gtt/ml.

_____

b) une transfusion sanguine de 250 ml à raison de 15 gtt/min à l'aide d'un perfuseur calibré à 10 gtt/ml.

_____

c) 350 ml de solution intraveineuse à un débit minute de 40 gtt/min à l'aide d'un perfuseur calibré à 15 gtt/ml. _____

d) 500 ml d'Intralipid à un débit horaire de 25 ml/h. _____

Chapitre 13

Le dosage des médicaments intraveineux

À la fin de ce chapitre, vous serez en mesure :

- de reconnaître l'importance du rôle de l'infirmière dans l'administration et la surveillance des médicaments intraveineux ;

- de vérifier la compatibilité des médicaments administrés avec les perfusions et les autres médicaments ;

- de calculer le débit des perfusions prescrites selon :
  - le débit horaire ;
  - le débit minute ;
  - le dosage du médicament ;
  - la masse corporelle ;

- de calculer le débit des perfusions médicamenteuses en fonction des systèmes de perfusion utilisés ;

- de programmer adéquatement les pompes volumétriques pour l'administration de médicaments.

Introduction

Comme nous l'avons vu dans le chapitre précédent, l'administration parentérale de la médication comprend, entres autres, les voies intramusculaire, sous-cutanée et intraveineuse. De nos jours, la voie intraveineuse est de plus en plus prescrite par les médecins. Le «nombre de médicaments prescrits par cette voie est si important, et les particularités de leur administration sont si variées, que les compagnies pharmaceutiques et les pharmaciens des milieux cliniques rédigent de plus en plus de guides et de procédés d'administration des médicaments intraveineux. Ces outils de référence contiennent les spécifications des médicaments établies selon les résultats de tests cliniques. Pour chaque médicament, ils fournissent entre autres des renseignements concernant la concentration ou le dosage habituel, la dilution recommandée, le débit, la durée de perfusion, la compatibilité avec d'autres médicaments ou solutions intraveineuses de même que le matériel nécessaire à l'administration. En outre, ils apportent des précisions sur les effets attendus et les effets secondaires possibles de la médication.

13.1 Le rôle de l'infirmière dans l'administration des médicaments intraveineux

L'administration des médicaments par voie intraveineuse est une activité relevant du champ de compétences de l'infirmière. Dans ce domaine, il est particulièrement important pour elle d'adopter un comportement sécuritaire pour les clients. La solution ou le médicament administré par voie intraveineuse circule dans l'organisme par le flux sanguin et se rend directement au site d'action du médicament. Ainsi, l'apparition des effets se produit rapidement. Une erreur de médicament, de dose ou autre peut entraîner des conséquences tragiques une fois que le médicament se trouve dans l'organisme. La rapidité d'action exige de l'infirmière qu'elle fasse preuve de vigilance non seulement dans la préparation et l'installation de la solution, mais aussi tout au long du processus d'administration et de surveillance de la condition clinique de son client avant, pendant et après l'administration du médicament.

> Ne jamais oublier que la connaissance de la médication est l'un des cinq à sept « bons » principes d'administration.

Les unités de soins possèdent, en plus des volumes de référence, des cahiers de normes en lien avec l'administration des médicaments intraveineux. En milieu clinique, on trouve aussi des directives qui établissent la formation requise pour administrer certains médicaments intraveineux. Ces directives concernent principalement les médicaments prescrits dans des milieux spécialisés ou des milieux de soins critiques. C'est d'ailleurs le cas en cardiologie. En effet, dans cette unité spécialisée, plusieurs médicaments administrés par voie intraveineuse exigent une formation particulière, car l'infirmière doit posséder les connaissances qui lui permettront d'évaluer la condition clinique des clients et d'assurer le suivi, compte tenu des effets thérapeutiques et secondaires que la médication peut générer chez ces derniers.

Attention !

Rappelez-vous que l'infirmière devra élaborer un **plan thérapeutique infirmier** ou **PTI** pour effectuer un suivi particulier du client si cela est nécessaire. Comme nous l'avons mentionné dans le chapitre 2, elle a l'obligation de le faire lorsque l'administration des médicaments requiert un suivi particulier ou a une incidence sur le suivi clinique de son client.

L'infirmière doit assurer l'administration intraveineuse des médicaments. Pour ce faire, elle doit apprendre à lire correctement les différentes ordonnances rédigées en relation avec la médication intraveineuse. Elle devra à l'occasion effectuer le calcul des doses. Elle ajustera le débit de ces perfusions de médicament en fonction des différents appareillages utilisés pour leur administration.

> L'abréviation de « microgoutte » utilisée dans ce volume est « mcgtt ».

Les pompes volumétriques et les pousse-seringues sont les appareils électroniques les plus appropriés pour administrer les médicaments par voie intraveineuse. Si l'infirmière ne dispose pas d'un appareil électronique, elle pourra se servir, si cela est possible, d'un perfuseur microgouttes (par exemple, de type Buretrol), qui est toujours calibré à 60 mcgtt/ml. Ces microperfuseurs (Buretrol) peuvent aussi s'adapter aux pompes volumétriques. Ils remplacent à ce moment les minisacs pour administrer des médicaments dans un volume précis de solution. Ce

Pédiatrie ▶ système est très utilisé en pédiatrie principalement, car les volumes (quantités) à administrer ne doivent pas être trop grands ni être administrés trop rapidement, puisque cela pourrait occasionner une surcharge liquidienne chez cette clientèle.

Tout compte fait, que le médicament soit administré par une pompe volumétrique, par un dispositif de perfusion régulier (calibré en macrogouttes) ou par un dispositif de perfusion de précision (appelé aussi « microperfuseur »), il est essentiel de surveiller étroitement le débit et la condition clinique du client.

Attention !

Dans l'administration des médicaments intraveineux, la marge de sécurité est très faible. L'adéquation des calculs s'avère donc primordiale. C'est pourquoi, si vous devez effectuer des calculs, vous devez toujours appliquer la **double vérification indépendante**, qui est expliquée dans le chapitre 2.

13.2 Les solutés primaires avec additif

Un soluté auquel le médecin a prescrit d'ajouter un médicament en perfusion continue est communément appelé un **soluté avec additif**. Celui-ci peut être administré par perfusion intraveineuse primaire.

Le **chlorure de potassium** (KCl) est le principal médicament (additif) administré fréquemment en continu dans les unités de soins généraux. Que ce soit pour l'additif de chlorure de potassium dans un soluté ou pour tout autre médicament prescrit additionné à une perfusion primaire, le calcul s'effectue selon la même méthode que pour les débits de solutés sans additif. L'encadré qui suit vous aidera à affiner votre jugement clinique par rapport à cette médication : le chlorure de potassium.

La surveillance pendant une perfusion avec additif de chlorure de potassium

Le **potassium**, aussi appelé « potassium sérique (K^+) », est le principal cation intracellulaire. Comme cet ion est indispensable à l'organisme, surtout en ce qui a trait au maintien du potentiel de membrane dans les tissus neuromusculaires, la variation de sa concentration sérique peut avoir des conséquences importantes, telles que des arythmies cardiaques graves. Le taux de potassium diminue souvent chez certains clients, principalement chez les clients dénutris, chez ceux qui s'alimentent peu ou qui prennent des diurétiques, chez ceux souffrant de diarrhée ou de vomissements et chez ceux ayant un tubage (tube nasogastrique) avec aspiration gastrique, car le K^+ est éliminé par le système gastro-intestinal. La valeur de référence du K^+ se situe entre 3,5 et 5 mmol/L et elle ne peut subir d'importantes variations. Lorsque le taux de potassium sérique d'un client est trop bas, on dit que le client présente de l'hypokaliémie. Il doit donc recevoir du potassium en comprimé ou, dans bien des cas, en perfusion. Dans les unités de médecine et de chirurgie, l'infirmière doit surveiller attentivement les résultats des concentrations sériques de potassium des clients qui risquent de souffrir d'hypokaliémie. Ainsi, elle pourra aviser rapidement le médecin traitant de toute valeur qui s'écarte des valeurs normales afin que ce dernier puisse corriger la situation et prescrire du chlorure de potassium lorsque cela s'avère nécessaire[1].

Au cours de l'administration de chlorure de potassium par voie intraveineuse, il est important d'assurer le débit selon l'ordonnance médicale. Le médecin ajustera la concentration de potassium et le débit de la perfusion selon l'importance de l'hypokaliémie. La concentration de potassium est toujours prescrite en fonction du résultat de l'analyse sanguine de cet électrolyte.

---

1. Pour plus d'information, référez-vous à un volume de biochimie.

> **Attention !**
>
> Il revient au médecin de prescrire des examens sanguins de potassium (ions ou ionogramme ou bilan ionique). Cependant, l'infirmière, en vertu de son rôle de collaboration, peut l'informer de la condition clinique du client et lui rappeler de prescrire cet examen. Il est important qu'elle avise rapidement le médecin de tout écart par rapport à la norme lorsqu'elle reçoit les résultats de ces analyses.

La dose de chlorure de potassium à administrer par voie intraveineuse dans une veine périphérique varie le plus fréquemment entre 20 et 40 mEq par litre de soluté. La dose maximale peut atteindre 60 mEq/litre. Cependant, cette concentration cause une sensation de brûlure importante le long de la veine du client, c'est pourquoi on ne voit pas souvent cette dose administrée dans une veine périphérique. On privilégie alors une voie centrale, dans la veine sous-clavière, par exemple. Cette médication doit être administrée au moyen d'une pompe volumétrique pour que le débit soit maintenu avec précision.

La compatibilité des médicaments administrés par voie intraveineuse

Il arrive fréquemment que les clients reçoivent plus d'un médicament par voie intraveineuse (par exemple, un antibiotique, un diurétique et autres). Si tel est le cas, il faudra vérifier la **compatibilité** des médicaments avec l'additif du soluté en perfusion primaire avant d'installer un autre médicament en perfusion secondaire. Il n'est pas rare qu'il y ait des incompatibilités entre les médicaments. Ainsi, le fait de mettre ces médicaments en contact l'un avec l'autre dans la tubulure peut être dangereux pour le client, car un précipité risque de s'y former et la solution ne sera plus complètement limpide et pourrait former des cristaux. Ces cristaux sont susceptibles de créer une obstruction de l'écoulement ou, pire encore, de causer des embolies dans la circulation sanguine et de provoquer des problèmes circulatoires importants.

> Voir le tableau des compatibilités présenté dans le site Web de l'ouvrage.

Par exemple, si on doit administrer de l'halopéridol en perfusion secondaire par minisac lorsque le soluté en perfusion primaire contient un additif de KCl, on doit auparavant vérifier la compatibilité de ces deux médicaments. Comme permet de le constater le tableau des comptabilités des médicaments, ceux-ci sont incompatibles. On doit donc installer un cathéter intraveineux par une autre veine et administrer l'Haloperidol en utilisant un soluté compatible avec ce médicament.

La précision du débit de perfusion

Le débit minute ou horaire se calcule en fonction de la quantité de médicament à diluer dans un certain volume de soluté (minisac). Par exemple, lorsqu'on ajoute 3 ml de médicament à 50 ml de soluté (minisac), doit-on tenir compte du 3 ml additionnel lorsqu'on calcule le débit de perfusion ?

Le tableau 13.1 suivant vous guide dans votre décision de tenir compte ou non de la quantité de médicament à ajouter à la solution lorsque vous effectuez vos calculs de débit.

Dans certains cas, vous n'aurez pas à prendre cette décision car elle vous sera indiquée.

Tableau 13.1 • Les règles à respecter lors du calcul des débits de perfusion (médicaments ajoutés à des minisacs ou en perfusion primaire avec additif)

Important : il est à noter que les règles présentées dans les lignes suivantes sont générales. Bien entendu, si les unités de soins adoptent des pratiques différentes en ce qui a trait à ces calculs, il faut privilégier celles-ci.	
Si la quantité de médicament préparé avant la deuxième dilution est inférieure à 10 % du volume total à administrer	Habituellement, on ne considère pas la quantité de médicament dans le calcul du débit. Par exemple, on doit ajouter 2 ml de médicament à un minisac de 25 ml à administrer en 15 minutes. Cette quantité de 2 ml représente moins de 7 % de la dose totale à administrer ; celle-ci serait de 27 ml. On peut, à ce moment, ne pas tenir compte des 2 ml. On prend alors 25 ml comme quantité à administrer et l'on effectue le calcul. Ainsi, si l'on a une pompe volumétrique, on l'ajuste à 100 ml/h (vous pouvez effectuer le calcul). Si l'on ajuste la quantité avec un perfuseur microgouttes, on obtient 100 mcgtt/min. Si on l'ajuste avec un perfuseur macrogouttes (15 gtt/ml), on obtient 25 gtt/min.
Si la quantité de médicament préparé avant la deuxième dilution est supérieure à 10 % du volume total à administrer	On doit considérer la quantité totale dans le calcul du débit, car cela aura une incidence sur la vitesse d'écoulement. Par exemple, on doit ajouter 25 ml de médicament à 50 ml à administrer en 30 minutes. Cette quantité de 25 ml représente 33 % de la dose à administrer ; on doit donc en tenir compte. On prend alors 75 ml (qui est le volume total à perfuser) et l'on effectue le calcul. Ainsi, si l'on a une pompe volumétrique, on l'ajuste à 150 ml/h (vous pouvez effectuer le calcul). Si l'on ajuste la quantité avec un perfuseur microgouttes, on obtient 150 mcgtt/min. Si on l'ajuste avec un perfuseur macrogouttes (15 gtt/ml), on obtient 38 gtt/min.
Note : Dans ce volume, vous utiliserez cette règle. En tant qu'étudiante, dans les examens, vous pouvez demander à votre enseignante de vous indiquer la précision du débit qu'elle vous demandera de calculer.	

De plus, en utilisant l'exemple de la page précédente, si on administre ce médicament par Buretrol (en pédiatrie), on peut mettre 47 ml de soluté (volume de dilution) dans le dispositif et y ajouter le 3 ml de médicament pour un volume total à perfuser de 50 ml.

13.3 Le calcul du débit selon le dosage prescrit

Les ordonnances médicales des médicaments intraveineux peuvent être rédigées de différentes façons. L'infirmière doit être capable d'interpréter ces ordonnances dans le but d'effectuer les calculs de débit des médicaments lorsque c'est nécessaire. Peu importe la formulation de l'ordonnance (*voir le tableau 13.2*), elle doit convertir en débit horaire ou débit minute la perfusion des médicaments en fonction des différents dispositifs ou appareillages utilisés (un soluté primaire, une pompe volumétrique, un perfuseur de type macrogouttes, un perfuseur de précision de type Buretrol ou une seringue).

Tableau 13.2 • Les différents débits ou dosages en fonction des ordonnances ou des précisions du département de pharmacie

Débit et dosage	Unités de mesure	Exemple d'ordonnance médicale
Débit horaire	ml/h	Perfuser du dextrose 5 % 1 000 ml + 20 mEq KCl à 100 ml/h
Débit minute ou ordonnance à convertir en ml/min	ml/min	– Administrer du Gravol 50 mg dans 50 ml de dextrose 5 % à perfuser en 30 min, toutes les 8 h si nausées + ; – Tazocin 4 g iv toutes les 8 h
Dosage horaire ou minute selon la concentration	mg/h, mg/min, mcg/h, mcg/min	Administrer du diltiazem (Cardizem) 125 mg dilué dans 100 ml de D5 % à perfuser à 12 mg/h
Dosage horaire ou minute selon la masse corporelle	mg/kg/h, mg/kg/min ou mcg/kg/h, mcg/kg/min	Administrer de la dopamine (Intropin) 400 mg diluée dans 250 ml de D5 % à perfuser à 3 mcg/kg/min

> Lorsque l'infirmière ajoute un médicament dans un soluté, elle ne doit pas oublier d'y accoler une étiquette présentant les renseignements essentiels (*voir l'étiquette de la page 221*).

L'ordonnance selon le débit horaire

Les médicaments intraveineux qui sont administrés selon le **débit horaire** sont généralement ceux qui doivent être administrés en perfusion continue, c'est-à-dire dans un soluté en perfusion primaire appelé soluté primaire avec additif.

EXEMPLE 13.1

Voici les étapes à suivre pour administrer une perfusion de dextrose 5 % 1 000 ml + 20 mEq de chlorure de potassium à administrer à 80 ml/h.

Si vous utilisez une pompe volumétrique, vous devrez programmer la pompe ainsi :

- **Débit** (en général, cet appareil indique de le programmer en millilitres par heure) : on programme le débit à **80 ml/h**.

- **Volume à perfuser** : on inscrit la quantité à perfuser : **950 ou 1 000**.

> Dans ce volume, les débits horaires sont tous calculés au millilitre près. Dans votre pratique, si les pompes volumétriques utilisées offrent une plus grande précision (dixième, centième ou autre), vos calculs devront être effectués en conséquence.

> Le signal sonore est très apprécié lorsque les infirmières ne sont pas présentes quand la quantité de solution est écoulée.

Dans certains milieux cliniques, pour s'assurer que le sac de soluté pourra être remplacé avant qu'il ne soit entièrement vide, les infirmières ont l'habitude d'indiquer une quantité inférieure à la quantité réelle du sac de soluté. Ainsi, lorsque la quantité programmée est administrée, la pompe émet un signal sonore pour aviser de la fin de la perfusion.

Si vous utilisez un dispositif de perfusion de précision : appliquez le calcul selon la formule qui a été expliquée dans le chapitre 12.

Débit de la perfusion en mcgtt/min

$$\text{Débit minute} \times \text{Calibre du perfuseur}$$

$$\frac{80 \text{ ml}}{60 \text{ min}} \times \frac{60 \text{ mcgtt}}{\text{ml}} = 80 \text{ mcgtt/min}$$

ACTIVITÉ 13.1

Le médecin a prescrit à Mme Pelletier de la chambre 4013 lit 1 :
« Mixte 0,45 % 1 000 ml + 40 mEq de KCl à perfuser à 75 ml/h. »

a) Programmez la pompe volumétrique.

   i) Débit : _75 ml/h_

   ii) Volume à perfuser : _1000_

b) Si vous utilisez un perfuseur de précision plutôt qu'une pompe volumétrique, à combien de microgouttes par minute (mcgtt/min) ajusterez-vous le soluté ?

   75 mcgtt/min

c) La cliente reçoit du céfuroxime sodique (Cefuroxime) iv 250 mg toutes les 8 h.

   i) Le céfuroxime est-il compatible avec le KCl ? Oui _✓_ Non _____

   ii) Utiliserez-vous la même voie dérivée pour son administration ?

   Oui _✓_ Non _____

   Justifiez votre réponse. _Compatibles_

EXEMPLE 13.2

On doit administrer une dose de 150 mg d'antibiotique (150 mg correspondant à 3 ml) à diluer dans une solution de dextrose 5 % dans un perfuseur de précision de type Buretrol et à perfuser en 15 minutes. Le volume total de la solution doit être de 20 ml.

On a donc 3 ml de médicament à ajouter à 17 ml de dextrose 5 % (volume de dilution).

Le volume total à perfuser sera donc de 20 ml. On peut installer ce perfuseur Buretrol sur une pompe volumétrique. Si on administre avec une pompe volumétrique :

On ajustera le débit de la pompe volumétrique à : 80 ml/h

Le volume à perfuser sera de : 20 ml

Si vous n'avez pas de pompe volumétrique, à combien de microgouttes par minute ajusterez-vous la perfusion ? 80 mcgtt/min

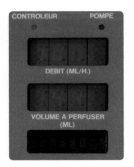

ACTIVITÉ 13.2

Déterminez le volume de solution qu'il faut ajouter dans le Buretrol pour diluer les médicaments intraveineux suivants et calculer le débit en mcgtt/min et en ml/h.

a) L'ordonnance est d'administrer par perfusion en 45 minutes une dose de 40 mg/2 ml à diluer dans du dextrose 5 %. Le volume total de la solution doit être de 30 ml.

Volume de dilution : _____ mcgtt/min : _____ ml/h : _____

b) L'ordonnance est d'administrer par perfusion en 20 minutes une dose de 15 mg/6 ml à diluer dans du dextrose 5 %. Le volume total de la solution doit être de 30 ml.

Volume de dilution : _____ mcgtt/min : _____ ml/h : _____

L'ordonnance selon le débit minute ou à convertir en débit minute

Le médecin prescrit parfois un médicament à administrer selon un débit minute. Plus souvent, il peut simplement prescrire une médication en milligrammes à administrer par voie intraveineuse. L'infirmière doit donc effectuer les calculs de doses à administrer et se référer aux cahiers de préparation de la médication pour connaître la procédure de dilution et d'administration du médicament.

EXEMPLE 13.3

Le médecin a prescrit « Lasix (furosemide) 100 mg iv une fois par jour » pour Mme Pelletier, qui souffre d'une insuffisance rénale aiguë.

Selon le protocole d'administration du Lasix de la pharmacie, le furosemide (Lasix) est présenté dans une fiole multidose de 25 ml, ayant une concentration de 10 mg/ml. L'infirmière doit ajouter cette dose à un minisac de 25 ml de chlorure de sodium 0,9 % et le perfuser en 20 minutes. Mme Pelletier a une perfusion primaire de soluté salin 0,45 % 1 000 ml + 20 mEq de KCl.

▶

a) Il faut convertir en millilitres la dose à administrer, qui est de 100 mg, en fonction du calcul des proportions :

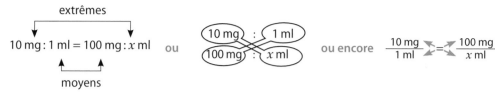

Produit des extrêmes et des moyens

extrêmes

10 mg : 1 ml = 100 mg : x ml   **ou**

moyens

Produits croisés

ou encore

$$10 \text{ mg} \times x \text{ ml} = 100 \text{ mg} \times 1 \text{ ml}$$

$$x \text{ ml} = \frac{100 \text{ mg} \times 1 \text{ ml}}{10 \text{ mg}}$$

$$x = 10 \text{ ml représente la quantité de Lasix à administrer}$$

b) Vous devez ajouter la quantité de médicament (10 ml) à un minisac contenant 25 ml de dextrose 5 %.

La quantité totale à administrer sera de 35 ml et on doit considérer cette donnée lors du calcul. La quantité de médicament représente donc 29 % du volume total à administrer.

c) Il faut installer le soluté (minisac) en dérivé du soluté primaire. Ce soluté est un dextrose 5 % 1 000 ml + 20 mEq de KCl : on doit vérifier la **compatibilité** des deux médicaments. Consulter un tableau des compatibilités.

Dans ce cas-ci, ils le sont, selon le tableau des compatibilités.

d) Par la suite, on peut calculer le débit :

Si une pompe volumétrique est utilisée, il faut transformer le calcul en débit horaire (ml/60 min). À ce moment, on exécute le calcul à l'aide des rapports et des proportions :

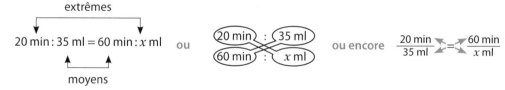

Produit des extrêmes et des moyens

extrêmes

20 min : 35 ml = 60 min : x ml   **ou**

moyens

Produits croisés

ou encore

$$20 \text{ min} \times x \text{ ml} = 60 \text{ min} \times 35 \text{ ml}$$

$$x \text{ ml} = \frac{\overset{3}{\cancel{60 \text{ min}}} \times 35 \text{ ml}}{\underset{1}{\cancel{20 \text{ min}}}}$$

$$x = 105 \text{ ml}$$

On aura ainsi le débit horaire pour programmer la pompe volumétrique.

Débit horaire : 105 ml/h

Pour la programmation de la quantité à administrer :

Volume à perfuser : 35 ml

Après 20 minutes, lorsque tout le médicament sera administré, la pompe émettra un signal sonore pour indiquer la fin de la perfusion du médicament.

Si un **système de perfusion microgouttes** est utilisé, on calcule le débit à l'aide de la formule de débit du soluté (*voir le chapitre 12*).

Débit de la perfusion en mcgtt/min = Débit min × Calibre du perfuseur

$$\frac{35\ ml}{\cancel{20}_{1}\ min} \times \frac{\cancel{60}^{3}\ mcgtt}{1\ ml}$$

105 mcgtt/min

Si un **système de perfusion macrogouttes** est utilisé, on calcule aussi le débit à l'aide de la formule de débit du soluté (pour l'activité, utilisez le calibre du perfuseur à 15 gtt/ml) :

Débit de la perfusion en gtt/min = Débit min × Calibre du perfuseur

$$\frac{35\ ml}{\cancel{20}_{4}\ min} \times \frac{\cancel{15}^{3}\ gtt}{1\ ml}$$

26,25 = 26 gtt/min

ACTIVITÉ 13.3

Le médecin a prescrit d'administrer à Marc Durette de la chambre 2122, lit 2, « Dimenhydrinate (Gravol) 100 mg iv à administrer en 45 min. » Le Gravol se présente en ampoules de 50 mg/5 ml. Selon le protocole d'administration, il faut diluer de nouveau le médicament dans un minisac de dextrose 5 % 50 ml et l'administrer en 45 minutes.

Le client a un soluté en perfusion primaire dextrose 5 % 500 ml + héparine 20 000 unités 1 ampoule qui perfuse à 22 ml/h.

> Dans ce cas-ci, M. Durette n'est pas diabétique. Il peut donc recevoir sa dilution de médicament dans un soluté glucosé. Dans votre pratique, vous devrez vérifier les antécédents des clients pour ne pas administrer de soluté glucosé aux diabétiques à moins que le médecin ne vous donne une ordonnance précise.

a) Calculez la dose de Dimenhydrinate (Gravol) à préparer : ___10___ ml

b) Indiquez les renseignements à inscrire sur l'étiquette que vous collerez sur le minisac :

ADDITIVE	NOM Durette, Marc CHAMBRE 2122 ②
SOLUTION	Gravol 100 mg IV dans 50ml
ADDITIVE	D5%
	STABLE JUSQU'À _____ HEURES DATE _____ PAR _____

c) Quelle sera la quantité totale à perfuser ? ___60___ ml

d) Devez-vous considérer la dose de Gravol dans votre calcul ? Justifiez votre réponse.
Oui, 10 ml représente 17% de 60 ml (> 10%)

e) Quel pourcentage de médicament aurez-vous, comparé à la quantité totale à administrer ? 17%

f) Pouvez-vous installer le Gravol en dérivé du soluté primaire ? Oui ✓ Non ___
Justifiez votre réponse. Compatibles

g) Vous devez administrer cette dose avec une pompe volumétrique. À quel débit ajusterez-vous celle-ci ?
~~133 ml/h~~ 80 ml/h

h) Si vous prenez un microperfuseur, à combien de microgouttes par minute (mcgtt/min) ajusterez-vous le minisac ? ~~67~~ 80 mcgtt/min

i) Si vous prenez un macroperfuseur (15 gtt/ml), à combien de gouttes par minute (gtt/min) ajusterez-vous le minisac ? 20

$$\frac{50\ ml}{45\ min} \times \frac{60\ gtt}{ml} = \frac{50 \times 15}{45} \qquad \frac{60\ ml}{45\ m} = \frac{x}{60}$$

L'ordonnance exprimée en dose de médicament par une unité de temps

Le médecin peut rédiger une ordonnance en milligrammes, en microgrammes ou en unités par minute ou par heure (mg/min, mg/h, mcg/min, mcg/h, unités/min, unités/h). Ces dosages sont habituellement présentés sous forme de tableaux préparés par le département de pharmacie (*voir un exemple au tableau 13.3*). On consulte ces tableaux en vue d'obtenir les débits de perfusion sans avoir à effectuer les calculs. Ainsi, l'infirmière peut savoir rapidement à quel débit elle doit ajuster les perfusions selon l'ordonnance médicale. Si ces tableaux ne sont pas disponibles, elle peut se renseigner auprès du pharmacien. Exceptionnellement, elle pourrait devoir faire ces calculs. Elle devra obligatoirement procéder à une double vérification indépendante de ses calculs.

Pour l'infirmière qui travaille dans des milieux spécialisés, il peut être indiqué de savoir effectuer les calculs afin de mieux comprendre et contrôler les doses de médicaments qu'elle administre. Ainsi, elle pourra faire les calculs de façon sécuritaire si ces tableaux ne sont pas disponibles.

Attention !

Les médicaments potentiellement dangereux font souvent partie des médicaments administrés dans les unités spécialisées. Une formation est souvent requise pour leur administration et leur surveillance.

EXEMPLE 13.4

Le cardiologue a prescrit : « Diltiazem (Cardizem) 125 mg dans 100 ml de dextrose 5 % à administrer à 10 mg/h. »

Pour administrer ce médicament, on doit utiliser une pompe volumétrique, il faut donc trouver à combien de millilitres par heure (débit horaire) équivalent 10 mg/h. On transformera alors le dosage horaire en débit horaire (ml/h). Pour y parvenir, il faut utiliser les rapports et les proportions.

> Ces calculs sont plus complexes. Il suffit de bien les analyser et vous serez capable de les effectuer. Faites-vous confiance !

Le diltiazem se présente dans une fiole de 125 mg/25 ml. On aura donc besoin de 25 ml de diltiazem à ajouter à 100 ml de dextrose 5 % pour un volume total de 125 ml.

Le calcul de débit se fait à l'aide des rapports et des proportions :

Produit des extrêmes et des moyens

extrêmes

$$125 \text{ mg} : 125 \text{ ml} = 10 \text{ mg} : x \text{ ml}$$

moyens

ou

$$\begin{array}{ll} 125 \text{ mg} & : \quad 125 \text{ ml} \\ 10 \text{ mg} & : \quad x \text{ ml} \end{array}$$

ou encore

Produits croisés

$$\frac{125 \text{ mg}}{125 \text{ ml}} = \frac{10 \text{ mg}}{x \text{ ml}}$$

$$125 \text{ mg} \times x \text{ mg} = 125 \text{ ml} \times 10 \text{ mg}$$

$$x \text{ ml} = \frac{125 \text{ ml} \times 10 \text{ mg}}{125 \text{ mg}}$$

$$x = 10 \text{ ml}$$

Réponse : Pour administrer 10 mg/h, il faut régler le débit du perfuseur à 10 ml/h, car 10 mg = 10 ml, ce qui veut dire que 10 mg/h = 10 ml/h.

Tableau 13.3 • Ajustement de la nitroglycérine selon l'ordonnance médicale exprimée en microgrammes par minute (mcg/min)

NITROGLYCÉRINE (Nitroject, Nitrostat, Tridil) PERFUSION Diluer 1 ampoule de 10 ml (50 mg) dans 500 ml de dextrose 5 % Concentration obtenue : 100 mcg/ml ou 0,1 mg/ml			
Posologie en microgrammes par minute (mcg/min)	Débit d'administration en millilitres par heure (ml/h)	Posologie en microgrammes par minute (mcg/min)	Débit d'administration en millilitres par heure (ml/h)
5 mcg/min	3 ml/h	90 mcg/min	54 ml/h
10 mcg/min	6 ml/h	100 mcg/min	60 ml/h
15 mcg/min	9 ml/h	120 mcg/min	72 ml/h
20 mcg/min	12 ml/h	140 mcg/min	84 ml/h
25 mcg/min	15 ml/h	160 mcg/min	96 ml/h
30 mcg/min	18 ml/h	180 mcg/min	108 ml/h
35 mcg/min	21 ml/h	200 mcg/min	120 ml/h
40 mcg/min	24 ml/h	220 mcg/min	132 ml/h
45 mcg/min	27 ml/h	240 mcg/min	144 ml/h
50 mcg/min	30 ml/h	260 mcg/min	156 ml/h
60 mcg/min	36 ml/h	280 mcg/min	168 ml/h
70 mcg/min	42 ml/h	300 mcg/min	180 ml/h
80 mcg/min	48 ml/h		

EXEMPLE 13.5

Le médecin a prescrit d'administrer une perfusion de nitroglycérine (Tridil) iv à un débit de **10 mcg/min**. On dispose de 500 ml de dextrose 5 % contenant 50 mg de Nitrostat. Le médicament sera administré à l'aide d'une pompe volumétrique. On doit calculer le débit horaire.

a) En premier, on calcule la **dose horaire** :

10 mcg/min × 60 min/h = 600 mcg/h

b) On **convertit ensuite les microgrammes en milligrammes** en déplaçant la virgule décimale de trois positions vers la gauche :

600 mcg = 0,6 mg

> Référez-vous au chapitre 5 pour réviser les conversions des microgrammes en milligrammes.

c) On doit donc savoir à combien de ml/h correspond 0,6 mg/h.

d) On calcule le **débit en millilitres par heure** :

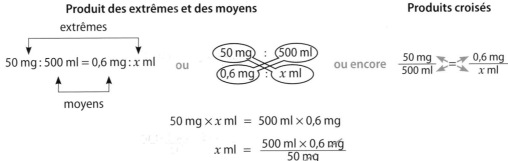

Produit des extrêmes et des moyens

extrêmes

50 mg : 500 ml = 0,6 mg : x ml

moyens

ou

(50 mg) : (500 ml)
(0,6 mg) : (x ml)

ou encore

$\dfrac{50\ mg}{500\ ml} = \dfrac{0,6\ mg}{x\ ml}$

Produits croisés

50 mg × x ml = 500 ml × 0,6 mg

x ml = $\dfrac{500\ ml × 0,6\ mg}{50\ mg}$

x = 6 ml

Réponse : Pour administrer 10 mcg/min, il faut donc régler le débit de la pompe volumétrique à 6 ml/h. Selon le tableau 13.3, l'infirmière peut trouver le débit sans effectuer le précédent calcul.

ACTIVITÉ 13.4

Calculez les débits suivants :

a) Pour régulariser et ralentir le rythme cardiaque de son client, le cardiologue a prescrit : « Diltiazem (Cardizem) 125 mg à diluer dans 100 ml de dextrose 5 % et à administrer à raison de 5 mg/h. » Le volume total sera de 125 ml. Le diltiazem se présente dans une fiole de 125 mg/25 ml.

À quel débit horaire faut-il régler la pompe volumétrique pour administrer ce dosage ? _____

b) Pour maintenir une meilleure irrigation cardiaque d'un client présentant une souffrance myocardique, le cardiologue a prescrit : « Administrer une perfusion de nitroglycérine à perfuser à 20 mcg/min. » On dispose de 500 ml de dextrose 5 % contenant 50 mg de Nitrostat.

À quel débit horaire faut-il régler la pompe volumétrique pour administrer ce dosage ? _____

c) Pour maintenir une meilleure irrigation cardiaque chez un client présentant une souffrance myocardique, le cardiologue a prescrit : « Administrer une perfusion de nitroglycérine à perfuser à 45 mcg/min. » On dispose de 250 ml de dextrose 5 % contenant 25 mg de Nitrostat.

À quel débit horaire faut-il régler la pompe volumétrique pour administrer ce dosage ? _____

d) Un client doit recevoir du Nitrostat par perfusion continue. Vous disposez de 50 mg dans 500 ml de dextrose 5 %. Le médicament doit être administré de manière à respecter une dose de 30 mcg/min.

À quel débit horaire faut-il régler la pompe volumétrique pour administrer ce dosage ? _____

e) L'oncologue a prescrit du sulfate de morphine 7 mg/h à un client en phase terminale. Vous disposez d'une solution ayant une concentration de 10 mg/ml. Calculez le débit afin d'installer cette médication avec une pompe volumétrique. Considérez que la pompe a une précision au dixième de millilitre. _____

L'ordonnance selon la masse corporelle

Certaines ordonnances sont rédigées en fonction de la masse corporelle du client. Il faudra alors administrer une concentration de médicament par kilogramme et par minute ou par heure (mg/kg/min, mg/kg/h, mcg/kg/min ou mcg/mg/h). Par exemple, on doit administrer 100 mg de nitroprusside (Nipride) dilués dans 250 ml de dextrose 5 % par voie intraveineuse, à raison de 2 mcg/kg/min. Il faut d'abord :

1. calculer le dosage requis selon la masse corporelle du client ;
2. déterminer cette dose en dosage par heure ;
3. puis, enfin, transformer à l'aide des rapports et des proportions le dosage horaire en débit horaire ou en débit minute.

Voici un exemple.

EXEMPLE 13.6

Un médecin prescrit : « Administrer une perfusion de nitroprusside (Nipride) à une concentration de 2 mcg/kg/min. »

Masse corporelle du client : 60 kg.

Solution disponible : 100 mg de nitroprusside (Nipride) dilués dans 250 ml de D5 %.

a) On veut calculer la dose requise selon la masse corporelle ; on connaît la masse corporelle du client, qui est de 60 kg. Ainsi, on pose :

60 kg × 2 mcg/kg/min = 120 mcg/min

b) Il faut administrer 120 g/min de solution de nitroprusside (Nipride) par perfusion.

Par la suite, pour administrer ce médicament au moyen d'une pompe volumétrique, on calcule la **dose horaire** que le client doit recevoir :

120 mcg/min × 60 min/h = 7 200 mcg/h

> On veut convertir le résultat dans une valeur plus importante ; le nombre sera donc moins grand.

c) On convertit les microgrammes en milligrammes en déplaçant la virgule décimale de trois positions vers la gauche : 7 200 mcg/h = 7,2 mg/h.

Puis, on convertit le dosage horaire en débit horaire et on procède au calcul à l'aide des rapports et des proportions :

Produit des extrêmes et des moyens   **Produits croisés**

   ou   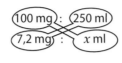   ou encore $\dfrac{100\ mg}{250\ ml} = \dfrac{7,2\ mg}{x\ ml}$

$$100\ mg \times x\ ml = 250\ ml \times 7,2\ mg$$

$$x\ ml = \dfrac{250\ ml \times 7,2\ mg}{100\ mg}$$

$$x = 18\ ml$$

Réponse : On ajuste donc la pompe volumétrique à 18 ml/h.

ACTIVITÉ 13.5

Calculez la dose de médicament des ordonnances suivantes :

a) Pour maintenir la pression chez votre client, qui pèse 60 kg, le médecin a prescrit : « Administrer du nitroprusside (Nipride) à une concentration de 5 mcg/kg/min. » Vous disposez d'un soluté ayant 100 mg de nitroprusside dans 250 ml de dextrose 5 %.

i) Calculez le nombre de microgrammes par minute et,

ii) par la suite, le nombre de millilitres par heure, car il faut utiliser une pompe volumétrique pour administrer ce médicament.

i) _____   ii) _____

b) Pour traiter un client cardiaque qui pèse 70 kg et qui présente de l'angine et des arythmies, le cardiologue a prescrit : « Administrer 60 mg de vérapamil (Isoptin) à diluer dans 250 ml de dextrose 5 %, à un débit de 2 mcg/kg/min. » i) Calculez le nombre de microgrammes par minute et ii) de millilitres par heure.

i) _____   ii) _____

c) Un client éprouvant un état de choc important et pesant 70 kg doit recevoir du nitroprusside (Nipride) à une concentration de 4 mcg/kg/min. Vous disposez de 200 mg de Nipride dilués dans 250 ml de dextrose 5 %. i) Calculez le nombre de microgrammes par minute et ii) de millilitres par heure.

i) _____   ii) _____

d) Afin de maintenir la pression artérielle chez sa cliente, le médecin a prescrit : « Administrer de la dopamine à une concentration de 10 mcg/kg/min. » Vous avez à votre disposition 200 mg de dopamine dans 250 ml de dextrose 5 %. On veut connaître le débit en millilitres par heure afin d'ajuster la pompe volumétrique. La masse corporelle de la cliente est de 65 kg.

_____

Notions essentielles à retenir ─────────────

- L'action des médicaments intraveineux est rapide, d'où l'importance de la **double vérification indépendante** dans les calculs.

- Les clients qui reçoivent des médicaments intraveineux doivent être étroitement surveillés. L'infirmière peut avoir à formuler un plan thérapeutique infirmier (PTI) si la condition d'un client requiert un suivi clinique particulier et si certains membres de l'équipe de soins peuvent contribuer à assurer la surveillance.

- Les pompes volumétriques et autres appareils électroniques sont les dispositifs les plus appropriés pour administrer avec précision les médicaments intraveineux.

- Dans certaines unités spécialisées, les dosages peuvent être prescrits en microgrammes par minute (mcg/min) ou par heure (mcg/h), en milligrammes par minute (mg/min) ou par heure (mg/h), en millilitres par minute (ml/min) ou par heure (ml/h) ou encore selon la masse corporelle. Ces équivalences sont présentées dans des tableaux provenant des départements de pharmacie. Si l'on doit procéder aux calculs, on calcule d'abord la dose horaire, on en vérifie la vraisemblance et l'on en fait la preuve, puis on calcule le débit. Il faut toujours procéder à la **double vérification indépendante**.

- Les méthodes de calcul des rapports et des proportions constituent le meilleur moyen d'effectuer ces calculs complexes.

Exercices de révision ─────────────

Lisez les situations suivantes et effectuez les calculs demandés.

Pour tous les calculs demandés, si l'on doit utiliser des perfuseurs, considérez que, dans chaque cas, le perfuseur microgouttes est calibré à 60 mcgtt/ml et que le perfuseur macrogouttes est calibré à 15 gtt/ml. On peut aussi vous demander d'administrer la médication à l'aide d'une pompe volumétrique. À ce moment, indiquez le débit à ajuster et arrondissez le débit à un nombre entier.

1. Le médecin a prescrit à M. Tremblay : « Dextrose 5 % 1 000 ml + 20 mEq de chlorure de potassium à administrer à 80 ml/h. »

   a) À quel débit ajusterez-vous la pompe volumétrique ? _____

   b) Si vous aviez seulement un perfuseur calibré en macrogouttes, à combien de gouttes par minute ajusteriez-vous le soluté ? _____

   c) M. Tremblay reçoit aussi de l'érythromycine 250 mg iv toutes les 6 h. Ce médicament est-il compatible avec le KCl ? Utiliserez-vous la même voie dérivée pour son administration ?

   _____

   _____

2. a) Vous devez administrer 50 ml d'un antibiotique en 45 minutes. À quel débit ajusterez-vous la pompe volumétrique ? _____

   b) Vous devez administrer 12 ml d'un médicament par voie intraveineuse en 20 minutes à l'aide d'une pompe volumétrique. À quel débit devrez-vous la programmer ? _____

c) Vous devez administrer 12 ml d'un médicament par voie intraveineuse en 20 minutes avec un microperfuseur de type Buretrol, sans pompe volumétrique. À quel débit devrez-vous calibrer le microperfuseur ? _____

d) Vous devez administrer une médication par minisac avec un perfuseur calibré en macrogouttes (15 gtt/ml). La quantité totale est de 40 ml et la perfusion doit durer 25 minutes. À combien de gouttes par minute ajusterez-vous la perfusion ? _____

Si vous pouviez l'administrer à l'aide d'une pompe volumétrique, à quel débit ajusteriez-vous la pompe ? _____

e) Vous devez administrer une médication par minisac. La quantité totale est de 25 ml et la perfusion doit durer 10 minutes. Vous avez une pompe volumétrique. À quel débit devez-vous la programmer ? _____

3. L'ordonnance médicale indique : « Administrer du furosemide (Lasix) 80 mg (présentation de 10 mg/ml) à diluer dans 20 ml de NaCl 0,9 % et à perfuser en 20 minutes par un perfuseur de type macrogouttes (15 gtt/ml). »

a) À combien de gouttes par minute ajusterez-vous cette perfusion ? _____

b) Si vous aviez une pompe volumétrique, à quel débit horaire (ml/h) ajusteriez-vous la pompe ?

_____

4. Vous devez administrer du métronidazole (Flagyl) 500 mg. L'étiquette du Flagyl indique une concentration de 500 mg/ml. Vous devez ajouter ce médicament dans un minisac de dextrose 5 % de 300 ml. Le client a un soluté primaire : mixte 0,45 % 1 000 ml + 20 mEq de KCl, qui perfuse à 60 ml/h.

a) Ces deux médicaments sont-ils compatibles entre eux ? _____

Si la réponse est non, que devez-vous faire ?

_____

_____

b) Il est indiqué d'administrer ce médicament à un débit de 5 ml/min. À quel débit ajusterez-vous la pompe volumétrique ?

_____

c) Si vous n'aviez pas de pompe volumétrique mais un perfuseur de type macrogouttes (15 gtt/ml), à combien de gouttes par minute ajusteriez-vous la médication ?

_____

5. a) L'oncologue a prescrit du sulfate de morphine à un client en phase terminale. Vous disposez d'une solution de 0,5 mg/ml. Le médicament doit être administré par voie intraveineuse à raison de 3 mg/h. Vous devez l'administrer au moyen d'une pompe volumétrique. À quel débit ajusterez-vous celle-ci ?

_____

b) L'oncologue a prescrit du sulfate de morphine à un client en phase terminale. Vous disposez d'une solution de 0,5 mg/ml. Le médicament doit être administré par voie intraveineuse à raison de 6 mg/h. Vous devez l'administrer au moyen d'une pompe volumétrique. À quel débit ajusterez-vous celle-ci ?

_____

6. Déterminez le volume de solution qu'il faut ajouter dans le Buretrol pour diluer les médicaments intraveineux suivants et calculez le débit en mcgtt/min et en ml/h.

a) L'ordonnance est d'administrer par perfusion en 40 minutes une dose de 750 mg/5 ml à diluer dans du dextrose 5 %. Le volume total de la solution doit être de 30 ml.

Volume de dilution : _____ mcgtt/min : _____ ml/h : _____

b) On doit administrer par perfusion en 25 minutes une dose de 30 mg/8 ml à diluer dans du dextrose 5 %. Le volume total de la solution doit être de 30 ml.

Volume de dilution : _____ mcgtt/min : _____ ml/h : _____

c) L'ordonnance est d'administrer par perfusion en 20 minutes un médicament dosé à 100 mg/10 ml. Le fabricant recommande de le diluer dans du dextrose 5 %. Le volume total de la solution doit être de 15 ml.

Volume de dilution : _____ mcgtt/min : _____ ml/h : _____

d) On doit administrer par perfusion pendant 45 minutes une dose de 300 mg/2 ml à diluer dans du NaCl 0,9 %. Le volume total de la solution doit être de 30 ml.

Volume de dilution : _____ mcgtt/min : _____ ml/h : _____

Chapitre **14**

L'insulinothérapie et l'héparinothérapie

À la fin de ce chapitre, vous serez en mesure, pour l'insulinothérapie :

- de déterminer l'origine de l'insuline et de différencier les types d'insuline en considérant le début de leur action, leur pic et la durée de leur action ;
- de lire la graduation sur les seringues à insuline ;
- de mesurer des doses d'insuline selon l'ordonnance ;
- d'interpréter une ordonnance d'administration d'insuline par voie intraveineuse et d'en effectuer la surveillance ;

et, pour l'héparinothérapie :

- de reconnaître l'utilisation des anticoagulants dans la prévention et le traitement d'affections thromboemboliques ;
- de calculer différents dosages d'héparine à administrer par voie sous-cutanée ou intraveineuse ;
- d'interpréter une ordonnance d'ajustement de perfusion d'héparine selon les résultats d'examens de laboratoire et d'en effectuer la surveillance.

Introduction

Dans ce chapitre, nous abordons deux classes de médicaments très souvent utilisés dans presque tous les milieux cliniques. Nous présentons l'information en lien avec l'insuline et l'héparine à partir de la lecture de l'ordonnance médicale jusqu'à son administration. Nous nous attardons à la compréhension des différentes façons dont les médecins peuvent rédiger leurs ordonnances, aux présentations de ces médicaments, à leur dosage et au calcul de dose lorsque cela est nécessaire, à leurs effets attendus, à leurs risques potentiels ainsi qu'à la surveillance clinique à effectuer à la suite de leur administration.

La première partie du chapitre traite de l'insulinothérapie, tandis que la seconde partie examine l'héparinothérapie.

14.1 L'insulinothérapie

Le **diabète** est une pathologie en croissance dans la population québécoise. La présente section explique sommairement ce qu'est le diabète et examine les traitements du diabète de type 1, donc de la thérapie par insuline nommée «insulinothérapie».

Le diabète : présentation sommaire

Le diabète est une pathologie qui est caractérisée par l'augmentation du taux de glucose dans le sang (**hyperglycémie**). L'**insuline**, qui est une hormone produite par le pancréas, régularise le taux de sucre en circulation. Elle permet donc au glucose de pénétrer dans les cellules et d'être utilisé pour produire de l'énergie. La cause du diabète peut être de deux ordres. Dans le premier cas, le pancréas ne produit pas d'insuline ; on appelle ce type de diabète le **diabète de type 1**. Dans le deuxième cas, les cellules de l'organisme, chez certaines personnes, ne réagissent plus à l'insuline et ne permettent plus au glucose d'y entrer. Chez d'autres, la production d'insuline est insuffisante. On appelle ce diabète le **diabète de type 2**.

Les clients présentant un diabète de type 1 sont aussi appelés diabétiques **insulinodépendants**. Ces personnes doivent s'administrer de l'insuline, puisque le pancréas ne peut produire cette hormone. L'insuline ne peut être administrée par voie orale, car elle serait détruite dans l'estomac et ne serait donc pas absorbée par l'organisme. Par conséquent, elle s'administre par voie sous-cutanée ou intraveineuse.

Les clients présentant un diabète de type 2 sont souvent des personnes âgées de plus de 30 ans présentant un surplus de poids. De plus en plus, à cause des mauvaises habitudes alimentaires, ce groupe inclut également des enfants. Ce type de diabète est le plus fréquent et se traite, dans ses débuts, principalement par la diète et l'activité physique. Cependant, la diète étant souvent insuffisante, on traite alors le diabétique de type 2 par des hypoglycémiants oraux (HGO) qui sont administrés par voie orale. On peut dire sommairement que ces médicaments aident à améliorer l'action de l'insuline dans l'organisme et ainsi à utiliser plus efficacement le glucose. On trouve toute l'information concernant cette maladie dans des volumes de médecine et de chirurgie auxquels vous pouvez vous référer pour compléter vos connaissances.

> L'effet hyperglycémiant s'explique ici par la sécrétion d'hormones telles que l'adrénaline, qui augmente alors la production de glucose dans l'organisme.

Le médecin prescrit de l'insuline pour traiter le diabète de type 1. Les personnes insulinodépendantes doivent s'injecter de l'insuline par voie sous-cutanée à différents moments de la journée. Le nombre d'injections quotidiennes peut varier de deux à quatre. Parfois, le médecin prescrira temporairement de l'insuline par voie sous-cutanée, au cours de l'hospitalisation des clients atteints du diabète de type 2 présentant des problèmes de santé aigus, et ce, dans le but de mieux contrôler la glycémie. Le stress associé à une maladie en phase aiguë cause souvent un déséquilibre important de la glycémie chez les diabétiques de type 2.

Le médecin prescrira aussi de l'insuline pour des clientèles particulières, par exemple pour les clients devant recevoir un traitement de corticothérapie à forte dose ou pour une longue durée (par exemple, les clients souffrant de problèmes respiratoires chroniques). La cortisone a comme effet secondaire d'élever la glycémie. C'est pourquoi le médecin traitant doit souvent prescrire de l'insuline pour maintenir la glycémie à un niveau acceptable. Lorsque le traitement à la cortisone est terminé, la glycémie des clients redevient normale, et l'on cesse donner de l'insuline. Le client reprend alors ses hypoglycémiants oraux (HGO), s'il y a lieu.

Les types d'insuline

L'insuline peut être classée selon son origine biosynthétique ou son origine animale. L'insuline biosynthétique est aussi appelée «insuline humaine» ; elle est identique à l'insuline fabriquée naturellement par le corps humain. Récemment, les chercheurs ont réussi à changer légèrement la structure de l'insuline pour obtenir une insuline modifiée qui agit plus vite, plus fort et moins longtemps : ce sont les «analogues de l'insuline rapide» appelés «insulines analogues[1]». Les chercheurs ont aussi inventé des analogues de l'insuline prolongée. Ces produits agissent de façon beaucoup plus constante dans les 12 heures qui suivent leur injection que les insulines humaines.

> Dans les milieux cliniques, on fait souvent référence à l'insuline à action rapide comme à l'«insuline régulière». Ainsi, on la distingue de l'insuline à action très rapide.

Quant à l'insuline animale, elle est extraite du pancréas de porc et de bœuf. Elle n'est plus employée, sauf pour les personnes plus âgées qui utilisent depuis longtemps ce type d'insuline.

Le tableau 14.1 présente quelques types d'insuline utilisés couramment et fournit des renseignements essentiels au sujet de l'administration et des différents temps d'action de l'insuline.

> Dans les unités de soins, avant d'injecter l'insuline à action très rapide, il faut attendre que le repas soit servi.

Tableau 14.1 • Les quatre grands types d'insuline

Types d'insuline	Début d'action	Pic d'action	Durée d'action	Moment d'injection
Action très rapide*				
Apidra^MD (glulisine)	10 à 15 minutes	1 à 1,5 heure	3 à 5 heures	Avant les repas : 0 à 15 minutes
Humalog^MD (lispro)	0 à 15 minutes	1 à 2 heures	3 à 4 heures	0 à 15 minutes
NovoRapid^MD (asparte)	10 à 20 minutes	1 à 3 heures	3 à 5 heures	0 à 10 minutes
Action rapide				
Humulin^MD R	30 minutes	2 à 4 heures	6 à 8 heures	Environ 30 minutes
Novolin^MD ge Toronto	30 minutes	2 à 4 heures	6 à 8 heures	avant les repas
Action intermédiaire				
Humulin^MD N	1 à 2 heures	6 à 12 heures	18 à 24 heures	Le matin et/ou le soir,
Novolin^MD ge NPH	1 à 2 heures	6 à 12 heures	18 à 24 heures	selon l'avis du médecin
Action prolongée				
Lantus^MD (glargine)	1 à 1,5 heure	—	24 heures	Le matin et/ou le soir,
Levemir^MD (détémir)	1 à 2 heures	—	24 heures ou moins	selon l'avis du médecin

* Les insulines à action très rapide sont parfois injectées après les repas (< 15 minutes).

Source : DIABÈTE QUÉBEC, *L'insuline* [En ligne], http://www.diabete.qc.ca/html/vivre_avec_diabete/insuline.html (Page consultée le 6 février 2010)

Dans le tableau 14.1, on trouve des insulines à action très rapide, rapide (ou régulière), intermédiaire et lente (ou prolongée). Prenons, par exemple, les insulines Humalog et NovoRapid. Le **début de leur action** est très rapide ; il a lieu dans les 15 minutes suivant l'injection. L'effet maximal, ou **pic de l'action**, se produit une heure après l'injection et son effet dure environ de trois à cinq heures. Ce tableau démontre que certaines insulines agissent très rapidement et d'autres, plus lentement. Au moment de la préparation, il est important d'utiliser l'insuline prescrite, car ce médicament peut être très dangereux si l'ordonnance n'est pas bien respectée. L'ordonnance doit préciser le type d'insuline, la dose (nombre d'unités), la voie d'administration et le moment de l'administration. De plus, on ne peut mélanger les insulines de fabricants différents. Nous reviendrons sur ce point un peu plus loin dans ce chapitre.

> Il faut porter une attention particulière au type d'insuline indiqué sur la fiole afin de s'assurer qu'il correspond à l'ordonnance médicale.

On trouve également sur le marché des insulines à action rapide et intermédiaire prémélangées (*voir le tableau 14.2 à la page suivante*). Ces présentations sont utilisées principalement par les clients à domicile.

---

1. Ce terme regroupe les insulines lispro, aspart, glulisine, glargine et detemir. Le médecin rédige l'ordonnance de ces insulines mélangées en fonction du mode de vie, du régime alimentaire et du niveau d'activité physique de la personne diabétique.

Tableau 14.2 • Les insulines prémélangées

Types d'insuline prémélangée	Début d'action	Pic(s) d'action	Durée d'action	Moment d'injection
Action très rapide et action intermédiaire*				
				Avant les repas :
Humalog^{MD} Mix 25	0 à 15 minutes	1 à 2 heures et	18 à 24 heures	0 à 15 minutes
Humalog^{MD} Mix 50	0 à 15 minutes	6 à 12 heures	18 à 24 heures	0 à 15 minutes
NovoMix^{MD} 30	0 à 15 minutes	1 à 4 heures	24 heures ou moins	0 à 10 minutes
Action rapide et action intermédiaire**				
Novolin^{MD} ge 30/70				
Novolin^{MD} ge 40/60	30 minutes	2 à 4 heures et	18 à 24 heures	Environ 30 minutes
Novolin^{MD} ge 50/50		6 à 12 heures		avant les repas
Humulin^{MD} 30/70				

*   Les insulines prémélangées à action très rapide et intermédiaire sont parfois injectées après les repas (< 15 minutes). Le chiffre correspond au pourcentage d'insuline à action très rapide.

** Le premier chiffre correspond au pourcentage d'insuline à action rapide et le deuxième, au pourcentage d'insuline à action intermédiaire.

Source : DIABÈTE QUÉBEC, *L'insuline* [En ligne], http://www.diabete.qc.ca/html/vivre_avec_diabete/insuline.html (Page consultée le 6 février 2010)

L'administration sous-cutanée de l'insuline

L'infirmière doit décider des sites d'injection pour l'administration sous-cutanée de l'insuline. L'encadré suivant vous aidera à choisir les sites les plus appropriés en fonction de l'absorption, des moments d'administration et d'autres considérations.

Les régions d'injection

Les principales régions d'injection sont (*voir l'illustration ci-dessous*) :

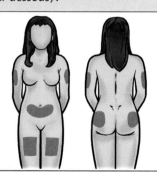

- la partie externe des bras ;

- l'abdomen, sauf une zone de 2,5 cm autour du nombril ;

- la partie antérieure des cuisses ;

- la partie supérieure externe des fesses.

L'absorption de l'insuline peut varier d'une région à l'autre. Elle est généralement plus rapide dans l'abdomen, suivie des bras, des cuisses et, finalement, des fesses. Le choix des régions dépend de plusieurs facteurs : le type d'insuline, l'activité physique, l'épaisseur du tissu graisseux sous-cutané, la chaleur, le moment de l'injection, etc.

L'approche souvent préconisée consiste à donner l'insuline de la même heure dans la même région afin de diminuer les variations de la glycémie pouvant survenir pendant la journée. Par exemple, l'insuline du matin est injectée dans les bras alors que celle du soir est injectée dans les cuisses. On peut toutefois varier le point d'injection de quelques millimètres dans un même site pour éviter d'injecter toujours précisément au même endroit.

Il faut éviter d'injecter l'insuline dans une région sollicitée par l'activité physique. Si une longue marche est prévue, il est préférable de ne pas injecter l'insuline dans les cuisses.

Source : DIABÈTE QUÉBEC, *L'insuline,* [En ligne], http://www.diabete.qc.ca/html/vivre_avec_diabete/insuline.html (Page consultée le 6 février 2010)

La lecture des étiquettes

On mesure les doses d'insuline en unités. La concentration d'insuline est dosée à 100 unités par millilitre, comme on peut le voir sur les étiquettes des insulines dans le tableau 14.3.

L'étiquette indique aussi l'origine ou la source de l'insuline. Reportons-nous aux étiquettes du tableau 14.3. Ce sont des insulines « humaines » ou « analogues ». Chaque compagnie pharmaceutique fournit des insulines qui ont des actions différentes, et vous pourrez constater qu'elles sont souvent équivalentes d'une compagnie à l'autre. Il est important que vous puissiez reconnaître et différencier ces différents types d'insuline, car elles sont couramment utilisées en milieu clinique.

Tableau 14.3 • Des étiquettes d'insulines commercialisées sous différents noms et souvent utilisées au Québec

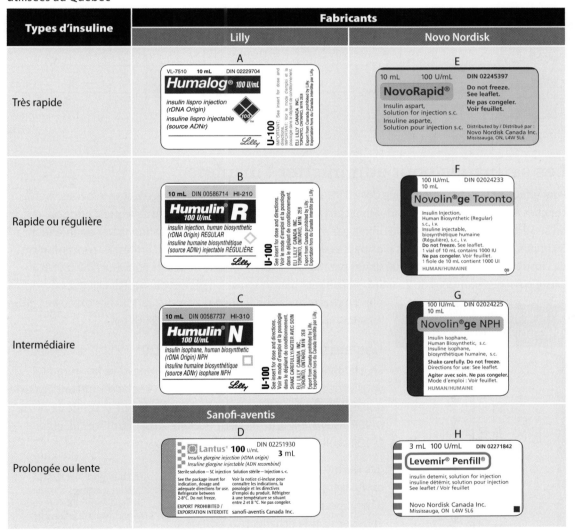

ACTIVITÉ 14.1

Complétez le tableau suivant à l'aide du tableau 14.1 de la page 231 et des étiquettes d'insulines du tableau 14.3 de la page précédente. Pour chacune de ces étiquettes, spécifiez son type d'action, le nom de la compagnie pharmaceutique, le début de l'action, le pic de l'action et la durée de l'action.

Étiquette	Type d'action	Compagnie	Début de l'action	Pic de l'action	Durée de l'action
A					
B					
C					
D					
E					
F					
G					
H					

Les seringues pour administrer l'insuline

Pour effectuer la préparation d'une dose d'insuline à administrer, on utilise des seringues spécialement conçues à cet effet et dont la graduation correspond à la concentration de l'insuline prescrite. Souvent, on se sert d'une seringue de 100 unités par millilitre. Par contre, si la dose à administrer est inférieure à 50 unités, il existe des seringues plus petites dont la dose maximale est de 50 unités. La concentration de l'insuline étant toujours de 100 unités par millilitre, la seringue de 50 unités équivaut à 50 unités. Il existe aussi des seringues de 25 unités qui ne sont pas présentées dans ce volume. Par ailleurs, on a de plus en plus recours aux seringues avec des cartouches d'insuline, qu'on appelle « stylos à insuline », qui sont faciles à utiliser.

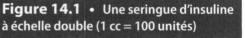

Figure 14.1 • Une seringue d'insuline à échelle double (1 cc = 100 unités)

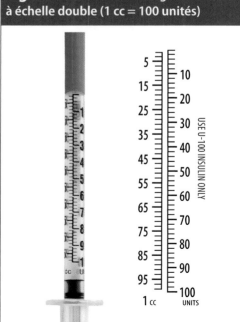

Les seringues à insuline U-100

En examinant la seringue à insuline présentée dans la figure 14.1, vous verrez qu'elle est graduée selon une échelle de 100 unités par millilitre. Lisez aussi l'avertissement sur le côté de la seringue : « *Use U-100 insulin only* », qu'on peut traduire ainsi : « Utiliser l'insuline U-100 seulement ».

Ces seringues doivent être utilisées exclusivement pour les préparations d'insuline. En examinant la seringue, vous verrez une échelle de graduation double, c'est-à-dire que, de chaque côté de la graduation de la seringue, on trouve des chiffres pairs et impairs. Chaque groupe de cinq unités est numéroté en alternance de part et d'autre de l'échelle et, lorsqu'on regarde des deux côtés des unités (pair et impair), on constate que chacun des degrés de chaque côté de la graduation correspond à deux unités.

En vous reportant aux étiquettes des fioles d'insuline de la page précédente, vous remarquerez que la concentration de l'insuline correspond à la graduation des seringues, soit 100 unités.

Attention!

La façon la plus sécuritaire d'utiliser cette seringue consiste à préparer les doses impaires en regardant du côté impair de la seringue (côté gauche) et à préparer les doses paires en regardant du côté pair (côté droit). Chaque degré d'un même côté de l'échelle correspond à deux unités. Ce type de seringue donne avec précision les quantités d'insuline à préparer, que la dose soit un nombre pair ou impair.

EXEMPLE 14.1

Pour préparer une dose de 29 unités, on repère 25 du côté gauche de l'échelle ; le degré suivant correspond à 27 unités et le suivant, à 29 unités (chaque degré d'un même côté de l'échelle vaut deux unités).

Pour préparer une dose de 44 unités, on repère 40 du côté droit de l'échelle ; le degré suivant correspond à 42 unités et le suivant, à 44 unités (chaque degré d'un même côté de l'échelle vaut deux unités).

Les seringues Lo-Dose

Les seringues Lo-Dose sont offertes en différents formats (capacités). La seringue Lo-Dose dotée de 50 unités est la plus facile à lire, et elle est aussi facile à utiliser pour les clients qui doivent s'administrer de l'insuline à domicile. Examinez la graduation de la seringue Lo-Dose de 50 unités (*voir la figure 14.2*). Cette échelle de graduation détaillée simplifie la préparation des doses de 50 unités et moins. De plus, les personnes diabétiques, qui souffrent parfois de troubles visuels (rétinopathie diabétique), peuvent la lire plus facilement.

Figure 14.2 • La seringue à insuline Lo-Dose (50 unités)

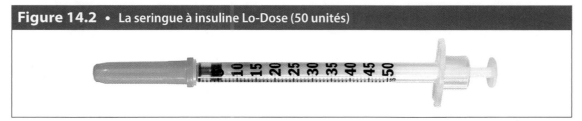

Examinez encore la graduation de la seringue de 50 unités. Vous remarquerez que chaque degré correspond à une unité et que chaque groupe de cinq unités est numéroté.

Le stylo à insuline et les cartouches

De nos jours, les clients diabétiques utilisent souvent des stylos à insuline (*voir la figure 14.3*). Ils préfèrent aussi faire usage de ces stylos durant leur hospitalisation. D'ailleurs, plusieurs centres hospitaliers les recommandent durant l'hospitalisation des clients, car ils leur permettent de se familiariser avec leur utilisation et d'accepter plus facilement le fait que l'insuline fait partie de leur nouvelle façon de vivre. De plus, lorsque le client poursuit son insulinothérapie à la suite de son hospitalisation, il est plus facile pour lui d'utiliser le dispositif d'injection avec lequel il s'est habitué dans le centre hospitalier. Il est important pour l'infirmière de bien comprendre l'utilisation de ces stylos et d'apprendre à les manipuler avant de s'en servir.

> Rappelez-vous toutefois que l'infirmière demeure responsable de la dose que le client hospitalisé s'administre. Elle doit donc vérifier la précision des doses avant chaque injection quel que soit le matériel utilisé.

Figure 14.3 • Un stylo à insuline et une cartouche

Unités à préparer

Cartouche

Stylo à insuline

Aiguilles

Attention !

L'infirmière clinicienne du centre hospitalier a la responsabilité d'enseigner aux clients diabétiques comment procéder à leur traitement. Le client peut ensuite s'administrer lui-même l'insuline sous la supervision de son infirmière responsable. C'est pourquoi celle-ci doit être capable de mesurer les doses d'insuline à administrer et de vérifier l'autonomie des clients lorsqu'il s'agit de doser les unités d'insuline à administrer et de procéder à leur injection.

La mesure de doses d'insuline

Dans les centres hospitaliers, il arrive que l'ordonnance d'insuline ne soit pas du même type ou de la même dose que celle que le client s'administre habituellement. Le médecin peut en effet prescrire l'insuline en fonction d'un protocole qui variera selon les résultats de la glycémie. L'infirmière est donc souvent appelée à préparer l'insuline en seringues pour ces clients hospitalisés qui utilisent habituellement le stylo à insuline.

ACTIVITÉ 14.2

1. Relevez la dose indiquée sur chacune des seringues suivantes[2] :

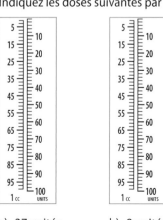
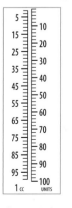
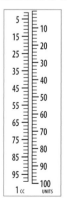
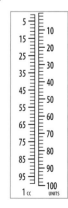

a) _____ b) _____ c) _____ d) _____ e) _____ f) _____

2. Indiquez les doses suivantes par une flèche sur les seringues représentées ci-dessous :

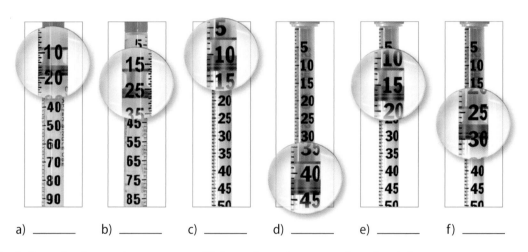

a) 37 unités   b) 9 unités   c) 3 unités   d) 53 unités   e) 62 unités

2. Le contenu des seringues est teinté afin d'en faciliter la lecture.

3. Indiquez les doses suivantes par une flèche sur les seringues représentées ci-dessous :

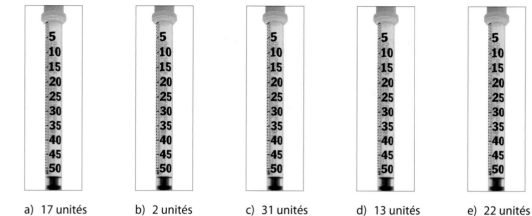

a) 17 unités   b) 2 unités   c) 31 unités   d) 13 unités   e) 22 unités

Les mélanges d'insulines

Dans plusieurs cas, les clients doivent s'injecter deux sortes d'insuline en fonction du début de l'action, du pic et de la durée de l'action respective des insulines. Ceci permet de maintenir la glycémie dans les valeurs normales tout au long de la journée. Ainsi, l'insuline régulière commencera son action plus rapidement et sa durée sera moins longue. Quant à l'insuline intermédiaire, qui commence son action plus tard et dont la durée est plus longue, elle contribue à maintenir la glycémie lorsque le pic d'action ou la durée de l'action de l'insuline régulière est terminé. Lorsque les clients doivent procéder à l'injection de deux sortes d'insuline au même moment, ils peuvent mélanger deux insulines dans la même seringue afin d'éviter de devoir procéder à deux injections, comme une insuline régulière (Novolin ge Toronto) et une insuline intermédiaire (Novolin ge NPH), ou encore une insuline Humulin R et une insuline Humulin N.

Le mélange d'insulines

Lorsqu'on mélange deux préparations, on prélève d'abord l'insuline régulière qui est claire et, par la suite, l'insuline intermédiaire dont l'aspect est laiteux. On injecte donc de l'air en premier dans l'insuline intermédiaire, puis on injecte de l'air et l'on aspire le liquide dans l'insuline régulière. Enfin, on prélève l'insuline intermédiaire.

- On peut se souvenir de l'acronyme suivant : BCCB

  B : blanche (injecter de l'air en premier dans l'insuline laiteuse) ;

  C : claire (injecter de l'air dans la fiole d'insuline claire) ;

  C : claire (aspirer en premier l'insuline claire, dont l'action est rapide) ;

  B : blanche (aspirer en dernier l'insuline blanche, dont l'action est intermédiaire).

- On ne mélange pas deux insulines ayant les mêmes caractéristiques (début de l'action, pic et durée de l'action).

- On ne doit pas mélanger des insulines de fabricants différents.

- On utilise la seringue d'insuline dans les minutes qui suivent sa préparation afin de s'assurer qu'elle garde son efficacité.

L'insuline régulière (ou rapide) est limpide et demeure toujours homogène. Par contre, l'insuline intermédiaire est laiteuse et forme un dépôt au fond de la fiole. Il faut alors rouler la fiole doucement entre ses mains pour permettre à toutes les molécules d'être en suspension avant d'effectuer le prélèvement de la dose dans une seringue. Cette façon de faire assure une distribution uniforme de l'insuline dans la fiole. Elle permet par le fait même de prélever la bonne dose. Il ne faut pas agiter trop vigoureusement la fiole, car cela risquerait de briser les molécules du produit.

ACTIVITÉ 14.3

En vous référant au tableau 14.1 de la page 231 ou au tableau 14.3 de la page 233, dites si l'on peut mélanger dans la même seringue les préparations suivantes et justifiez votre réponse.

a) Humalog et Novo Rapid. _____

b) Humulin R et Humulin N. _____

c) Novoling ge Toronto et Humulin N. _____

d) Novolin ge Toronto et Novolin NPH. _____

EXEMPLE 14.2

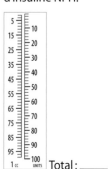

24 unités   12 unités   Total : 36 unités
d'intermédiaire   de rapide

Selon l'ordonnance, il faut administrer 12 unités d'insuline Humulin R et 24 unités d'insuline Humulin N.

Donc, il faut d'abord prélever 12 unités d'insuline Humulin R.

Ensuite, il faut ajouter 24 unités d'insuline Humulin N, pour atteindre 36 unités.

> Notez qu'il faut procéder à une double vérification indépendante à chacune des étapes de la préparation, c'est-à-dire après le calcul, après avoir prélevé la première insuline, puis enfin pour vérifier la dose totale.

ACTIVITÉ 14.4

Déterminez la quantité totale d'insuline de chacun des mélanges suivants. Colorez en rouge la quantité d'insuline Humulin R ou insuline Toronto que vous prélèverez et en bleu la quantité d'insuline Humulin N ou NPH que vous aurez à prélever par la suite, et qui sera par le fait même représentée au début de la seringue.

a) 14 unités d'insuline Toronto et 63 unités d'insuline NPH.

b) 9 unités d'insuline Humulin R et 65 unités d'Humulin N.

c) 4 unités d'Humulin R et 36 unités d'Humulin N.

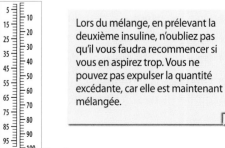

> Lors du mélange, en prélevant la deuxième insuline, n'oubliez pas qu'il vous faudra recommencer si vous en aspirez trop. Vous ne pouvez pas expulser la quantité excédante, car elle est maintenant mélangée.

Total : _____   Total : _____   Total : _____

Le dosage selon la glycémie capillaire

Lorsque l'état de santé du client est plus instable et que sa glycémie fluctue, l'insuline est prescrite en fonction du résultat de sa glycémie capillaire, exécutée environ quatre fois par jour, soit avant les repas (ac) et au coucher (hs). Cette ordonnance médicale individuelle est souvent appelée « **protocole d'ajustement d'insuline** », et il est essentiel que l'infirmière sache l'interpréter afin d'ajuster les doses d'insuline selon l'ordonnance.

Il est essentiel de bien lire les ordonnances, car une erreur de lecture peut vite se produire, risquant de causer une hypoglycémie importante chez un client. La **double vérification indépendante** est obligatoire.

> Comme l'Institut pour l'utilisation sécuritaire des médicaments (ISMP) recommande de ne plus utiliser les abréviations ac et hs, on les verra de moins en moins dans les ordonnances. Il vous est conseillé de ne pas les utiliser.

EXEMPLE 14.3

En regardant l'ordonnance individuelle ci-dessous (appelée aussi « protocole d'ajustement d'insuline en fonction des glycémies »), on peut lire l'information suivante :

Date	Heure	Médicaments : teneur, posologie, voie d'administration, durée
2010-12-22	16 : 15	Annuler les hypoglycémiants oraux.
		Administrer Humulin N 34 unités sc avant déjeuner et Humulin N 48 unités sc
		au souper et suivre le protocole d'ajustement suivant à commencer dès maintenant :
		+ ajout d'Humulin R sc selon le résultat de la glycémie capillaire, ac
		1/2 dose hs :
		Glycémie < 8 = 0 unité
		Glycémie entre 8,1 et 12 = 2 unités
		Glycémie entre 12,1 et 16 = 4 unités
		Glycémie entre 16,1 et 20 = 6 unités
		Glycémie > 20 = aviser le médecin
		Jean Malo md. # 149567

> Il arrive que le médecin ne spécifie pas les unités de mesure sur l'ordonnance. Rappelez-vous que les valeurs en glycémie sont évidemment des millimoles par litre (mmol/L).

Ainsi, selon les glycémies capillaires, nous aurons à administrer de l'insuline. Donc :

1. Si, à 07 : 30, la glycémie est de 6,5 mmol/L, on doit administrer avant le déjeuner Humulin N 34 unités sc et l'on n'administrera pas d'insuline Humulin R car la glycémie est inférieure à 8 mmol/L.

2. Si, à 11 : 15, la glycémie est de 20,8 mmol/L, en regardant le protocole, on doit aviser le médecin.

3. Si, à 17 : 00, la glycémie est de 18,7 mmol/L, on voit sur l'ordonnance qu'il faut administrer de l'insuline Humulin N 48 unités et préparer de l' insuline Humulin R 6 unités sc. On peut mélanger les deux dans la même seringue en s'assurant de prélever en premier l'insuline régulière.

4. Si, à 21 : 00, le résultat de glycémie est de 14,7 mmol/L, il faut préparer ½ dose de l'insuline qu'on devrait normalement préparer. Il faudra préparer l'insuline Humulin R 2 unités pour administrer par voie sc.

Parfois, ces ordonnances sont préimprimées, ce qui équivaut à une ordonnance individuelle. Il faut cependant s'assurer que cette ordonnance est au nom du client, qu'y apparaissent son numéro de chambre et de lit, la date, l'heure ainsi que la signature du médecin après son évaluation du client.

Attention!

Lorsque la glycémie présente un écart par rapport à la normale (valeur de référence : 3,9 à 6,6 mmol/L), l'infirmière doit évaluer les signes et symptômes (aussi appelés «manifestations cliniques») d'hypoglycémie ou d'hyperglycémie et les noter au dossier.

Si le client présente de l'hypoglycémie, il faut s'assurer de suivre les modalités de correction de l'hypoglycémie recommandées.

L'activité suivante vous initiera à la lecture de protocoles d'ajustement de l'insuline en fonction des glycémies.

ACTIVITÉ 14.5

1. Déterminez la dose exacte d'Humalog qu'il faut administrer dans les situations suivantes. Voici l'ordonnance du médecin :

> Humalog selon le résultat de la glycémie capillaire, à 7 : 00, 12 : 00 et 17 : 00 et 1/2 dose au coucher vers 21 : 00.
>
> Glycémie ≤ 8 mmol/L = 0 unité
> Glycémie entre 8,1 et 10 mmol/L = 2 unités sc
> Glycémie entre 10,1 et 12 mmol/L = 4 unités sc
> Glycémie entre 12,1 et 14 mmol/L = 6 unités sc
> Glycémie entre 14,1 et 16 mmol/L = 8 unités sc
> Glycémie entre 16,1 et 18 mmol/L = 10 unités sc
> Glycémie > 18 mmol/L = 12 unités sc et aviser le médecin traitant

	Situation	Humalog
a)	08 : 00 : glycémie de 7,5 mmol/L	_____
b)	12 : 00 : glycémie de 21,3 mmol/L	_____
c)	17 : 00 : glycémie de 18,7 mmol/L	_____
d)	21 : 00 : glycémie de 14,7 mmol/L	_____

2. Déterminez la dose exacte de chaque type d'insuline qu'il faut administrer dans les situations suivantes. Voici l'ordonnance du médecin :

> À 08 : 00 : Humulin N 15 unités
> et à 17 : 00 : + Humulin N 23 unités
>
> + ajout d'Humulin R selon le résultat de la glycémie capillaire, avant les repas et 1/2 dose au coucher vers 21 : 00.
>
> Glycémie < 8 mmol/L = 0 unité
> Glycémie entre 8,1 et 12 = 2 unités
> Glycémie entre 12,1 et 16 = 4 unités
> Glycémie entre 16,1 et 20 = 6 unités
> Glycémie > 20 = aviser le médecin

	Situation	Humulin R	Humulin N
a)	08 : 00 : glycémie de 3,3 mmol/L	_____	_____
b)	12 : 00 : glycémie de 8,2 mmol/L	_____	_____

c) 17 : 00 : glycémie de 8,7 mmol/L _____   _____

d) 21 : 00 : glycémie de 14,7 mmol/L _____   _____

3. Déterminez la dose exacte de chaque type d'insuline qu'il faut administrer dans les situations suivantes. Voici l'ordonnance du médecin :

> À 08 : 00 : Humulin R 8 unités + Humulin N 17 unités
> et à 17 : 00 : Humulin R 12 unités + Humulin N 28 unités
> et ajout d'Humulin R selon le résultat de la glycémie
> capillaire, ac hs
>
> Glycémie < 8 = 0 unité
> Glycémie entre 8,1 et 12 = 2 unités
> Glycémie entre 12,1 et 16 = 4 unités
> Glycémie entre 16,1 et 20 = 6 unités
> Glycémie > 20 = aviser le médecin

Notez que les abréviations ac et hs sont utilisées ici, car vous devez tout de même les reconnaître.

Situation	Humulin R	Humulin N
a) 08 : 00 : glycémie de 11,5 mmol/L	_____	_____
b) 12 : 00 : glycémie de 15,2 mmol/L	_____	_____
c) 17 : 00 : glycémie de 16,7 mmol/L	_____	_____
d) 21 : 00 : glycémie de 14,7 mmol/L	_____	_____

4. Indiquez les résultats de la question précédente par des flèches sur les seringues ci-dessous. Utilisez une flèche bleue pour Humulin N et une flèche rouge pour Humulin R.

L'administration d'insuline intraveineuse

De plus en plus, dans les milieux cliniques, les médecins prescrivent de l'insuline par voie intraveineuse aux clients diabétiques, qu'ils soient insulinodépendants ou non. L'insuline intraveineuse est prescrite lorsque la personne diabétique présente d'autres problèmes de santé, par exemple lorsque son état de santé est instable, qu'elle est en attente d'une chirurgie ou qu'elle a une restriction NPO. L'insuline est alors administrée en perfusion continue selon une ordonnance médicale qu'on appelle aussi « protocole d'insuline intraveineux » ou « monogramme d'ajustement »(voir la figure 14.4 à la page suivante).

L'abréviation NPO signifie *nil per os*, c'est-à-dire que la personne ne peut ni boire ni manger.

Figure 14.4 • Le protocole d'insuline du Centre hospitalier universitaire de Québec (CHUQ)

CHUQ
CENTRE HOSPITALIER
UNIVERSITAIRE DE QUÉBEC

Pharmacie
CHUL ☐
HDQ ☐
HSFA ☐

DT228

DURÉE DE VALIDITÉ DES ORDONNANCES PHARMACEUTIQUES

Les ordonnances sont valides pour la durée du séjour du patient (max=1 an) sauf dans les cas suivants:

Classe de médicaments: antibiotiques per os ou I.V. : 7 jours
Nature de l'ordonnance : ordonnance verbale ou téléphonique : 48 heures

Changement implicite de la condition du patient:
Période périopératoire : sommaire obligatoire ⎱ doit comprendre l'ensemble de
Sortie des soins intensifs ou coronariens : sommaire obligatoire ⎰ la médication active du patient
Prophylaxie chirurgicale : 24 heures

Toute durée non implicite de traitement doit être précisée par le médecin sur l'ordonnance. De même, il est de la responsabilité du médecin de spécifier sur l'ordonnance quels médicaments doivent être cessés. Tout changement dans la médication nécessite une nouvelle ordonnance.

POIDS: _____ kg   TAILLE: _____ m   SURF. CORP.: _____ m² DIAGNOSTIC: _____

DIABÈTE : ☑   GROSSESSE: ☐   INSUFF. RÉNALE : ☐   HYPERSENSIBILITÉ : _____

DATE (AA/MM/JJ) HEURE	MÉDICAMENTS, DOSE, POSOLOGIE, VOIE D'ADMINISTRATION	INF.	ESPACE RÉSERVÉ AU PHARMACIEN
2011/11/18 8:00	**ORDONNANCE INDIVIDUELLE D'INSULINE INTRA-VEINEUSE**		
	CETTE ORDONNANCE :		
	- Ne s'applique pas au traitement de l'*acidocétose diabétique* ou de l'*état hyperosmolaire*		
	- Nécessite des apports glucosés adéquats : nutrition entérale ou parentérale, ou au		
	minimum l'équivalent d'un D/W 5 % à 80 ml/h ou d'un D/W 10% à 40 ml/h.		
	PRÉPARATION DE L'INSULINE : dans 100 ml salin 0,45%		
	☐ Humulin R 50 U (concentration = 0,5 U/ml, la plus utilisée) ou		
	☑ Humulin R 100 U (concentration = 1 U/ml) ou		
	☐ Humulin R 25 U (concentration = 0,25 U/ml)		
	AJUSTEMENT DU DÉBIT SUR ÉCHELLE SELON LA GLYCÉMIE CAPILLAIRE :		

AJUSTEMENT DU DÉBIT SUR ÉCHELLE SELON LA GLYCÉMIE CAPILLAIRE :

☑ **PROTOCOLE STANDARD :**   ☐ **PROTOCOLE MODIFIÉ :**

<4	0 ml/h		<4	0 ml/h
4-5,9 :	1 ml/h		4-5,9 :	___ ml/h
6-7,9 :	2 ml/h		6-7,9 :	___ ml/h
8-10,9 :	3 ml/h		8-10,9 :	___ ml/h
11-13,9 :	4 ml/h		11-13,9 :	___ ml/h
14-16,9 :	5 ml/h		14-16,9 :	___ ml/h
17-19,9 :	6 ml/h		17-19,9 :	___ ml/h
20 ET +	7 ml/h		20 ET +	___ ml/h

SURVEILLANCE DE LA GLYCÉMIE CAPILLAIRE :

☑ Aux 4 heures   ☐ Aux 2 heures x 3 puis aux 4 heures

AVISER SI :

- Glycémie <4 mmol/L
- 2 glycémies successives ☑ ≥ 14 mmol/L ou ☐ ≥ 11 mmol/L
- Début ou modification de nutrition entérale ou parentérale, de stéroïdes ou de solutés dextrosés I.V.

Signature médicale (ou autorisée) : *Jean Malo m.d. #149567*

ORIGINAL : Dossier   **COPIE** : Conserver temporairement au dossier lorsque l'original est envoyé à la pharmacie

AU MÉDECIN : PRESCRIRE SUR COPIE ORIGINALE
ET DIRIGER À LA PHARMACIE

Nom des concepteurs : S. Whittom et collègues
Acceptation au C.P.   2005 / 06 / 08
                        année mois jour

Acceptation au CECMDP : 2005/ 09 / 07

900088 (05-10)   **ORDONNANCE DE MÉDICAMENTS**   R-1337

Pour que ces protocoles soient valides, le médecin doit y inscrire la date et l'heure, signer et noter son numéro de droit de pratique.

Chapitre 3

Activité 3.1
a) 4,15 b) 6,1 c) 1,25 d) 0,85
e) 12,499 f) 1,1 g) 8,5 h) 3,6

Activité 3.2
1. a) 1,25 b) 4,25 c) 12,75 d) 9,052
   e) 5,376 f) 4,425

2. a) 3,625 b) 3,21 c) 0,43 d) 0,796
   e) 21,21 f) 2,966

Activité 3.3
Table de multiplication : voir à l'intérieur de la couverture arrière.

Activité 3.4
a) 0,3 b) 1,33 c) 2,1935 d) 31,155
e) 0,03 f) 2,884 g) 0,5768 h) 10,5

Activité 3.5
1. a) 23,5 b) 3,9 c) 7,9 d) 4,4
   e) 9,3 f) 3

2. a) 2 500 b) 43 900 c) 59 600
   d) 6 400

Activité 3.6
a) 12,17 b) 0,1 c) 4,5 d) 1,48
e) 0,27 f) 10,84

Activité 3.7
a) i) 240/12;   ii) 20/1;   iii) 20
b) i) 4/6;   ii) 2/3;   iii) 0,7
c) i) 75/500;   ii) 3/20;   iii) 0,2
d) i) 10/5;   ii) 2/1;   iii) 2
e) i) 240/50;   ii) 24/5;   iii) 4,8
f) i) 400/102;   ii) 200/51;   iii) 3,9

Activité 3.8
a) $\frac{1}{2}$ b) $\frac{5}{9}$ c) $\frac{5}{6}$ d) $\frac{4}{5}$ e) $\frac{7}{8}$ f) $\frac{5}{8}$

Activité 3.9
a) $\frac{38}{45}$ b) $\frac{3}{4}$ c) $\frac{1}{8}$ d) $\frac{31}{35}$ e) $\frac{26}{63}$ f) $\frac{9}{28}$

Activité 3.10
a) $\frac{3}{28}$; 0,1 b) $\frac{1}{6}$; 0,2 c) $\frac{2}{5}$; 0,4

d) $\frac{1}{16}$; 0,1 e) $\frac{1}{26}$; 0,04 f) $\frac{4}{45}$; 0,09

g) $\frac{2}{9}$; 0,22 h) $\frac{6}{35}$; 0,17

Activité 3.11
a) $\frac{15}{11}$ b) $\frac{2}{1}$ ou 2 c) $\frac{25}{12}$ d) 121/10

e) 40/1 ou 40

Activité 3.12
a) $\frac{1}{2}$; 0,5 b) $\frac{9}{8}$; 1,1 c) $\frac{3}{8}$; 0,38

d) $\frac{7}{4}$; 1,75

Activité 3.13
a) 0,23 b) 0,025 c) 0,24 d) 0,009
e) 0,0045

Activité 3.14
a) 50% b) 66,6% c) 75% d) 215%
e) 4% f) 1 407%

Exercices de révision

1. a) 0,041 b) 2,91 c) 4,1 d) 0,6
   e) 3,1

2. a) 5,76 b) 32,57 c) 7,79 d) 5,19
   e) 4,305 f) 10,455

3. a) 0,3 b) 1,56 c) 8,226 d) 0,37
   e) 0,15 f) 1,151

4. Voir la table de multiplication à l'intérieur de la couverture.

5. a) 0,0625 b) 4,125 c) 3,125
   d) 1,1125 e) 0,51 f) 25,215

6. a) $\frac{5}{7}$ b) $\frac{3}{4}$ c) $\frac{8}{9}$ d) $\frac{4}{5}$

7. a) $\frac{1}{4}$ b) $\frac{2}{3}$ c) $\frac{1}{9}$ d) $\frac{3}{4}$

8. a) 8,4 b) 1,3 c) 4 d) 3,9 e) 0,8

9. a) 3,32 b) 1,19 c) 270,83 d) 3,21
   e) 114,29

10. a) 0,15 b) 0,05 c) 1,8 d) 30
    e) 43,33 f) 1.5 g) 1,33 h) 2
    i) 2 j) 1,33

11. a) 0,35 b) 0,028 c) 0,23 d) 0,12
    e) 0,009 f) 0,0045 g) 0,175 h) 0,1
    i) 0,082 j) 0,03 k) 0,59

12. a) 68% b) 60% c) 65%

13. a) 2 comprimés b) 255 ml
    c) 375 ml d) 270 ml e) 24 doses

Chapitre 4

Activité 4.1
a) 0,5 ml contient 100 mg de médicament.
b) 1 co contient 0,8 mg de médicament.
c) 1 g de médicament est contenu dans 10 ml de liquide.
d) 1 ml contient 80 mg de médicament.
e) 5 ml contiennent 160 mg de médicament.

Activité 4.2
a) 9,6 b) 1,9 c) 0,4 d) 1,3 e) 0,6
f) 0,2

Activité 4.3
a) 1 b) 4,3 c) 0,6 d) 3 e) 0,2

Activité 4.4
a) 2,81 $ b) 52 litres ; 55,64 $ c) 6,19 $
d) 1900 pantalons e) 163,3 km

Activité 4.5
a) 7 : 10 b) 1 : 400 c) 47 : 100 d) 45%
e) 150% f) 50%

Exercices de révision

1. a) 12,5 b) 2,4 c) 3 d) 0,6 e) 0,7
   f) 1,9 g) 3 h) 0,8 i) 2,3

2. a) 1 : 5 b) 3 : 400 c) 7 : 10 000

3. a) ≈ 33.3% b) 87,5% c) 13,3%

4. a) iii b) 2,25 mg c) 2 co
   d) 1 partie pour 25 est plus petite que 1 partie pour 20. La solution est donc trop concentrée.
   e) 0,07% f) 6,5 ml
   g) i) 272 mg ; ii) 5 doses

Chapitre 5

Activité 5.1
a) Masse b) Volume c) Longueur
d) Volume e) Longueur f) Masse
g) Masse h) Quantité de matière

Activité 5.2
a) g;   masse
b) mmol;   quantité de matière
c) cm;   longueur
d) ml;   volume
e) cl;   volume
f) mg;   masse
g) kg;   masse
h) L;   volume
i) mm;   longueur
j) mcg (ou microgramme) ; masse

Activité 5.3
a) 0,2 g b) 1,05 kg c) 0,008 mg
d) 0,9 kg e) 13,009 g f) 1,65 m
g) 3,15 kg h) 3,453 L i) 30,4 ml
j) 0,3 mcg ou microgramme
k) 4 mcg ou microgrammes

Activité 5.4
a) V
b) F; 50 000 mcg
c) F; 1,5 L
d) F; 1 000 000 mcg
e) F; 1,6 g
f) F; 0,1 g
g) F; 0,001 g
h) F; 1 000 000 g

Activité 5.5
a) 5 000 b) 0,03 c) 120 d) 350 e) 0,4
f) 0,32 g) 12 000 h) 20 000 i) 0,65
j) 0,254 k) 2,2 l) 2,35 m) 0,52 n) 750

Activité 5.6
a) 50 unités b) 18 unités
c) 3 000 000 unités d) 20 000 unités
e) 4 500 unités f) 44 unités

Activité 5.7
1. 5 g
2. 100 g
3. 50 g
4. 25 g
5. 0,015 g
6. 35 g
7. 7,5 g

Activité 5.8
1. a) 1:100 b) 1:10 c) 1:50

2. a) 1:1000 b) 1:10 c) 1:200

Activité 5.9
a) 1 b) 15 c) 15 d) 3,75 e) 0,454
f) ≈ 300 – 325 g) 45 h) 10
i) 30 j) 227

Activité 5.10
a) 15 b) 0,3

Exercices de révision

1. a) g   masse
   b) ml   volume
   c) mcg   masse
   d) m   longueur

2. a) 123 cm b) 0,02 g c) 755 ml
   d) 1,34 kg e) 0,12 cc ou cm³ f) 0,5 g
   g) 100,03 ml h) 1000 ml ou 1 L
   i) 3 050 mcg

3. 1000 g – 1000 mg – 1000 mcg

4. a) 6 250 b) 0,6 c) 0,05 d) 2 250
   e) 2 200 f) 0,75 g) 6 h) 4 300
   i) 1430 j) 0,025

5. a) 3 200 b) 500 c) 30 d) 1,3
   e) 100 f) 0,1 g) 0,001 h) 0,034
   i) 14 000 j) 150

6. a) 804 unités b) 30 mEq
   c) 5 000 unités d) 0,2 % e) 1:50
   f) 2 c à s g) 0,12 % h) 3 c à thé
   i) 2 300 000 unités
   j) 2,5 oz ou 2 1/2 oz

7. a) 25 g b) 10 g c) 30 g d) 25 g

8. a) 3 b) 300 – 325 c) 30 d) 0,454
   e) 5 f) 45

Chapitre 6

Activité 6.1
a) avec
b) intramusculaire
c) chaque heure
d) répéter
e) nil per os, rien par voie orale
f) immédiatement
g) voie vaginale
h) à volonté

i) après les repas
j) suppositoire

Activité 6.2
a) gtt b) bid c) SR d) NPO ou npo
e) Ad lib. f) hs g) po ou per os h) stat.
i) pc

Activité 6.3
a) 2012-09-25 b) 2011-07-02 c) 1:30
d) 12:00 e) 0:15 f) 16:45 g) 21:15
h) 9:00 i) 18:00 j) 23:30 k) 10:00
l) 23:45

Activité 6.4
1. a) Cloxacillin sodium b) Novo-Cloxin
   c) 250 mg/caps d) 100 e) 00337765

2. a) Minoxidil b) Loniten
   c) 10 mg/co d) 100 e) Pfizer

3. a) Methylprednisolone acetate
   b) Depo-Medrol c) 40 mg/ml
   d) 5 ml

4. a) Clindamycine b) Intraveineuse
   c) 150 mg/ml d) 60 ml
   e) Sur ordonnance seulement

Activité 6.5
1. a) Date
   b) Pour Entrophen: teneur + voie
      d'administration + nombre de fois
      par jour (horaire)
   c) Pour Capoten: manque le nombre
      de comprimés
   d) Numéro de permis d'exercice du
      médecin

2. a) Rosovastatine
   b) 10 mg/co
   c) 5 mg
   d) Douleurs musculaires - sensibilité
      musculaire - urines brunâtres
   e) 17:00
   f) po ou per os

3. a) 403, lit 1
   b) Digoxine
   c) 1/2 co
   d) Intraveineuse
   e) 9:00 et 15:00
   f) Hypotension orthostatique –
      crampes musculaires
   g) Au besoin

Exercices de révision

1. a) Immédiatement
   b) Capsule – après le repas – au besoin
   c) Nil per os, rien par voie orale –
      jusqu'à
   d) Microgrammes – per os (par voie
      orale) - comprimé
   2. a) sc – ac
   b) mg – co – stat

3.

Date	Heure	Médicaments…	Fax
2010-10-02	10:30	Imitrex 25 mg/co, 1 co stat Ordre télépho-nique du Dr Dufour / *Marlène Fortin inf.*	

4. Libération contrôlée (*controlled delivery*)

5. a) 1:00 b) 14:00 c) 5:00 d) 22:00

6. a) Hydrocortisone b) Cortef
   c) 20 mg/co d) 100 e) 00030929

7. a) Cyanocobalamin b) Vitamin B$_{12}$
   c) sc et im profonds d) Non
   e) 1000 mcg/ml

8. a) Lopresor b) Apo-metoprolol
   c) 25 mg/co d) 12,5 mg e) 1/2 co
   f) 9:00, 17:00 g) PO h) Non
   i) Non notée

9. a) La teneur du médicament
   b) L'unité de mesure de la teneur
      du médicament
   c) La voie d'administration et la
      fréquence d'administration
   d) La voie d'administration

10. Il manque : la date, le titre du médecin
    et son numéro d'immatriculation.
    Pour l'Entrophen : la teneur, la voie
    d'administration, la fréquence
    d'administration. Pour le Capoten : la
    voie d'administration.

Chapitre 7

Activité 7.1

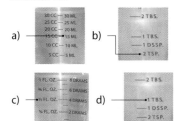

Activité 7.2
a) 0,34 ml b) 0,18 ml c) 0,63 ml
d) 0,08 ml

Activité 7.3
a) 0,07 ml b) 0,41 ml
c) 0,09 ml d) 0,55 ml

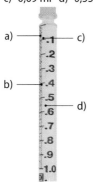

Activité 7.4
a) 1,2 ml b) 1,9 ml c) 1,6 ml
d) 2 ml e) 1,1 ml f) 1,7 ml

Activité 7.5
a) 1,1 ml b) 1,3 ml c) 2,2 ml
d) 1,7 ml e) 0,9 ml

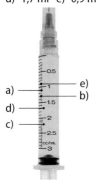

Activité 7.6
a) 3,2 ml b) 4,4 ml c) 4,6 ml d) 3,4 ml

Activité 7.7
a) 7,4 ml b) 9,2 ml c) 9 ml d) 6,2 ml

Activité 7.8
a) 3,2 ml b) 8,4 ml c) 3,8 ml
d) 7,6 ml e) 4,6 ml

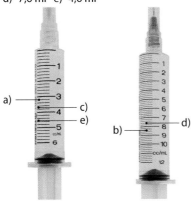

Activité 7.9
a) 12 ml b) 19 ml c) 28 ml d) 34 ml

Activité 7.10
a) 35 ml d) 29 ml

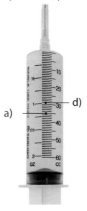

b) 14 ml c) 15 ml

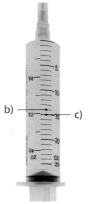

Activité 7.11
1. a) 22G ;   1 po (2,5 cm)
   b) 22G ;   1 1/2 po (3,7 cm)
   c) 0,5 ml – 1 ml ; 2 – 3ml
   d) Environ ≈ 15 – 20 min

2. Oui, car elle est autorisée à administrer des médicaments par voie im.

3. Non, car elle n'est pas autorisée à administrer des médicaments par voie iv.

4. a) Elle doit aller évaluer la condition clinique du client.
   b) L'infirmière elle-même. Elle devra aussi en aviser le médecin si elle juge que le client ne peut recevoir la médication.

Exercices de révision

1. a) 1,8 ml b) 0,04 ml c) 3,6 ml
   d) 7,8 ml e) 16 ml f) 0,47 ml
   g) 4,2 ml

2. a) 1 ml b) 5 ml c) 3 ml
   d) 1 ml e) 3 ml

3. a) 0,02 ml

b) 3,75 ml c) 4,21 ml

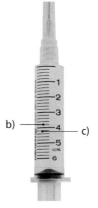

d) 0,3 ml e) 1,2 ml g) 1,34 ml

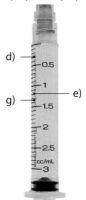

f) 7,6 ml h) 8,18 ml

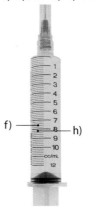

4. a) 22G ; 1 po (2,5 cm)
   b) 22G ; 1 1/2 po (3,7 cm)

5. a) Vaste externe ou grand fessier. Le médicament est visqueux et plus de 3 ml.
   b) Doit s'administrer en 2 injections dans 2 muscles différents.
   c) 2 seringues de 3 ml ; mettre 2 ml dans une seringue et 1,8 ml dans l'autre.
   d) 21G et 1 1/2 po (3,7 cm) ; la tige de l'aiguille étant plus grosse, le médicament sera plus facile à prélever et à injecter.

6. a) De 25 à 27G
   b) Si aiguille 1/2 po (1,2 cm) : angle de 90^0 et si aiguille 5/8 po (1,6 cm) : angle de 45^0
   c) 1 ml

Chapitre 8

Activité 8.1
a)

Temps (heures)	Demi-vie	Quantité de médicament dans l'organisme	Heure réelle
0	–	1 mg	22:00
10	1	0,5 mg	8:00
20	2	0,25 mg	18:00
30	3	0,125 mg	4:00
40	4	0,0625 mg	14:00
50	5	0,0312 mg	24:00
60	6	Négligeable	10:00

b) Le médicament prendra plus de temps à être métabolisé.
c) Le médicament fait encore effet dans l'organisme.

Activité 8.2
a) Faux b) Faux c) Vrai d) Faux
e) Faux f) Vrai g) Faux h) Faux

Activité 8.3
a) 0,5 mg/co b) $\frac{1}{2}$ co c) 2 co

d) $1\frac{1}{2}$ co

Activité 8.4
a) 2 co b) $\frac{1}{2}$ co c) 2 co d) $\frac{1}{2}$ co

Activité 8.5
a) 2 co de 325 mg/co

b) $2\frac{1}{2}$ co de 10 mg/co

c) $\frac{1}{2}$ co de 2,5 mg/co

d) $1\frac{1}{2}$ co de 2,5 mg/co

e) 1 co de 0,25 mg/co

f) 2 co de 80 mg/co

g) $1\frac{1}{2}$ co de 500 mg/co

h) $1\frac{1}{2}$ co de 0,25 mg/co

i) $\frac{1}{4}$ co de 0,25 mg

j) $\frac{3}{4}$ co de 10 mg/co

Activité 8.6
a) 7,5 b) 3,2 c) 1,1
d) 8 e) 3,8 f) 1,4
g) 3,6 ml de 125 mg/5 ml ou 1,8 ml de 250 mg/ml
h) 12 ml de 125 mg/5 ml ou 6 ml de 250 mg/5 ml
i) 1,6
j) 18 ml de 125 mg/5 ml ou 9 ml de 250 mg/5 ml
k) 13 ml de 125 mg/5 ml ou 6,5 ml de 250 mg/5 ml
l) 8,6 ml

Exercices de révision

1. a) $\frac{1}{2}$ b) 2 c) $\frac{1}{2}$ d) $\frac{3}{4}$ e) $\frac{1}{4}$
   f) $1\frac{1}{2}$ g) $1\frac{1}{4}$ h) $\frac{1}{4}$

2. a) 1,5 ml de 80 mg/5 ml
   b) 1,2 ml
   c) 3,6 ml
   d) 7,5 ml de 160 mg/5 ml
   e) 5,6 ml de 160 mg/5 ml
   f) 2,8 ml
   g) 2 caps
   h) 6 ml
   i) 1,6 ml

3. Risque de retarder l'effet du médicament.

4. Enlever le jus de pamplemousse ; il augmenterait l'effet de la médication antihypertensive en entravant son métabolisme.

5. Ne diminue pas nécessairement l'efficacité, mais peut en retarder l'effet.

Chapitre 9

Activité 9.1
a) 1 ou 2 % b) 20 mg/ml c) 1,3 ml

Activité 9.2
a) 1 000 unités/ml
b) Étiquette numéro 2 ; 0,75 ml
c) Étiquette numéro 1 ; 2,5 ml
d) 5 000 unités
e) 0,75 ml
f) 4 500 unités

Activité 9.3
1. a) i) 1,8 ml ; ii) 3 ml
   b) i) 0,75 ml ; ii) 1 ml
   c) i) 1,5 ml ; ii) 3 ml
   d) i) 3,5 ml ; ii) 5 ml
   e) i) 0,75 ml ; ii) 1 ml
   f) i) 3,8 ml ; ii) 5 ml
   g) i) 0,67 ml ; ii) 1 ml
   h) i) 0,38 ml ; ii) 1 ml

2. a) i) sc – im ii) 30 mg/ml iii) 1 ml
   b) i) iv – im ii) 10 mg/ml iii) 2 ml
   c) i) iv – im ii) 4 mg/ml iii) 5 ml
   d) i) iv – im ii) 40 mg/ml iii) 2 ml
   e) i) im – iv – sc ii) 0,4 mg/ml iii) 1 ml

3. a) i) Oui ii) 1 ml
      iii) 3 ml iv) Oui
   b) i) Oui ii) 1,5 ml
      iii) 3 ml iv) Non, dans ce muscle, la quantité maximale est de 1 ml.
   c) i) Non
   d) i) Oui
      ii) 1,33 ml
      iii) 2 seringues de 1 ml
      iv) 2 seringues, par exemple :
         1re : 0,63 ml et 2e : 0,7 ml

Activité 9.4
a) 0,7 ml b) Seringue de 1 ou 3 ml

Activité 9.5
a) 2 mg/ml b) 0,75 ml
c) Seringue de 1 ml

Activité 9.6
a) Sandoz b) im – iv c) 2 ml
d) 40 mg/ml e) Oui, fiole multidose
f) 2 ml g) 3 ml ; 2 ml
h) Non, car la quantité à injecter est trop grande.

Activité 9.7
a) 0,8 ml d'Atropine ; 1 ml de Midazolam
b) Atropine, car c'est la quantité incomplète de l'ampoule à utiliser.
c)

Exercices de révision

a) 1,2 ml, seringue de 3 ml

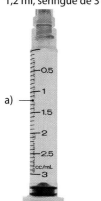

b) 1,2 ml, seringue de 3 ml

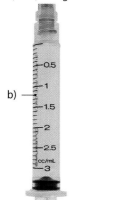

c) 0,45 ml, seringue de 1 ml

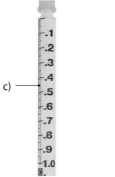

d) 3,5 ml, seringue de 5 ml

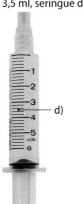

e) 0,75 ml, seringue de 1 ml

f) 0,4 ml d'Atropine et 1 ml de Midazolam ; l'Atropine sera prélevée en premier pour s'assurer de la dose, puis ensuite la totalité de la fiole de Midazolam ; fessier ou vaste externe.

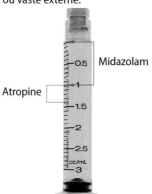

g) 0,4 ml , seringue de 1 ml ; im profond

h) 1,6 ml, seringue de 3 ml

i) 0,7 ml, seringue de 1 ml ; oui

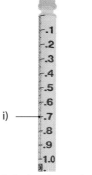

j) 2,4 ml, seringue de 3 ml

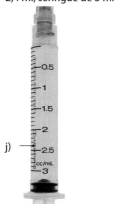

k) 0,65 ml, seringue de 1 ml ; profond

l) 0,7 ml d'Atropine, et 1 ml de Midazolam ; l'Atropine sera prélevée en premier pour s'assurer de la dose, puis ensuite la totalité de la fiole de Midazolam ; fessier ou vaste externe.

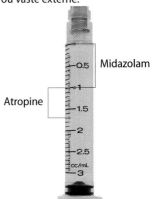

Chapitre 10

Activité 10.1
a) Eau
b) 45 ml
c) Bien agiter afin de rendre la poudre moins compacte
d) 75 ml
e) Drouin Julie*
ch. 2034 lit 1*
Amoxicillin 250 mg/5ml
Voie orale, conserver au frigo
D : 2010-10-11 15 : 00
F : 2010-10-25 15 : 00
MFortin inf.

* Exemple de nom + prénom + ch + lit

Activité 10.2
a) Eau bactériostatique pour injection
b) 8 ml
c) 62,5 mg/ml
d) 4 ml
e) 8 ml
f) 48 heures
g) Qu'elle doit être utilisée une seule fois

Activité 10.3
a) 9,6 ml   b) Eau stérile pour injection
c) 0,4 ml   d) 6,5 ml

Activité 10.4
a) 1,7 ml   b) Eau stérile pour injection
c) 250 mg/ml   d) 1,4 ml   e) 4,8 ml
f) 100 mg/ml

Activité 10.5
a) 2 ml
b) Raynald Deschênes ch. 1234 lit 1*
Cefazolin, 225 mg/ml, voie im
Conserver au frigo
D : 2010-12-05
F : 2010-12-08
MFortin inf.
c) 3,8 ml
d) Eau stérile pour injection ou NaCl pour injection
e) Rediluer jusqu'à 10 ml avec de l'eau stérile pour injection
f) 225 mg/ml, pour administrer un volume moins important
g) 24 heures

* Exemple de nom + prénom + ch + lit

Exercices de révision

1. a) 16 ml
b) Eau bactériostatique pour injection
c) 16 ml/flacon ou fiole
d) 62,5 mg/ml
e) Oui
f) 2 ml
g) 3,5 ml
h) Eau stérile pour injection
i) 0,5 ml
j) 0,5 ml
k) 1,3 ml

2. a) 6 ml

---

b) 2,5 ml
c) Jean-Pierre Fortin ch. 1234 lit 2*
Pénicilline G sodique, 1 million d'unités/ml
Conserver au frigo
D : 2010-12-12 6 : 00
F : 2010-12-19 6 : 00
MFortin inf.
d) 24 heures
e) 7 jours
f) 4 ml

* Exemple de nom + prénom + ch + lit

3. a) 6,8 ml   b) 8 ml   c) Non
d) 250 mg/ml   e) 2,6 ml   f) 1,2 ml

Chapitre 11

Activité 11.1
a) 11,1 kg   b) 19,1 kg   c) 35 kg   d) 5 kg
e) 20,9 kg   f) 3,4 kg

Activité 11.2
a) 327 mg   b) 10,2 ml

Activité 11.3
a) 20 mg à 40 mg/kg/jour
b) Masse en kg : 15 kg
Varie de 300 mg à 600 mg/jour
c) 3 doses
d) 100 mg
200 mg
e) Non, la dose est trop élevée.
Le schéma posologique recommandé est de 240 à 480 mg/jour. En trois doses fractionnées : 80 à 160 mg par dose.
f) Oui, car elle se situe à l'intérieur du schéma posologique (voir e).

Activité 11.4
a) Masse en kg : 21,8 kg ; 1 090 mg/jour
b) 273 mg ;   545 mg
c) De 50 à 100 mg/kg/jour
d) 4 ou 6 doses
e) Non la dose est trop élevée : la posologie quotidienne recommandée varie de 270 à 540 mg/jour
f) Si en 4 doses : 135 mg ; si en 6 doses : 90 mg

Activité 11.5
a) De 10 à 15 mg/kg
b) 817,5 mg
c) 109 mg ;   163,5 mg
d) i) Oui (120 mg par dose pour un enfant de 10,9 kg)
ii) Oui (6 doses en 24 h)

Activité 11.6
a) 50 mg
b) 2 ou 3 doses
c) 40 mg/jour
d) Non, la dose est trop élevée

Activité 11.7
1. a) 1 705 mg
b) 430 mg

---

c) Toutes les 6 h
d) Voie orale
2. 2 000 mg/jour ; 500 mg/dose ; 20 ml/dose

Activité 11.8
a) 83 cm   b) 100 cm   c) 170 cm
d) 148 cm   e) 168 cm   f) 115 cm

Activité 11.9
a) 0,87 m^2 b) 1,6 m^2 c) 1,95 m^2
d) 2,2 m^2 e) 0,8 m^2 f) 0,31 m^2

Activité 11.10
a) $\approx$ 0,82 m^2 b) $\approx$ 1,2 m^2 c) $\approx$ 0,5 m^2
d) $\approx$ 1,55 m^2 e) $\approx$ 0,56 m^2

Activité 11.11
a) 229 mg ;   458 mg
b) 15 unités ;   23 unités
c) 20 mg
d) 16 mg ;   32 mg
e) 180 mg ;   360 mg

Activité 11.12
a) i) 1,1 mg ;   ii) 1,1 mg ;   iii) 3 ml
b) i) 3,8 mg ;   ii) 3,8ml ;   iii) 5 ml
c) SC : 0,88 m^2 ;
i) 6,6 mg ;   ii) 6,6 mg ;   iii) 10 ml
d) SC : 0,48 m^2
i) 1,8 mg ;   ii) 1,8 mg ;   iii) 3 ml
e) SC : 2,17 m^2
i) 12 mg ;   ii) 12 ml ;   iii) 12 ou 20 ml

Exercices de révision

1. a) De 20 à 40 mg/kg/jour
b) 300 mg ; 600 mg
c) 3 doses
d) 100 mg ; 200 mg
e) Non, la dose est trop élevée

2. a) Oui
b) Non ; il peut recevoir 17,5 mg ÷ en 2 doses ; 9 mg/dose
c) Non, 45 mg ; 142 mg
d) 3 ml

3. a) Oui ; le schéma posologique recommandé varie de 112 mg/dose à 224 mg/dose
b) De 250 à 500 mg toutes les 8 h
c) i) Non, on recommande 3 fois/jour
ii) 60 mg ; 80 mg
iii) im - iv
d) 1,4 ml
e) 43 mg ; 0,54 ml

4. a) 1,89 m^2 b) 0,47 m^2 c) 2,12 m^2
d) 0,88 m^2 e) 1,67 m^2 f) 2,04 m^2
g) 0,45 m^2

5. a) $\approx$ 0,36 m^2 b) $\approx$ 2 m^2 c) $\approx$ 1,7 m^2
d) $\approx$ 1,7 m^2 e) $\approx$ 0,46 m^2

6. a) Oui (les doses recommandées varient de 62 à 93 mg)
b) 10 mg
c) De 2,2 à 4,3 mg
d) 32,4 mg

7. a) 120,8 mg b) 45 mg
c) i) 54,6 mg ; ii) Non, car elle est inférieure à la dose prescrite

Chapitre 12

Activité 12.1
a) Dextrose 5 % dans l'eau ; solution isotonique
b) Dextrose 5 % + Chlorure de sodium 0,45 % ; solution isotonique
c) Dextrose 5 % + Chlorure de sodium 0,9 % ; solution hypertonique
d) Dextrose 5 % + Chlorure de sodium 0,45 % ; solution isotonique
e) Chlorure de sodium 0,9 % ; solution isotonique
f) Chlorure de sodium 0,45 % ; solution hypotonique
g) Soluté Lactate Ringer ; solution isotonique
h) Dextrose 10 % dans l'eau ; solution hypertonique

Activité 12.2
a) 10 g b) 50 g c) 25 g d) 50 g

Activité 12.3
a) i) Dextrose 5 % dans l'eau
ii) Dispositif de perfusion principal ou soluté primaire
b) À moitié ou jusqu'à la ligne de repère
c) Régulateur de débit ou presse-tube à roulette
d) Arrêter temporairement la perfusion
e) 75 cm
f) Au début du quart de travail, minimalement à toutes les heures ensuite, et avant de terminer son quart de travail.
g) Soluté secondaire, ou minisac ou piggy-bag
h) De 15 à 20 cm plus haut que le soluté primaire.

Activité 12.4
a) 15 gtt/ml b) 60 mcgtt/ml

Activité 12.5
a) 30 gtt/min b) 18 gtt/min
c) 13 gtt/min d) 30 mcgtt/min
e) 21 gtt/min f) 38 gtt/min

Activité 12.6
a) 20 gtt/min ; 5 gtt/15 sec
b) 10 gtt/min ; 3 gtt/15 sec
c) 23 gtt/min ; 6 gtt/15 sec
d) 30 mcgtt/min ; 8 mcgtt/15 sec
e) 17 gtt/min ; 4 gtt/15 sec
f) 30 mcgtt/min ; 8 mcgtt/15 sec

Activité 12.7
a) i) 150 ml/h ; ii) 38 gtt/min ; iii) 10 gtt/15 sec
b) i) 150 ml/h ; ii) 25 gtt/min ; iii) 6 gtt/15 sec
c) i) 75 ml/h ; ii) 13 gtt/min ; iii) 3 gtt/15 sec
d) i) 100 ml/h ; ii) 100 mcgtt/min ;
iii) 25 mcgtt/15 sec
e) i) 50 ml/h ; ii) 13 gtt/min ; iii) 3 gtt/15 sec

Activité 12.8
a) 23 gtt/min b) 30 gtt/min
c) 17 gtt/min d) 40 mcgtt/min
e) 13 gtt/min

Activité 12.9
a) 3 h 47 min b) 5 h 33 min c) 1 h 40 min
d) 2 h 05 min

Activité 12.10
a) 3 h 20 min
b) 3 h
c) 8 h 20 min
d) 8 h 20 min ;   F : 20 : 20
e) 6 h 15 min ;   F : 19 : 15

Activité 12.11
a) i) 83 ml/h ;   ii) 1 000 ml
b) i) 96 ml/h ;   ii) 240 ml
c) i) 40 ml/h ;   ii) 30 ml
d) i) 36 ml/h ;   ii) 12 ml
e) i) 140 ml/h ;   ii) 350 ml
f) i) 125 ml/h ;   ii) 500 ml

Exercices de révision

1. a) Dextrose 5 % + Chlorure de sodium 0,45 ; isotonique
b) Dextrose 10 % dans l'eau ; hypertonique
c) Dextrose 5 % + Chlorure de sodium 0,45 % ; isotonique
d) Chlorure de sodium 0,45 % ; hypotonique
e) Chlorure de sodium 0,9 % ; isotonique
f) Dextrose 5 % dans l'eau ; isotonique

2. a) 25 g b) 50 g c) 5 g

3. a) Dextrose 5 % + Chlorure de sodium 0,45 %
b) Système de perfusion principal ou perfusion primaire
c) 75 cm plus haut que le site d'insertion
d) 1) La tolérance du client à la perfusion
2) La sorte de soluté, la quantité restante dans le sac de soluté ; sa date de péremption et la limpidité
3) La tubulure et le site d'insertion du cathéter
4) Le débit s'il est conforme au débit prescrit
5) S'assurer de la qualité des tissus environnants, s'il n'y a pas infiltration du soluté
e) i) Soluté infiltré ou infiltration
ii) Enlever le soluté et le réinstaller dans une autre veine

4. 1) Système de perfusion primaire

2) Chambre compte-gouttes ou chambre d'écoulement
3) Sites d'injection en Y
4) Pince à glissière ou presse-tube à coulisse
5) Régulateur de débit ou presse-tube à roulette

5. Voir les formules en encadré, p. 199.

6. a) i) 63 ml/h ; ii) 16 gtt/min ; iii) 4 gtt/15 s
b) i) 125 ml/h ; ii) 21 gtt/min ; iii) 5 gtt/15 s
c) i) 60 ml/h ; ii) 15 gtt/min ; iii) 4 gtt/15 s
d) i) 83 ml/h ; ii) 14 gtt/min ; iii) 4 gtt/15 s
e) i) 167 ml/h ; ii) 42 gtt/min ; iii) 11 gtt/15 s
f) i) 100 ml/h ; ii) 17 gtt/min ; iii) 4 gtt/15 s
g) i) 60 ml/h ; ii) 15 gtt/min ; iii) 4 gtt/15 s

7. a) 2 h 30 min b) 2 h 47 min
c) 2 h 11 min d) 20 h

Chapitre 13

Activité 13.1
a) i) 75 ml/h   ii) 950 ml ou 1000 ml
b) 75 mcgtt/min
c) i) Oui* ;
ii) Oui, car les deux médicaments sont compatibles
* Vérification avec le Tableau de compatibilité du CHUM (2000).

Activité 13.2
a) 28 ; 40 ; 40
b) 24 ; 90 ; 90

Activité 13.3
a) 10 ml
b) Durette Marc ch. 2122 lit 2
Gravol 100 mg, soit 10 ml dans 50 ml D5 %
Date : 2011-10-04
MFortin inf
c) 60
d) Oui, car plus que 10 % de la quantité totale à perfuser
e) 17 %
f) Oui, le Gravol est compatible avec l'Héparine
g) 80 ml/h
h) 80 mcgtt/min
i) 20 gtt/min

Activité 13.4
a) 5 ml/h b) 12 ml/h c) 27 ml/h
d) 18 ml/h e) 0,7 ml/h

Activité 13.5
a) i) 300 mcg/min ;   ii) 45 ml/h
b) i) 140 mcg/min ;   ii) 35 ml/h
c) i) 280 mcg/min ;   ii) 21 ml/h
d) 49 ml/h

Exercices de révision

1. a) 80 ml/h
   b) 20 gtt/min
   c) i) Oui ;
   ii) Compatible si le soluté est un Dextrose 5 %

2. a) 67 ml/h b) 36 ml/h
   c) 36 mcgtt/min
   d) 24 gtt/min ; 96 ml/h
   e) 150 ml/h

3. a) 21 gtt/min b) 84 ml/h

4. a) Oui, les deux médicaments sont compatibles
   b) 300 ml/h
   c) 75 gtt/min

5. a) 6 ml/h b) 12 ml/h

6. a) 25 ;   45 ;   45
   b) 22 ;   72 ;   72
   c) 5 ;   45 ;   45
   d) 28 ;   40 ;   40

Chapitre 14

Activité 14.1

A	Très rapide	Lilly	0 – 15 min	1 – 2 h	3 – 4 h
B	Régulière ou rapide	Lilly	30 min	2 – 4 h	6 – 8 h
C	Intermédiaire	Lilly	1 – 2 h	6 – 12 h	18- 24 h
D	Prolongée	Sanofi-aventis	1 – 1,5 h	aucun	24 h
E	Très rapide	Novo-Nordisk	10 – 20 min	1 – 3 h	3 – 5 h
F	Régulière ou rapide	Novo-Nordisk	30 min	2 – 4 h	6 – 8 h
G	Intermédiaire	Novo-Nordisk	1 – 2 h	6 – 12 h	18 – 24 h
H	Prolongée	Novo-Nordisk	1 – 2 h	aucun	24 h ou moins

Activité 14.2

1. a) 8 unités b) 17 unités c) 7 unités
   d) 38 unités e) 12 unités f) 24 unités

2. a)
   b)
   c)
   d)
   e)

3. a)
   b)
   c)
   d)
   e)

Activité 14.3

a) Non, fabricants différents et insuline de même type (début + durée + pic d'action) ;
b) Oui, même fabricant, début + durée + pic d'action différents
c) Non, fabricants différents
d) Oui, même fabricant, début + durée + pic d'action différents

Activité 14.4

a) 79 unités

b) 74 unités

c) 40 unités

Activité 14.5

1. a) O unité
   b) 12 unités et aviser le médecin
   c) 12 unités et aviser le médecin
   d) 4 unités
   En cas d'hypoglycémie et d'hyperglycémie, vérifier les signes et symptômes présents chez le client et traiter au besoin selon les modalités du milieu clinique

2. a) Humulin R 0 unité ; Humulin N 15 unités
   b) Humulin R 2 unités
   c) Humulin R 2 unités ; Humulin N 23 unités
   d) Humulin R 2 unités
   En cas d'hypoglycémie et d'hyperglycémie, vérifier les signes et symptômes présents chez le client et traiter au besoin selon les modalités du milieu clinique

3. a) Humulin R 10 unités ; Humulin N 17 unités
   b) Humulin R 4 unités
   c) Humulin R 18 unités ; Humulin N 28 unités
   d) Humulin R 4 unités
   Lors d'hypoglycémie et d'hyperglycémie, vérifier les signes et symptômes présents chez le client et traitrer au besoin selon les modalités du milieu clinique

4. a)
   b)
   c)
   d)

Activité 14.6

a) i) 4 ml/h
   ii) 3 ml/h
   iii) 0 ml/h et s'assurer de maintenir la voie veineuse perméable
   iv) 5 ml/h
   v) 5 ml/h

b) – Effectuer une glycémie aux 4 h ;
   – À 15 : 00, aviser le médecin car il y a eu une glycémie inférieure à 4 mmol/L ;
   – À 23 : 00, aviser le médecin car il y a eu 2 glycémies successives supérieures à 14 mmol/L ;
   – Inscrire les manifestations cliniques d'hyperglycémie au dossier s'il y a lieu.

Activité 14.7

a) 0,5 ml (10 000 unités/ml)
b) Il existe un risque élevé d'hémorragie.
c) i) 93 mg ;   ii) 0,93 ml
d) 3,4 ml (1 000 unités/ml)

Activité 14.8

a) 1 250 unités/h ; 30 000 unités/24 h ; oui, car se situe entre 20 000 et 40 000 unités/24 h ;
b) 1 500 unités/h ; 36 000 unités/24 h ; oui

c) 1 800 unités/h ; 43 200 unités/24 h ; non, dose trop élevée

d) 400 unités/h ; 9 600 unités/24 h ; non, dose trop faible

Activité 14.9

a) 20 ml/h b) 28 ml/h c) 40 ml/h

d) 38 ml/h

Activité 14.10

a) i) 3 400 unités soit 3,4 ml ;
   ii) 774 unités/h ;
   iii) 8 ml/h

b) i) Administrer un bolus d'héparine de 1 700 unités (1,7 ml)
   ii) Augmenter la perfusion de 1 ml/h : 9 ml/h

c) i) Cesser la perfusion pendant 60 min ;
   ii) Reprendre la perfusion à 19 : 00 à 7 ml/h ;
   iii) Refaire un PTT (ou TCA) 4 heures plus tard (23 h).

Exercices de révision

1. a)

   b)

   c)

   d)

   e)

2. a) 5 unités b) 13 unités c) 12 unités
   d) 24 unités e) 38 unités

3. a) 6 unités ; 10 unités
   b) Aviser le médecin*
   c) 2 unités ; 20 unités
   d) 2 unités
   * Vérifier les manifestations cliniques présentes chez le client.

4. a) 10 unités ; 15 unités
   b) 4 unités
   c) 14 unités ; 15 unités
   d) 0 unité

5. 24 ml/h

6. 38 400 unités

7. 43 200 unités

8. 25 ml/h

9. 1 042 unités/h ; 10 ml/h

10. 1 400 unités/h ; 33 600 unités/24 h : dose conforme

11. a) 4 500 unités ; 4,5 ml
    b) 10 ml/h
    c) Administrer un bolus de 4 500 unités d'héparine (4,5 ml) ; Augmenter la perfusion de 3 ml/h (13 ml/h).
    d) Administrer un bolus de 2 200 unités d'héparine (2,2 ml) ; Augmenter la perfusion de 1 ml/h (14 ml/h) ; Aviser le médecin de la difficulté d'atteindre un PTT (TCA) dans les limites optimales après deux manipulations de débit consécutives.

12. a) Évaluer le client, prendre les signes vitaux ; Aviser le client et l'infirmière de l'erreur ; Aviser le médecin ; Surveiller les manifestations cliniques de saignement ou d'hémorragie ; Compléter le rapport de déclaration d'incident/accident.
    b) Vitamine K

Test diagnostique

1. a) 2,91 ; b) 0,125 ; c) 3,1 ;
   d) 13,7 ; e) 4,1

2. a) 5,37 ; b) 6,7 ; c) 1,85 ;
   d) 2,55 ; e) 1,5

3. a) 1,4 ; b) 0,12 ; c) 9,77 ;
   d) 0,67 ; e) 8,1

4. a) 4,3 ; b) 4,3 ; c) 10,3 ;
   d) 3,6 ; e) 2,1

5. a) 2,3 ; b) 2 ; c) 2,6 ; d) 2,2 ; e) 1,4

6. a) 1,2 ; b) 22,5 ; c) 66,7 ;
   d) 0,9 ; e) 2

7. a) 0,0045 ; b) 0,03 ; c) 0,25 ;
   d) 0,035 ; e) 0,082

8. a) 2,5 ml ; b) 0,8 ml ; c) 4 ml ;
   d) 0,6 ml ; e) 5,4 ml

9. a) 18,8 mg ; b) 0,7 mg ; c) 1,2 mg ;
   d) 1/2 co ; e) 10,5 mg

10. a) Vrai ; b) Faux ; c) Vrai ;
    d) Faux ; e) Faux

Index général

Index des étiquettes de médicaments

Médiagraphie

Ouvrages

ASSOCIATION DES PHARMACIENS DU CANADA. *Compendium des produits et spécialités pharmaceutiques (CPS)*, Ottawa, Association des pharmaciens du Canada, 2009, 3017 p.

CHARPENTIER, Brigitte, et *al. Guide du préparateur en pharmacie*, 3e éd., Issy-les-Moulineaux, Masson, 2008, 1361 p.

CLAYTON, Bruce D., et Yvonne N. STOCK. *Pharmacologie de base*, Montréal, Beauchemin, 2003, 580 p. (Coll. « Soins infirmers »)

CLOUTIER, Bibiane, et Nicole MÉNARD. *Pharma-Fiches*, 4e éd., Montréal, Gaëtan Morin éditeur, 2005, 624 p.

DEGLIN, Judith H., et April H. Vallerand. *Guide des médicaments*, 3e éd., Saint-Laurent, ERPI, 2008, 1427 p.

DUBOIS, Sylvie. *Calcul, dosage, médicaments*, 2e éd., Montréal, Chenelière/McGraw-Hill, 2002, 192 p.

DURAND, Suzanne, Joël BRODEUR et Céline THIBAULT. « Pratique clinique : surveillance clinique des patients prenant des opiacés », *Perspective infirmière,* vol. 6, no1 (janvier-février 2009), p. 28-34.

GARNIER, Marcel, Valery DELAMARE, Jean DELAMARE et Thérèse DELAMARE. *Dictionnaire illustré des termes de médecine*, 30e éd., Paris, Maloine, 2009, 1046 p.

HEGSTAD, Lorrie, et Wilma HAYEK. *La dose exacte*, Saint-Laurent, ERPI, 2004, 312 p.

KOZIER, Barbara, Glenora ERB et al. *Soins infirmiers : Théorie et pratique*, Saint-Laurent, ERPI, 2004, 1707 p.

LEPROHON, Judith. *L'intégration du Plan thérapeutique infirmier à la pratique clinique Document de soutien à la formation et à l'implantation : application de la loi 90*, trad. de Louise-Marie Lessard, janvier 2007, 144 p.

LEWIS, Sharon M., Margaret M. HEITKEMPER et Sharon R. DIRKSEN. *Médecine-chirurgie*, 4 volumes, Montréal, Beauchemin, 2003. (Coll. « Soins infirmers »)

MAILLÉ, Martine. « L'acétaminophène. Pas si inoffensif que cela ! », *Perspective infirmière*, vol. 7, no2 (mars-avril 2010), p.46-47.

MILLER, Carol A, Ivan L. SIMONEAU et Natalie RAYMOND. *L'essentiel en soins infirmiers gérontologiques*, Montréal, Beauchemin, 2007, 258 p.

PAGANA, Kathleen D. et Timothy J. PAGANA. *L'infirmière et les examens paracliniques complémentaires*, 5e éd., Maloine, 2000, 530 p.

POTTER, Patricia A., et Anne Griffin PERRY. *Soins infirmiers*, 2e éd., Montréal, Beauchemin, 2005, 1224 p.

POTTER, Patricia A., et Anne Griffin PERRY. *Soins infirmiers : fondements généraux*, 3e éd., Montréal, Chenelière Éducation, 2010, 1490 p.

RISPAIL, Dominique, et Alain VIAUX. *Guide du calcul de doses et de débits médicamenteux*, 2e éd., Paris, Masson, 2007, 155 p.

VOYER, Philippe, dir. *Soins infirmiers aux aînés en perte d'autonomie*, Saint-Laurent, ERPI, 2006, 661 p.

Sites Web

Agrément Canada
http://www.accreditation.ca/

Collège des médecins du Québec
http://www.cmq.org/

« Les ordonnances faites par un médecin » :
http://www.cmq.org/Public/profil/commun/AProposOrdre/Publications/~/media/E34C491E41A34B38BC4BE53915FD44D9.ashx?41028

Conseil du médicament
http://www.cdm.gouv.qc.ca/site/accueil.phtml

Conseil international des infirmières
http://www.icn.ch/french.htm

« Les erreurs de médication » :
http://www.icn.ch/matters_errorsf.htm

Diabète Québec
http ://www.diabete.qc.ca

« L'insuline » :
http://www.diabete.qc.ca/html/vivre_avec_diabete/insuline.html

ISMP Canada
http://www.ismp-canada.org/fr/index.html

« Abréviation, symboles et inscription numériques dangereux » :
http://www.ismp-canada.org/fr/dossiers/AbreviationsDangereux-2006ISMPC.pdf

« Réduire le risque d'incidents ou d'accidents liés à la médication : les doubles vérifications effectuées de façon indépendante »
http://www.ismp-canada.org/fr/dossiers/bulletins/BISMPC2005-01.pdf

« Éliminer l'utilisation dangereuse d'abréviations, de symboles et de certaines inscriptions numériques » :
http://www.ismp-canada.org/fr/dossiers/bulletins/BISMPC2006-04.pdf

« Démystifier la déclaration des incidents et accidents liés à la médication » :
http://www.ismp-canada.org/fr/dossiers/bulletins/BISMPC2007-08.pdf

Loi sur les services de santé et les services sociaux
http://www2.publicationsduquebec.gouv.qc.ca/dynamicSearch/telecharge.php?type=2&file=/S_4_2/S4_2.html

Ordre des infirmières et infirmiers du Québec
http://www.oiiq.org

« L'administration de médicaments : rappel des obligations déontologiques »
http://www.oiiq.org/uploads/periodiques/Journal/vol2no2/ss02.htm

« La capacité légale de l'infirmière auxiliaire » :
http://www.oiiaq.org/publication/capacite-legale/MultilingualFile/fr/capacite-legalemai2004.pdf

Divers
« Unités de mesure… » :
http://www.phel.ch/secure/unites.htm

« USP » :
http://www.usp.org/aboutUSP/

« Grand dictionnaire terminologique » :
http://www.granddictionnaire.com/BTML/FRA/r_Motclef/index800_1.asp

Notes et calculs

Notes et calculs